bei – in the case of

Miss Brodel
THURS. – 2:00

Chandler Theatre
14503 Harper

drucken – print
drücken – press
dringen – penetrate

die Reihe – number
Das Reich – realm

(act) als – single action in past
(was) wenn – continuing action

wider – against – with animate
gegen – against – " inanimate

Word Order

Normal
SV   S   V   Mod.
CV   S   aux   Mod   P.P. or inf.

Inverted
(SV   V   S   mod.
(CV   aux   S   mod.   P.P. or inf.
question
Wenn is left out } subj.
volative

Dependent
SV   main clause , sub conj or rel pron (S) mod verb
CV   "   , "   "   "   P.P. or inf   aux

Double Inf.
main clause , "   "   "   aux   inf.
                                             P.P. — in inf form

15 verbs with 2 past part.
   old — inf.
   regular —
15 verbs — modals, heissen, lassen, sehen, helfen, hören fühlen, lehren, lernen, machen

active inf. –
zu laufen = to run

GERMAN SCIENCE READINGS

Worte – quotation
Wörter – unconnected words
Lichte – candles
Lichter – lights
der Rock – coat
Rock – skirt
Dinge – things (abstract)
Dinger – things, living
Gesichte – visions
Gesichter – faces

This is my brother, that is yours.
Dies ist mein Bruder, das ist deiner.
dieser,
endings

German
Science
Readings

SELECTED FROM ROBERT KARL WIZINGER'S
Chemische Plaudereien

EDITED WITH VOCABULARY BY
Werner F. Striedieck, Ph.D.
PENNSYLVANIA STATE COLLEGE

APPLETON-CENTURY-CROFTS, INC.
New York

COPYRIGHT 1942 BY
F. S. CROFTS & CO., INC.

No part of the material covered by this copyright may be reproduced in any form without permission in writing from the publisher.

MANUFACTURED IN THE
UNITED STATES OF AMERICA

Preface

For the student of German who has mastered the fundamentals of grammar there is no lack of interesting and stimulating literary reading material. To the long list of classical texts those of modern authors are constantly being added.

The teacher of courses in scientific German, however, is definitely more limited in his choice of an up-to-date and stimulating text. The cause is perhaps twofold: though the old classics are, for the most part, as challenging to us today as they were to past generations, a text in scientific German of as little as fifty years ago will not now hold the student's attention for very long; and textbooks in science do not always combine scientific accuracy and up-to-dateness with an interesting style, for style in such books is of secondary importance.

It is for these reasons that the materials in Professor Wizinger's popular work *Chemische Plaudereien,* from which these readings have been selected (adapted in a few instances only), are especially well suited to the classroom needs of the American student, even as early as the third or fourth semester. We find here rarely combined a fascinating power of exposition, clearness of statement, and scientific accuracy. Style and subject matter present an appeal not alone to special students in chemistry and natural science, but to all those who are in search of a liberal education and wish to be abreast of the scientific revelations of their time.

The editor wishes to express his indebtedness to Dean Edward H. Kraus, Professor Kasimir Fajans, and Professor Jacob Sacks for reading various chapters and checking them regarding scientific facts and data, to Professor Norman L. Willey for reading the manuscript, and to Professor Henry W. Nordmeyer for encouragement and helpful advice. Finally, he wishes to thank the general editor of this series, Professor A. B. Faust, for the help and advice he has so generously given.

W. F. S.

Note

In the fifth printing of August 1947, the vocabulary has been revised and enlarged to include some 1100 basic expressions found in the literature of various fields of science.

Contents

I	Sinn und Zweck chemischer Arbeit	1
II	An der Arbeitsstätte des Chemikers	5
III	Der Aufbau der Materie	11
IV	Die Verbreitung der Elemente im Erdkörper und im Weltall	36
V	Die chemische Eroberung der Atmosphäre	48
VI	Synthetische („künstliche") Edelsteine	57
VII	Wie entsteht ein künstliches Arzneimittel?	67
VIII	Hormone und Vitamine	88
IX	Das Reich der Farben	109
X	Die Fluoreszenzanalyse in Wissenschaft und Praxis	120
XI	Neue Wege der Kohlechemie	139
Vocabulary		151

I. Sinn und Zweck chemischer Arbeit

Eine kurze, umfassende und klar umrissene Begriffsbestimmung zu geben, was Chemie eigentlich ist, dürfte kaum gelingen, weil das Gebiet der Chemie an sich nicht scharf umgrenzt ist. Die Chemie ist ein Teil der Naturwissenschaft, deren Aufgabe die Beschreibung und Erforschung der gesamten Natur, der belebten wie unbelebten, ist. Aus Zweckmäßigkeitsgründen hat man die Naturwissenschaft in einzelne Gebiete unterteilt. Diese Gebiete sind aber unlösbar miteinander verknüpft. Jeder Trennung und jeder Unterteilung haftet infolgedessen eine gewisse Unbestimmtheit der Grenzen an. Die Biologie ist die Lehre von den Lebensvorgängen; Gegenstand der physikalischen Forschung ist die Energie in ihren verschiedenen Erscheinungsformen; die chemische Forschung befaßt sich mit der Aufklärung des stofflichen Geschehens in der Natur. Die Lebensvorgänge sind von stofflichen Umwandlungen begleitet, das Leben hat eine bestimmte stoffliche Zusammensetzung der Organismen zur Voraussetzung. So greift die Chemie in die Biologie über. Die Energie, z.B. die Wärmeenergie, elektrische oder magnetische Energie, tritt stets an Materie gebunden auf, wird durch ihre Wirkung auf die Materie gemessen und beschrieben. Umgekehrt sind stoffliche Umwandlungen von Energieumwandlungen begleitet, z.B. die Verbrennung von Kohle, bei der Wärme frei wird, während die schwarze Kohle in gasförmige Kohlensäure und Wasserdampf usw. übergeht. Physik und Chemie sind so sehr miteinander verbunden, daß einzelne Arbeitsgebiete zur Physik wie auch zur Chemie gehören. Im wesentlichen jedoch beschäftigt sich der Physiker mit der Welt der Energie und der Chemiker mit den Rätseln des Stoffes. Ohne also eine scharfe Begriffsbestimmung aufstellen zu wollen, kann man sagen: Die Chemie ist die Wissenschaft vom Stoff. Man kann es noch etwas enger fassen, umspannt allerdings dann nicht das ganze Gebiet restlos, wenn man sagt: Die Chemie ist die Wissenschaft von den Atomen und ihren Verbindungen. Über die Atome werden wir uns in dem Kapitel „Der Aufbau der Materie" unterhalten. Das gesamte Leben und Geschehen in der Natur vollzieht sich in stofflichen Systemen. Das Aufgabengebiet der Chemie umfaßt also auch die gesamte Natur.

Man unterscheidet reine und angewandte Chemie. Die reine Chemie sucht die Klärung des Aufbaus der Materie und die Erfassung der alles stoffliche Geschehen beherrschenden Naturgesetze; ihr Ziel ist Naturerkenntnis. Die angewandte Chemie benutzt die wissenschaftlichen Erkenntnisse für die mannigfachsten praktischen Zwecke; ihr Ziel ist Naturbeherrschung. Die Bedeutung der Chemie im Leben der Menschheit kann also kaum überschätzt werden. Die reine Chemie befaßt sich mit der Zusammensetzung der Erde und sogar der Gestirne, mit dem stofflichen Aufbau der Pflanzen, des Menschen- und Tierkörpers, mit der Frage der Störung des Chemismus der Organe bei pathologischen Veränderungen; sie sucht die Beziehungen zwischen Zusammensetzung und Farbe, Zusammensetzung und Geruch, Zusammensetzung und physiologischer Wirkung zu ergründen. Die angewandte Chemie liefert uns künstliche Düngemittel, trägt bei zu einer rationellen Forstwirtschaft, gibt dem Künstler leuchtende, lichtechte Farben, stellt das Material zu tausenderlei Gebrauchsgegenständen des täglichen Lebens; dem Ingenieur verschafft sie die wertvollen Rohstoffe für den Bau seiner Maschinen, den Bergmann versieht sie mit den nötigen Sprengstoffen, dem Arzt gibt sie Linderungs- und Heilmittel für seine Kranken, andererseits aber auch dem Feldherrn grauenvolle Gaskampfstoffe.

Das Zeitalter der Chemie im heutigen Sinne beginnt mit dem Ende des 18. Jahrhunderts. So groß die seither gesammelte wissenschaftliche Erfahrung auch ist, müssen wir doch sagen, daß wir

SINN UND ZWECK CHEMISCHER ARBEIT

noch ganz am Anfang stehen und unendlich viel Arbeit noch zu bewältigen haben. An ein Ende werden wir überhaupt nie gelangen. Trotzdem war der Einfluß der Chemie in dieser Zeit so groß, daß er zu einer weitgehenden Umgestaltung unserer Lebensweise geführt hat. Nicht nur die chemische Industrie im engeren Sinne, wohl die gesamte Technik wäre ohne die Vorarbeit des Chemikers nicht denkbar. Der Einfluß der Technik ist so bedeutend, daß man vom Beginn eines neuen Abschnitts der Weltgeschichte, vom „technischen Zeitalter" spricht. Es wäre interessant, sich vor Augen zu führen, wie direkt oder indirekt durch den Ausbau der Naturwissenschaften, vor allem der Chemie, unser heutiges Leben sich unterscheidet von dem unserer Urgroßeltern um das Jahr 1800: Wie die ganze Zivilisation sich gewandelt hat, wie uns Tausende kleine und große Bequemlichkeiten selbstverständlich geworden sind, wie die Gesundheitsverhältnisse sich gebessert, die sozialen und wirtschaftlichen Verhältnisse sich umgestaltet haben, wie politische Fragen neuer Art uns beschäftigen, wie das Antlitz des Krieges sich geändert hat, wie überhaupt die ganze geistige Haltung sehr vieler Menschen anders geworden ist.

In mancher Hinsicht leben wir heute in einer angenehmeren Lage als unsere Urgroßeltern. Es läßt sich aber nicht leugnen, daß der Vergleich in vielen Punkten zum Nachteil der heutigen Zeit ausfällt. Mit Recht ist die Frage aufgeworfen worden, ob der naturwissenschaftliche und technische Fortschritt die Menschen glücklicher und innerlich reicher gemacht hat und ihnen nicht nur eine äußerliche Zivilisation schenkte, während sie auf der anderen Seite von einer nervösen Unrast befallen wurden und innerlich verflachten. Tatsache ist, daß mancher Gelehrte durch die Ergebnisse der Naturwissenschaften sich weltanschaulich zum theoretischen Materialismus verleiten ließ. Es ist wahr, daß die Sehnsucht nach den Annehmlichkeiten der Zivilisation viele dem praktischen Materialismus und weltanschaulicher Verwirrung in die Arme trieb, so daß die Technik und die Wissenschaft vielfach in erster Linie nur als Mittel zur persönlichen Bereicherung benutzt wurden. Für diese Mißstände werden die Naturwissenschaften und ihre praktische Anwendung, vor allem die Technik, verantwortlich gemacht. Eine solche Beurteilung ist jedoch ganz oberflächlich. Nicht Forschertätigkeit und Technik an sich haben diese Übelstände gezeitigt, sondern die Tatsache, daß aus den Forschungsergebnissen falsche Schlüsse gezogen und der Technik nicht die richtige Zielsetzung gegeben wurde. Wissenschaftliche Erkenntnis an sich ist immer eine Bereicherung des inneren Menschen, bedeutet eine Befriedigung seines Strebens nach der Erkenntnis der Wahrheit. Zunächst freilich muß man sich darüber klar sein, daß alle chemische Forschertätigkeit, d.h. die Enträtselung des Aufbaus der Materie, uns niemals eine Antwort wird geben können auf die Frage nach dem Wesen der Materie, nach ihrem Ursprung und Woher, sondern nur auf das Wie. Die Frage nach dem Woher ist keine chemische, sondern eine weltanschauliche, ist eine Frage des Glaubens.

Die Erkenntnisse der reinen Chemie bieten eine Fülle von Möglichkeiten, das Leben der Menschheit in verschiedener Hinsicht zu verbessern und zu erleichtern. Die reine und die angewandte Chemie sind gewissermaßen ein Werkzeug von unübersehbarer Wirkungsmöglichkeit. Um einen groben Vergleich zu benutzen: Sie sind ein Messer, mit dem man ebensogut ein Kunstwerk schnitzen wie einen Mord begehen kann. Wird die Chemie lediglich in gewinnsüchtiger, egoistischer Absicht ohne Rücksicht auf andere lebenswichtige Bezirke angewandt, so kann der Schaden den Nutzen bei weitem übertreffen. Wird sie jedoch dienstbar gemacht, um in erster Linie dem Allgemeinwohl zu dienen, dann wird sie zu einem Kulturfaktor von überragender Bedeutung. Dies zu verwirklichen muß Sinn und Zweck der chemischen Arbeit sein.

II. An der Arbeitsstätte des Chemikers

Bei einer knappen Darstellung des gegenwärtigen Standes unserer Erkenntnis auf irgendeinem Gebiete der Chemie, z.B. über künstliche Edelsteine, wo in rascher Folge über eine ganze Reihe wichtiger Entdeckungen und technisch bewährter Verfahren berichtet wird, entsteht leicht der Eindruck, als seien sich die Erkenntnisse schlagartig gefolgt, und man befände sich in einer unaufhaltsamen Entwicklung. Tatsächlich geht auf allen Gebieten die Entwicklung weiter, aber in kleinen, mühseligen Schritten, und auch dann, wenn durch einen genialen Gedanken neue Arbeitsgebiete erschlossen werden, bedarf es zu ihrem Ausbau jahrzehntelanger Arbeit vieler fleißiger Hände, bis das Ziel erreicht ist. Film und Kriminalroman zeigen uns die geheimnisvolle Tätigkeit des jungen Forschers etwas anders, nämlich etwa so:

Phantastisch, dieses Laboratorium!
Der Herr im weißen Kittel dreht uns den Rücken zu. Er steht gebeugt unter einer großen Glaskugel, in die mehrere gläserne Zuleitungsröhren und Drahtspiralen führen. Die Flüssigkeit in der Kugel wallt und siedet, in den Röhren steigen große Blasen auf. Links neben ihm an der Wand eine Art Schalttafel, in geraden Röhren steigen dauernd Flüssigkeitssäulen auf und ab, die Zeiger des Manometers sind fortwährend in zitternder Bewegung. Zwischen uns und dem Experimentator ein Tisch, darauf ein verwirrendes Durcheinander von Glasröhren, Tropftrichtern und Kolben. Nun öffnet der Chemiker einen Glashahn, Nebel entströmen, die dampfende Flüssigkeit rinnt in das Reagenzglas; der Mann im weißen Kittel tritt durch die Nebelschwaden hindurch zum Fenster. Von dem

großen Regal mit den Hunderten von Flaschen greift er mit sicherer Hand eine bestimmte heraus, gibt einige Tropfen in das nur teilweise gefüllte Reagenzglas, schüttelt das Ganze um, hält es mit gespannter Miene gegen das Licht, greift nach einer zweiten, einer dritten Substanz, gibt wieder einige Tropfen hinzu. Staunen und Freude zeigen sich in den Augen des Chemikers, von oben her beginnt der Inhalt des Reagenzglases sich dunkel zu färben. Schnell einige Formeln aufschreiben — die Entdeckung ist gemacht!

So stellen es sich auch viele Laien, die ein gemeinverständliches Lehrbuch gelesen haben, vor, wie auch manche glauben, daß der Astronom nur durch sein Fernrohr den nächtlichen Himmel anzuschauen brauche, um neue Kometen in der Tiefe des Himmelsraumes zu entdecken. Sie ahnen nicht, wie viele Stunden in kalter Winternacht er am photographischen Fernrohr verbringen muß, wieviel Tausende von Pünktchen er auf der Photoplatte ausmessen muß, wie jahrelange mathematische Arbeit nötig ist, um einzelne neue Tatsachen über die Beziehungen der Fixsterne zueinander zu finden. Hervorragende neue Entdeckungen sind nur wenigen beschieden. Nicht anders ergeht es dem Chemiker. Die Ergebnisse moderner Atomforschung, die ans Magische grenzende Wirkung der Hormone, der künstliche Aufbau von Duftstoffen und Blütenfarben, all diese Dinge, über die eine Zeitungsnotiz kurz und spannend berichtet, setzen eine solche Unsumme von Kleinarbeit voraus, daß der Außenstehende sich gar kein Bild davon machen kann. Es soll kein Vorwurf sein, aber manche allgemeinverständliche Abhandlung verleitet ungewollt dazu, daß der Laie sich die Arbeit des Wissenschaftlers und Technologen wie eine anregende Spielerei vorstellt. Auf die Grenzen unseres Könnens, auf die einstweilen noch nicht zu überwindenden Hindernisse wird vielfach nicht genügend hingewiesen.

Die wichtigste Eigenschaft des guten Chemikers: Geduld!

Es klingt unglaubhaft, daß wir heute wissen, welche Temperatur

AN DER ARBEITSSTÄTTE DES CHEMIKERS

geherrscht hat, als sich aus einem Meeresbecken, das vor vielen Millionen Jahren die Staßfurter Gegend bedeckte, die Salzlager bildeten, wie diese Temperatur sich änderte, daß zeitweilig neue Zuflüsse von Meerwasser in dieses Becken drangen, daß wir genau berechnen können, wieviel von den einzelnen Salzen jeweilig im Wasser dieses Beckens vorhanden war, das große Ähnlichkeit mit dem Toten Meer hatte. Der Laie ahnt nicht, wie viele Analysen von Salzgemischen nötig waren, um zu ermitteln, welche Mineralien sich aus einer Lösung von nur zwei oder drei Salzen abscheiden, wenn man Mischungsverhältnis und Temperatur schrittweise ändert. Es gehört ein starkes Interesse dazu, um die Geduld aufzubringen, die endlose Reihe gleichartiger Versuche durchzuführen, bei denen es scheinbar nichts zu erleben gibt.

Wir kennen heute die Beschaffenheit vieler stickstoffhaltigen Pflanzenstoffe, der sogenannten Alkaloide, die wegen ihrer starken physiologischen Wirksamkeit Interesse beanspruchen. Man denke nur an das Morphium, an das Chinin, an das Mezkalin, das Alkaloid bestimmter Kakteenarten, das die herrlichsten Farbvisionen hervorruft. Es ist reizvoll, die Formeln dieser Stoffe zu vergleichen und zu sehen, wie geringfügige Abweichungen die physiologische Wirkung weitgehend ändern. Viele dieser Verbindungen können wir schon künstlich darstellen. Man darf über der Freude aber nicht die Unsumme von Arbeit, die nötig war, vergessen. Zunächst mußten die Stoffe aus den Pflanzen isoliert werden; die Abtrennung von Pflanzenschleim, Zuckern, Eiweißkörpern, Farbstoffen war an sich schon schwierig. Nun kommt in einer Pflanze nie nur eine bestimmte wirksame Verbindung vor, stets baut der Organismus eine ganze Reihe chemisch ähnlicher Stoffe auf, die alle voneinander getrennt werden müssen, und gerade diese Arbeit macht besondere Schwierigkeiten. Man muß sagen, daß uns bis heute diese Arbeit noch in keinem Falle restlos gelungen ist. Aus dem Opium z.B. wurden bis jetzt außer Morphium über zwanzig ähnliche Verbindungen in reinem Zustand erhalten; es enthält aber noch eine ganze Reihe anderer, die zu isolieren bis heute nicht gelungen ist. 1804 war das Morphium schon isoliert worden, aber erst vor wenigen Jahren wurde die Konstitution aufgeklärt, obwohl die Forscherarbeit auf diesem Gebiet nie zur Ruhe kam.

Wie geht eine Konstitutionsaufklärung vor sich? Nach der Reindarstellung der Verbindung ermittelt man durch die Analyse, aus wieviel Atomen Kohlenstoff, Wasserstoff, Sauerstoff usw. sie aufgebaut ist. Um zu erfahren, in welcher Anordnung sich diese Atome befinden, zerlegt man durch vorsichtige Reaktionen die Verbindung Schritt für Schritt in kleine Stücke bis zum Erhalt von Sprengstücken, deren Konstitution schon von anderer Seite bekannt ist. Aus diesen Abbauprodukten denkt man sich nun rückwärts die Verbindung aufgebaut und erhält so eine zunächst hypothetische Konstitutionsformel. Dabei können allerdings Jahrzehnte vergehen. Jetzt heißt es, die Richtigkeit der Formel zu prüfen dadurch, daß man eine Verbindung dieser Konstitution künstlich aufbaut. Erst wenn vollständige Übereinstimmung bei künstlichem und natürlichem Aufbau in sämtlichen Eigenschaften hergestellt ist, kann die Konstitution als erwiesen gelten. Bis die Synthese durchgeführt ist, kann es wieder Jahre dauern. Oft stellt sich die ursprüngliche Konstitutionsformel als falsch heraus, und die ganze Arbeit bedarf der Überprüfung und Ergänzung. Oft auch stellen sich bei der Synthese unerwartete Schwierigkeiten ein, die Reaktion verläuft anders, als vorausgesehen war; häufig macht auch die Einführung einer für die Wirkung der Verbindung nebensächlichen Atomgruppe an einer bestimmten Stelle des Moleküls besonders hartnäckige Arbeit. Dies gilt nicht nur für die Chemie der Alkaloide, sondern auch für die Chemie der Duftstoffe, der Naturfarbstoffe und viele andere Gebiete der organischen Chemie.

Aus diesen kleinen Beispielen geht hervor, daß der wissenschaftlich arbeitende Chemiker starkes Interesse an der Enträtselung der Gesetze haben muß, die den stofflichen Aufbau der Natur beherrschen. Die Liebe zur Sache muß gepaart sein mit unerschütterlicher Geduld und dem festen Glauben an das Gelingen, trotz aller Mißerfolge und Hemmnisse; der Chemiker darf nie erlahmen im Kampf um die kristallisierte reine Substanz, die es aus einer oft harzartigen Schmiere zu gewinnen gilt, er muß mit humorvollem Gleichmut ertragen, wenn im entscheidenden Augenblick eine kunstvoll aufgebaute Apparatur durch eine ungeschickte Bewegung in Scherben geht. Und welch ein Jagen um die Priorität, wenn man erfahren hat, daß irgendwo in der weiten Welt ein anderer auf demselben Gebiet arbeitet und kurz vor einem bedeutenden Abschluß steht!

Die Schwierigkeiten in der technischen Chemie sind anders geartet. Hier ist das Ziel der Arbeit nicht eine wissenschaftliche Erkenntnis, sondern die möglichst billige Herstellung brauchbarer Produkte. Die wissenschaftliche Leistung ist für den Chemiker im Betrieb nur Mittel zum Zweck. Es liegt in der Zielsetzung des Betriebschemikers, daß er sein Hauptaugenmerk auf Erhöhung der Ausbeute und Ersparnisse an Hilfsstoffen und Kraft richten muß, daß er umständliche Herstellungsverfahren zu vereinfachen sucht. Dazu sind lange Reihen von Versuchen nötig, bei denen Schritt für Schritt die Bedingungen, Temperatur, Druck, Zeitdauer, Mengenverhältnisse der reagierenden Stoffe geändert werden müssen, bis das Ziel erreicht wird.

Wer keine Liebe zu chemischen Dingen besitzt, soll vom Chemiestudium abstehen. Er würde den harten Kampf mit der Materie nicht bestehen, er wird schon unter den Säuredünsten des Laboratoriums leiden, die ganze Umwelt der Industrie wird ihn beklemmen, der Weg zum Erfolg endlos erscheinen, jeder ergebnislose Versuch wird ihm eine Enttäuschung sein und die Freude an der Arbeit nehmen.

Diese Zeilen sollen aber nicht den Eindruck hervorrufen, als sei das Dasein des Chemikers eine Folge von Enttäuschungen und Mühen. Es soll nur gezeigt werden, daß das Gebäude der Chemie auf geduldige Kleinarbeit gestützt ist, die aber von dem, der frohen Herzens Chemiker ist, voll bewältigt werden kann.

Von der Tätigkeit des Chemikers erhält man am besten eine richtige Vorstellung, wenn man ihn in sein Laboratorium begleitet und sich an Ort und Stelle Sinn und Zweck seiner Arbeit erläutern läßt. Auch die gewandteste Beschreibung kann nur schwachen Ersatz bieten für eine Besichtigung. Für jede Spezialaufgabe muß der Arbeitsraum praktisch eingerichtet sein. Der moderne Chemiker ändert Hilfsmittel und Arbeitsmethoden nach dem neuesten Stand unseres Wissens. Er kühlt mit flüssiger Luft bei 190° unter Null, er erhitzt im elektrischen Ofen auf über 3000°. Röntgenstrahlen, Teslaströme, Kurzwellen und radioaktive Strahlung werden als Hilfsmittel herangezogen. Überempfindliche elektrische und optische Meßapparate verschiedenster Art sind in den Dienst der Chemie getreten; Hochdruckapparate, Hochvakuumpumpe, Quecksilberbogenlampe und Ultramikroskop sind Alltäglichkeiten im gut ausgestatteten Laboratorium. Durch die Mikrowaage, die auf ein millionstel Gramm genau wiegt, haben die analytischen Verfahren eine solche Verfeinerung erfahren, daß zu einer Bestimmung nur noch wenige Milligramm des zu untersuchenden Stoffes notwendig sind. Trotz dieser modernen Hilfsmittel, die man nicht mehr missen könnte, ist genau wie vor hundert Jahren das Reagenzglas das unentbehrliche Werkzeug geblieben, und seit Liebigs Zeiten hat sich das Aussehen des Laboratoriums in den Grundzügen kaum geändert. Liebigs Laboratorium in Gießen war das erste, in dem junge Chemiker an Hand eigener Versuche in die Chemie eindringen konnten, und nach seinem Vorbild sind später in Deutschland und im Ausland die chemischen Institute eingerichtet worden.

III. Der Aufbau der Materie

Das Ende der Alchimie

„Chemista scepticus", der kritische Chemiker, ist der Titel eines kleinen Buches, das 1661 erschien und den englischen Naturforscher Robert Boyle zum Verfasser hat. Es erlebte rasch mehrere Auflagen. Man sagt mit Recht, daß mit dieser Schrift ein neues Zeitalter der Chemie beginne. Schon in seiner Sprache unterscheidet sich das Buch von den damals üblichen alchimistischen und iatrochemischen Werken. Wer in den alchimistischen Schriften jener Zeit blättert, wird bald feststellen, daß sich die meisten stark ähneln in ihrer verworrenen, phantastischen, bilderreichen Sprache, die auch dem Geübten meist unverständlich bleibt, und mit der die Verfasser eigentlich ihre eigene Unsicherheit verbergen wollten. Boyle dagegen spricht eine klare, jedermann verständliche Sprache: „Die Chemiker haben sich bisher durch enge Prinzipien, die der höheren Gesichtspunkte entbehren, leiten lassen. Sie erblicken ihre Aufgabe in der Bereitung von Heilmitteln (Iatrochemie), in der Extraktion und Umwandelbarkeit der Metalle (Alchimie). Ich habe versucht, die Chemie von einem ganz anderen Gesichtspunkt aus zu behandeln, nicht wie dies ein Arzt oder Alchimist, sondern ein Philosoph tun sollte. Ich habe hier den Plan einer chemischen Philosophie gezeichnet, die, wie ich hoffe, durch meine Versuche und Beobachtungen vervollständigt werden wird. Läge den Menschen der Fortschritt der wahren Wissenschaft mehr am Herzen als ihre eigenen Interessen, dann könnte man ihnen leicht nachweisen, daß sie der Welt den größten Dienst leisten würden, wenn sie alle ihre Kräfte einsetzten um Versuche anzustellen, Beobachtungen zu sammeln und keine Theorie aufzustellen, ohne zuvor die darauf bezüglichen Erscheinungen geprüft zu haben." Das Experiment soll nach Boyle die Grundlage jeder Theorie sein, und jede Theorie soll zu neuen Experimenten und Entdeckungen führen. Damit stellt sich Boyle in Gegensatz zu den meisten Chemikern seiner Zeit, welche lediglich erdachte Behauptungen über den Aufbau der sichtbaren Welt, über die Verwandlung unedler Metalle in Gold, über den Stein der Weisen und ähnliche Dinge vorbrachten, ohne ihre Behauptungen mit Experimenten belegen zu können. Unter dem Einfluß Boyles zieht langsam ein neuer Geist in die Chemie ein. Eine Theorie wird jetzt nur dann als wissenschaftlich zulässig angesehen, wenn sie gestützt ist auf wiederholbare zahlreiche Versuche und selbst zur Auffindung von neuen Tatsachen führt. Eine durch Versuche nicht überprüfbare Ansicht gilt bestenfalls als anregender Deutungsversuch, dem jedoch keinerlei wissenschaftliche Beweiskraft zugesprochen werden kann. Aus dieser Einstellung erklärt sich auch Boyles Elementenbegriff. Nach Boyle ist ein Element (Grundstoff) ein nachweisbarer Stoff, der nicht weiter zerlegt werden kann. Boyle kehrt damit allen Betrachtungen über einen lediglich vorgestellten Urstoff und allen unklaren Begriffsbestimmungen von Elementen den Rücken. Zu Boyles Zeiten kannte man schon eine ganze Reihe von Stoffen, wie Gold, Silber, Blei, Schwefel u.a., vor denen die chemische Analyse haltmachen mußte, und die jeder Zerlegung trotzten. Derartige Körper faßte Boyle als „Elemente" auf. Daß unzerlegbare Stoffe nicht in einander überführbar sein können, ist selbstverständlich. Mit Boyle verliert die Alchimie, die ohnehin in eine wilde Goldmacherei ausgeartet war, ihr letztes wissenschaftliches Ansehen.

Schwächen und Vorzüge der klassischen Atomtheorie

Wie so oft ging man in der Folgezeit auch hier zu weit und erklärte die Umwandlung der Elemente nicht nur für mißlungen, sondern auch für ganz undurchführbar. Dieser Behauptung gaben ja alle praktischen Erfahrungen recht. Als gegen Ende des 18. Jahrhunderts

DER AUFBAU DER MATERIE

Lavoisier es lehrte, die chemischen Umsetzungen, insbesondere die Verbrennungsprozesse mit der Waage zu verfolgen, und als John Dalton 1808 seine Atomtheorie veröffentlicht hatte, begann die Chemie im heutigen Sinne.

Dalton hatte Boyles Elementenbegriff in seine Atomtheorie übernommen. Nach Daltons Annahme bestehen die Elemente aus Atomen, aus kleinen, in keiner Weise weiter teilbaren Partikelchen. Die Atome der verschiedenen Elemente haben verschiedenes Gewicht, die Atome desselben Elementes dagegen gleiches Gewicht. Ein Atom Kupfer z.B. soll also ein winziges Stückchen Kupfer bestimmter Ausdehnung sein, das aber trotzdem unteilbar ist.

Diese Atomtheorie befriedigt in zwei wesentlichen Punkten nicht: Die Energie tritt in einer ganzen Reihe von verschiedenen Erscheinungsformen auf, als Licht, als Wärme, Elektrizität, Schall, Bewegungsenergie usw.; aber es gelingt, die eine Form willkürlich in die andere umzuwandeln. Man denke an ein jedermann geläufiges Beispiel: Die Verbrennungswärme der Steinkohle wird von der Dampfmaschine in Bewegungsenergie umgesetzt, in der Dynamomaschine wird diese Bewegungsenergie zur Erzeugung elektrischer Energie verwandt, in der Glühbirne wird die elektrische Energie in Lichtenergie, im Motor des Straßenbahnwagens wieder in Bewegungsenergie oder schließlich im elektrischen Ofen in Wärmeenergie zurückverwandelt. Es gelingt also willkürlich, die eine Form in die andere überzuführen, und sämtliche Energiearten lassen sich im gleichen Maßsystem (C-G-S-System: Centimeter-Gramm-Sekunden) zahlenmäßig erfassen. Im schroffen Gegensatz zu dieser Einheit der Energie steht die Vielheit der Elemente. Ein Jahrhundert nach Dalton waren schon über achtzig Stoffe bekannt, die nicht weiter zerlegt werden konnten. Jedes Element sollte eine Welt für sich sein, von der keine Brücke zur anderen führte! Unserem Verstand erscheint dies höchst unbefriedigend. Unser Einheitsbedürfnis verlangt, daß auch die achtzig Elemente aus einem einzigen Urstoff aufgebaut sein müssen, und daß Urstoff und Energie letzten Endes auf eine gemeinsame Einheit zurückgehen. Jeder experimentelle Befund, der diesem Bild nicht entspricht, wird nicht als endgültige Lösung angesehen werden. Im Grunde genommen steht die Vorstellung der Alchimisten von der Umwandelbarkeit der Metalle durchaus im Einklang mit dieser Forderung des menschlichen Geistes. Unannehmbar an Daltons Theorie ist die Forderung von der Unteilbarkeit des Atoms; denn das kleinste Teilchen, das wirklich erhalten werden kann, ist, mag es auch nur billionstel Millimeter groß sein, mindestens für unser Denkvermögen noch immer teilbar, und es ist nicht einzusehen, warum eine Partikel, deren Teilung man sich vorstellen kann, nicht auch wirklich teilbar sein soll.

Trotz dieser Schwäche war Daltons Atomlehre eine Arbeitsgrundlage von geradezu unbegrenzter Fruchtbarkeit. Ausgehend von der Vorstellung vom atomistischen Aufbau der Elemente war es möglich, so weit in das Reich der Moleküle, d.h. der Verbindungen der Atome miteinander, einzudringen, daß heute schon mehrere hunderttausend organische (d.h. Kohlenstoffverbindungen) und etwa achtzigtausend anorganische Verbindungen bekannt sind. Jeden Tag wird eine große Anzahl neuer Verbindungen entdeckt, und es ist ausgeschlossen, daß ein einzelner Chemiker dem Fortschritt seiner Wissenschaft auf all ihren Teilgebieten folgen kann. In den letzten hundert Jahren hat die Chemie die Lebensweise der abendländischen Völker vollständig geändert.

Die neuen Forschungen haben gezeigt, daß Daltons Vorstellung vom atomistischen Bau der Elemente in einem grundlegend wichtigen Punkte zu Recht besteht, nämlich darin, daß die Elemente wirklich aus kleinsten selbstständigen Teilchen aufgebaut sind. Man ist heute in der Lage, ein einzelnes Atom indirekt sichtbar zu machen. Wir kennen heute das Gewicht der Atome sämtlicher Elemente und ihre Größe genau. Ein Kubikzentimeter Luft enthält rund siebenundzwanzig Trillionen Atome, in Ziffern 27 000 000 000 000 000 000, unter gewöhnlichen Bedingungen. Das leichteste Element ist der

DER AUFBAU DER MATERIE

Wasserstoff. Ein Wasserstoffatom wiegt 0,000 000 000 000 000 000 001 mg. Die schwersten Atome hat das Metall Uran. Sie sind rund 238mal schwerer als die Atome des Wasserstoffes.

Atome der Elektrizität

Die Entdeckung des Radiums nahm ihren Ausgang vom Studium der elektrischen Entladungen im luftleeren Raum. Unter gewöhnlichem Luftdruck vollzieht sich eine elektrische Entladung zwischen zwei Polen in Form von blitzartigen Funken. Entfernt man in einer geeigneten Röhre die Luft mehr und mehr, so nimmt die Entladung zunächst die Form eines Funkenbüschels an, und bei weiterer Luftverdünnung erfüllt ein gleichmäßiges Leuchten die Röhre. Die Farbe dieser Leuchterscheinung ist abhängig von der Natur des in der Röhre vorhandenen Gases. Jedermann bekannt sind die heute für Reklamezwecke beliebten Leuchtröhren mit ihrem roten oder blauen Licht. Verdünnt man das Gas weiter, so werden die Leuchterscheinungen schwächer und hören bei einem Druck von weniger als ein tausendstel Millimeter Quecksilber auf. (Der gewöhnliche Luftdruck beträgt bekanntlich siebenhundertsechzig Millimeter Quecksilber.) Bei einem Druck zwischen einem hundertstel und einem tausendstel Millimeter beobachtet man, daß die Glaswand dem negativen Pol, der sogenannten Kathode, gegenüber in eigentümlicher Weise leuchtet, „fluoresziert". Die Untersuchung hat gezeigt, daß dann von der Kathode gradlinig Schwärme von kleinsten Teilchen negativer Elektrizität forteilen, und dort, wo sie auf die Glaswand prallen, leuchtet diese auf. Man hat diese gradlinig forteilenden Schwärme negativer Elektrizität Kathodenstrahlen genannt. Wir wissen jetzt, daß diese Elektrizitätsteilchen die Atome der negativen Elektrizität sind. Die Elektrizität hat also wie ein chemisches Element atomistischen Bau. Ein einzelnes Atom der negativen Elektrizität, ein Elektron, hat nur etwa den 1800sten Teil (genau $1/1838$) der Masse eines Wasserstoffatoms.

Die Röntgenstrahlen

Im Jahre 1895 befaßte sich Röntgen mit der Untersuchung des grünen Fluoreszenzlichtes der Kathodenstrahlenröhren. Dabei fand er, daß von den grün leuchtenden Stellen der Röhre eine neuartige geheimnisvolle Strahlung ausging. Diese Strahlen, die man wegen ihrer rätselhaften Natur anfänglich mit dem Namen X-Strahlen bezeichnete, haben die Eigenschaft, leichtere Stoffe glatt zu durchdringen, während sie von dichterem Material wie Knochen oder schweren Metallen zurückgehalten werden. Diese Eigenschaft hat, wie allgemein bekannt, eine nicht zu überschätzende medizinische Bedeutung erlangt. Wissenschaftlich bemerkenswert war außerdem die Fähigkeit dieser Strahlen, Luft und andere Gase zu ionisieren, d.h. elektrisch leitend zu machen. Mit Hilfe empfindlicher Elektroskope läßt sich der Grad der Leitfähigkeit und damit die Stärke der Strahlung rasch und genau messen. Dazu vermögen die Strahlen die photographische Platte durch die lichtdichte Papierhülle hindurch zu schwärzen. Heute weiß man, daß die Röntgenstrahlen wie die Lichtstrahlen elektromagnetische Schwingungen sind, die sich von den Lichtwellen nur durch ihre wesentlich kürzere Wellenlänge unterscheiden. Die Lichtstrahlen haben Wellenlängen von rund 400- bis 800 millionstel Millimeter, die Röntgenstrahlen Wellenlängen von rund 10- bis 0,01 millionstel Millimeter.

Strahlende Materie

Damals freilich war man sich über ihre Natur noch im unklaren. So kam der französische Physiker Becquerel auf den Gedanken, die Entstehung der Röntgenstrahlen hinge mit der grünen Fluoreszenz der Glaswand der Kathodenstrahlenröhren zusammen, und es könnten von anderen gelbgrün fluoreszierenden Stoffen ebenfalls Röntgenstrahlen ausgesandt werden. Er untersuchte zunächst die gelbgrün fluoreszierenden Uransalze. Die gelbgrün schimmernden Vasen und Gläser, die man oft sieht, enthalten als färbenden Zusatz solche Salze. Tatsächlich ergab sich, daß die Luft in der Nähe der Uranver-

DER AUFBAU DER MATERIE

bindungen, wenn auch nur schwach, elektrisch leitend war. Becquerel legte auf eine in lichtdichtes Papier gehüllte photographische Platte einige Proben von Uranverbindungen, und nach einigen Tagen zeigte sich die Platte an den Stellen unter dem Präparat geschwärzt. Bei der genauen Verfolgung der Erscheinung stellte sich heraus, daß die Stärke der Strahlung abhängig war vom Urangehalt eines Präparats. Am stärksten strahlte das reine Uranmetall selbst. Die Fähigkeit, Strahlen auszusenden, war also eine Eigenschaft des Uranatoms. Ihre Entstehungsursache war zunächst ein Geheimnis. Die Fähigkeit, solche unsichtbaren Strahlen auszusenden, nannte man Radioaktivität, die Strahlen selbst radioaktive Strahlen.

Das Ehepaar Curie untersuchte eine ganze Reihe Uranmineralien auf ihre Radioaktivität. Sie fanden, daß ein Uranmineral aus Joachimsthal in Böhmen, die sogenannte Uranpechblende, eine Strahlung zeigte, die 3,6 mal stärker war, als sie dem Urangehalt entsprach. Es mußte also in dieser Pechblende ein Stoff enthalten sein, der stärker strahlte als das Uran. Schon oft war die Pechblende genau analysiert worden; man hatte aber nie ein unbekanntes Element darin gefunden. Das Forscherpaar unterzog das Mineral nochmals einer genauen Analyse, verfolgte aber aufmerksam, in welchen Bestandteilen bei der Zerlegung sich die Strahlung verdichtete. Vor allem Frau Curie übernahm die langweiligen, Geduld erfordernden analytischen Arbeiten. Das strahlende Element sammelte sich an in den Bariumsulfatrückständen, war aber in so geringer Menge vorhanden, daß seine Erfassung zunächst nicht gelang. Es mußte über eine Tonne Uranpecherz verarbeitet werden, bis schließlich in mühseligem Schaffen ein zehntel Gramm der Bromverbindung des geheimnisvollen Stoffes erhalten wurde. Das neue Element erhielt den glücklich gewählten Namen Radium, das Strahlende. Seine Strahlung ist rund eine Million mal stärker als die des Urans. 1910 gelang Frau Curie die Reindarstellung des Radiums selbst. Das Radium ist ein Metall, das bei 700° schmilzt. Es gehört chemisch in die Familie der sogenannten Erdalkalimetalle.

Die Entdeckung des Radiums bedeutete eine Erschütterung der Grundanschauungen der Chemie und der Physik; das Grundgesetz der Physik ist Robert Mayers Erkenntnis von der Erhaltung der Energie; danach kann keine Energie vernichtet werden, sie kann nur ihre Form ändern. Umgekehrt kann auch keine Energie neu entstehen. Im Radium aber lernte man ein Metall kennen, aus dem ohne erkennbare äußere Ursache dauernd Strahlen von ungeheurem Energiegehalt hervorkamen. Die nähere Untersuchung zeigte, daß diese Strahlen nicht einheitlich sind, sondern ein Gemisch von sogenannten Alpha-, Beta- und Gammastrahlen darstellen. Die Betastrahlen entsprechen den Kathodenstrahlen. Es sind Schwärme von Elektronen, also Atome der negativen Elektrizität. Die Gammastrahlen ähneln den Röntgenstrahlen; sie sind wie diese elektromagnetische Schwingungen, jedoch mit kürzerer Wellenlänge (in der Größenordnung von 0,005 millionstel Millimeter). Ihr Durchdringungsvermögen ist größer als das der Röntgenstrahlen. Auch durch Knochen und ziemlich starke Eisenplatten dringen sie durch. Man kann sie daher nicht in der Röntgenographie gebrauchen. Sie sind physiologisch noch stärker wirksam als die Röntgenstrahlen; so kommt es, daß das Radium für medizinische Zwecke, besonders für Krebsbehandlung sehr begehrt ist.

Blei vermag die Gammastrahlen verhältnismäßig gut abzuhalten; darum bewahrt man die Radiumpräparate in Bleibehältern auf, einmal, um sich gegen die gefährliche Strahlung zu schützen, dann auch, weil die hochempfindlichen elektrischen Meßinstrumente durch die die Wände durchdringende Strahlung unzuverlässig würden.

Zerfallende Atome

Die größte Überraschung brachte die Untersuchung der Alphastrahlen. Diese Alphastrahlen bestehen nämlich aus elektropositiv geladenen Heliumatomen. Das Helium ist ein gasförmiges Element, das im Sonnenspektrum (Helios — Sonne) zuerst beobachtet wurde

DER AUFBAU DER MATERIE

und auch in der Erdluft — allerdings nur in winzigen Bruchteilen — enthalten ist. Aus den Radiumatomen schießen also die positiv geladenen Atome eines anderen Elementes hervor, und zwar mit einer Geschwindigkeit von etwa 20 000 km in der Sekunde. Alle drei Strahlenarten machen die Luft elektrisch leitend. Schon bald nach der Entdeckung des Radiums fand Frau Curie, daß alle Körper in der Nähe eines Radiumpräparates nach kurzer Zeit anfangen, selbst radioaktive Strahlen auszusenden. Die Erscheinung bleibt aus, wenn das Radiumpräparat luftdicht abgeschlossen ist. Es muß also ein leicht flüchtiger Stoff von dem Radium ausgehen, der sich auf den umliegenden Gegenständen niederschlägt und dort weiterstrahlt. Das Geheimnis dieser mitgeteilten Radioaktivität war bald gelöst. Das Radium verwandelt sich langsam in ein gasförmiges Element, die Radiumemanation. Diese zerfällt weiter unter Abgabe von Alpha-, Beta- und Gammastrahlen über mehrere feste Zwischenstufen, bis schließlich unser altbekanntes Blei übrigbleibt. Hier vollzieht sich das, was die Alchimisten erträumt hatten, von selbst. Die Elemente wandeln sich ohne unser Zutun ineinander um, die Unveränderlichkeit und die Unteilbarkeit der Atome sind hiermit widerlegt.

Erneutes Suchen nach dem Urstoff

Die Feststellung, daß das Uranmetall über Radium und eine Reihe anderer Zwischenstufen schließlich zu Blei zerfällt, und daß in ähnlicher Weise aus Thorium Blei werden kann, ist deswegen so wichtig, weil damit bewiesen ist, daß die einzelnen Elemente nicht beziehungslose, völlig selbständige Arten der Materie sind. Wir sehen vielmehr, daß zumindest die radioaktiven Elemente in nächster verwandtschaftlicher Beziehung zueinander stehen; wir sehen, die Atome der Elemente sind nicht das Letzte, sie sind weiter teilbar.

Damit ist die Frage nach dem Urstoff wieder aufgeworfen worden, und seither ist man bemüht, den inneren Aufbau der Atome zu ergründen. Der Traum der Alchimisten von der Umwandelbarkeit der Metalle taucht wieder auf. Natürlich war das Bestreben der

Chemiker nach der Erkenntnis des freiwilligen Atomzerfalls bei den radioaktiven Elementen sofort darauf gerichtet, die Elemente nun künstlich zu zerlegen, schwere Elemente zu leichten abzubauen, aus leichten schwerere aufzubauen und den ihnen allen zugrunde liegenden Urstoff zu erfassen. Diese Arbeit ist jedoch, wie wir sehen werden, mit ungeheuren Schwierigkeiten verknüpft.

Seit rund vier Jahrzehnten mühen sich Physiker und Chemiker um die Enträtselung des Baues der Elemente. Es mußten unglaublich feine Beobachtungsmöglichkeiten und Meßmethoden geschaffen werden, da es vielfach nötig ist, das Schicksal eines einzelnen Atoms messend zu verfolgen. Im Laufe dieser Untersuchungen wurden verschiedentlich experimentelle Tatsachen gefunden, deren Deutung zunächst nicht möglich war, die den Gesetzen der Physik zu widersprechen schienen. Es mußte mit dem Rüstzeug höherer Mathematik gearbeitet werden.

Im Ringen mit diesen Problemen ist aber unsere Erkenntnis vom inneren Aufbau der Atome, von der Möglichkeit der Umwandlung der Elemente außerordentlich vertieft worden. Beinahe jeder Monat bringt uns Überraschungen auf diesem interessanten Gebiete. Wenn sich auch in den Einzelheiten das Bild immer wieder ändert, so können wir uns heute doch schon in großen Zügen eine Vorstellung vom inneren Aufbau der Elemente machen, die in ihren wesentlichen Punkten von Bestand sein dürfte.

Der innere Bau der Atome

Die Atome sind nicht zusammenhängende (homogene) Teilchen aus dem Stoff der einzelnen Elemente, sondern sind heterogene (nicht gleichförmige) Systeme elektrischer Ladungen. Ein Element, z.B. Kupfer, ist nicht bis ins Unendliche in kleine Teilchen Kupfer teilbar, sondern es gibt eine Teilchengröße, eben das Atom, von welcher ab bei weiterer Teilung nicht kleinere Stückchen Kupfer entstehen, sondern die Bausteine des Kupfers erhalten werden. Der winzige Rauminhalt eines Atoms ist nicht gleichmäßig mit Materie erfüllt, er ist zum allergrößten Teil leer. Es erscheint uns unglaublich, daß eine Panzerplatte, die eine schwere Granate kaum durchdringen kann, im Grunde genommen ein ganz lockeres Gebilde darstellt. Wir wissen heute, daß in einem Kubikmeter Platin von ungefähr 21 500 kg Gewicht weniger als ein Kubikmillimeter Materie vorhanden ist! Alle Atome bestehen aus einem elektropositiv geladenen Kern, um den in verhältnismäßig weitem Abstand Elektronen kreisen. Das Wasserstoffatom z.B. ist folgendermaßen aufgebaut: Ein Elektron, d.h. ein Atom der negativen Elektrizität, kreist um den Kern, welcher eine positive Ladung trägt. Nach außen hin heben sich die positive und die negative Ladung auf. Wir begegneten den Elektronen schon bei den Kathodenstrahlen und den Betastrahlen der radioaktiven Elemente, und wir sahen, daß das Elektron rund $1/1800$ der Masse des Wasserstoffatoms besitzt. Nahezu die ganze Masse des Wasserstoffatoms ist also im Kern vereinigt. Auf den ersten Blick hat ein solches Atom eine gewisse Ähnlichkeit mit einem kleinen Planetensystem. Diese Ähnlichkeit besteht nur bis zu einem gewissen Grade; denn die neueste Forschung hat auch weitgehende Unterschiede festgestellt. Die Atome der schwereren Elemente sind ganz ähnlich aufgebaut. Das nächstschwerere Element, das Helium, besitzt einen Kern, der zwei positive Ladungen trägt, und dementsprechend umkreisen zwei negative Elektronen den Kern. So geht es weiter fort. Das im periodischen System auf Helium folgende Element Lithium hat einen dreifach positiv geladenen Kern, um den drei Elektronen kreisen. Das schwerste Element, das Uran, hat einen Kern mit 92 positiven Ladungen, und ein Schwarm von 92 Elektronen rast um diese kleine Sonne.

Als nächstes Problem drängt sich nun die Frage auf: Wie sind denn die Atomkerne aufgebaut, und in welcher Weise bewegen sich die Elektronen um die Kerne? Wenden wir uns zunächst zu der Elektronenhülle der Elemente. Beim Wasserstoffatom können wir die Bahn des Elektrons sowie die möglichen Änderungen dieser Bahn unter verschiedenen Bedingungen schon genau berechnen. Bei den höheren Elementen ist dies noch nicht möglich; hier müssen wir einstweilen mit Teilergebnissen zufrieden sein. Immerhin sind schon außerordentlich wichtige und interessante Gesetzmäßigkeiten aufgefunden. Wir wissen, daß die Elektronen nicht einzeln in immer weiteren Bahnen wie die Planeten um die Sonne kreisen, sondern daß sich auf einer Kugelschale, d.h. im gleichen Abstand vom Kern, eine ganze Anzahl befinden können. Auch diese Zahlen sind bekannt. Wichtig ist, daß auf der äußersten Kugelschale höchstens bis zu acht Elektronen Platz finden. Immer, wenn die Zahl acht erreicht ist, ist eine Kugelschale mit Elektronen voll besetzt, und die noch hinzutretenden Elektronen müssen sich auf einer neuen, größeren Kugelschale anordnen. Es ist ferner einwandfrei festgestellt, daß der chemische Charakter eines Elements fast nur durch die äußere Elektronenhülle bestimmt ist. Beim Zustandekommen einer chemischen Verbindung ändert sich diese äußerste Hülle.

Warum die Alchimisten kein Glück hatten

Es wird uns jetzt klar, warum alles Mühen der Alchimisten umsonst war. Auch bei den energischsten chemischen Prozessen verändern wir ja nur die äußere Elektronenhülle. Wenn bei einem chemischen Prozeß die Atome miteinander in Berührung kommen, so stoßen sie nur mit ihren Elektronenhüllen zusammen. Zur Elementenumwandlung ist es aber nötig, den Kern zu treffen und umzugestalten. Alles Extrahieren, Destillieren, Schmelzen, und sei es monatelang bei Weißglut, konnte keinen Erfolg bringen. Auch war es ganz gleichgültig, welche Stoffe die Alchimisten zusammen reagieren ließen. Ob sie nun Metalle, Schwefel und Mineralien zusammenschmolzen oder die phantastischsten Präparate aus Pflanzen oder Körpersäften kochten, stets und immer wieder konnten nur Reaktionen der äußeren Elektronenhüllen sich ereignen. Die Atomkerne wurden nicht getroffen, und unverändert gingen die Elemente aus dem Prozeß hervor. Um den Atomkern zu treffen, braucht man

DER AUFBAU DER MATERIE

feinere Mittel als ganze Atome mit ihren großen Elektronenhüllen. Man muß, wie wir im einzelnen sehen werden, winzige, mit ungeheurer Energie geladene Geschosse anwenden, welche die Elektronenhülle durchsausen und in den Kern einschlagen können.

Die Bausteine der Elemente

Die äußere Hülle der Atome wird durch Elektronen, die Atome der negativen Elektrizität, gebildet. Das Elektron ist also ein Baustein der chemischen Elemente.

Die Atomkerne sind Zusammenballungen einer wechselnden Zahl von Teilchen der Masse 1 und von positiven Ladungen. Sie sind also zweifellos zusammengesetzter Natur. Dies wird durch die Fülle der Isotopieerscheinungen erwiesen. Gerade in der Aufklärung der Zusammensetzung der Atomkerne ist man nun entschieden weitergekommen.

Positron, das Atom der positiven Elektrizität

Bis 1932 hatte man die positive Elektrizität nie frei von wägbarer Materie beobachten können. Eine einzelne positive Ladung trat immer wenigstens mit einem Wasserstoffkern verbunden auf. Deswegen hielt man den einfach positiv geladenen Wasserstoffkern für das Atom der positiven Elektrizität. Man nannte dieses Gebilde Proton. Proton und Elektron hielt man für die Bausteine aller Elemente. Das war nicht recht befriedigend. Warum denn sollten die Atome der positiven Elektrizität so viel schwerer sein als die der negativen?

Als man jedoch Beryllium, Aluminium und andere leichte Elemente dem Trommelfeuer besonders energiereicher Alphastrahlen aussetzte, erhielt man die Atome der positiven Elektrizität losgelöst von den Atomkernen. Diese positiven Elektronen sind genau so leicht wie die negativen. Auch ihre Masse ist $1/1838$ des Wasserstoffatoms. Für die Atome der positiven Elektrizität hat sich der Name Positron eingebürgert.

Das Element Null

Bei der Behandlung von Beryllium mit sehr starken Alphastrahlen begegnete man außerdem einem höchst merkwürdigen Stoff: der Masse 1, frei von jeder elektrischen Ladung. Diese elektrisch neutralen Masseteilchen benannte man Neutronen.

Das Neutron ist ein eigenartiges Element, es ist das Element Null. Sein Kern trägt keine Ladung. Das Vorhandensein dieses Elementes Null hat man vorausgesagt. Durch die modernsten Untersuchungen der Sternstrahlung war man zu dem Ergebnis gekommen, daß einige wenige Fixsterne eine ungewöhnlich hohe Dichte besitzen. Ihre Dichte soll die Dichte der Erde um das Tausendfache übertreffen. Antropoff nahm daher an, daß es einen Stoff geben könnte, der aus elektroneutraler Atomkernmasse bestünde, eben das Element Null. Da diese Atomkerne außerordentlich klein und dicht und von keiner Elektronenwolke umhüllt seien, müßten sie ein großes Durchdringungsvermögen haben und sich selbst sehr nahe kommen können. Sie würden durch die Materie der Gestirne widerstandslos hindurchfallen können und, dem Gesetz der Schwere folgend, sich im Sterninnern ansammeln und so diese abnormen Dichten hervorrufen. Das war zunächst eine Hypothese, aber der Versuch hat diese Annahme tatsächlich insofern bestätigt, als die Neutronen wirklich ein ganz außerordentlich großes Durchdringungsvermögen besitzen. Sogar durch Bleiplatten von 30 cm Dicke vermögen sie ganz glatt hindurchzufliegen. Das Neutron kann sich mit einem Positron vereinigen, und dann liegt vor uns das Proton, der Atomkern des leichten Wasserstoffs. Zwei Neutronen und ein Positron ergeben einen Atomkern der Masse 2 mit der Ladung 1, d.h. den Atomkern des schweren Wasserstoffs, des Deuteriums. Man bezeichnet diesen Atomkern als Deuton. Durch Zusammenballung einer größeren Zahl von Neutronen und Positronen sind die Atome der schweren Elemente gebildet.

Vergebliche Versuche

Sobald erkannt war, daß die Radioaktivität auf dem freiwilligen Zerfall schwerer Atome in leichtere Elemente beruhe, versuchte man auch schon, diese Elementenumwandlung künstlich zu beeinflussen. Aber Abkühlung auf unter 200° unter Null hat den Vorgang nicht verlangsamt, Erhitzung auf 3000° hat ihn nicht beschleunigt. Die stärksten elektrischen und magnetischen Felder erwiesen sich als wirkungslos. Die nicht radioaktiven Elemente widerstanden erst recht jedem Umwandlungsversuch. Es erschien mehr als wahrscheinlich, daß erst Temperaturen von weit über 20 000° und elektrische Energien von unvorstellbarer Größenordnung etwas Aussicht auf Erfolg bieten würden.

Ein Hoffnungsschimmer

Einen Hoffnungsschimmer und neuen Auftrieb brachte ein Versuch Rutherfords im Jahre 1919. Dieser Forscher stellte fest, daß Alphastrahlen Stickstoffatome zu zertrümmern vermögen. Dabei wird aus dem Stickstoff Wasserstoff herausgeschossen. Die Alphastrahlen sind ja doppelt positiv geladene Heliumatome, also Heliumkerne, die mit einer Geschwindigkeit von 20 000 km in der Sekunde dahinsausen. Wo diese Partikeln wie Geschosse in ein Atom hineintreffen, zerschmettern sie es in Bruchstücke, die auseinanderstieben. Die Elementenumwandlung vollzieht sich nur in allergeringstem Umfang. Die umgesetzten Mengen können auch mit den allerfeinsten Waagen nicht gewogen werden; denn es sind nur einige wenige Atome, die bei einem Versuch zerschmettert werden. Und doch weiß man über den Vorgang sehr genau Bescheid, denn das Meßverfahren ist sehr exakt. In sinnreicher Weise, in der sogenannten Nebelkammer, kann man nämlich die einzelnen Sprengstücke als Nebelstreifen sichtbar machen und photographieren. Aus der Beschaffenheit der Bahn lassen sich nun Gewicht und Natur der Sprengstücke errechnen.

In der Folgezeit wurde die photographische Nebelspuraufnahme sehr vervollkommnet und andere noch sichere, selbsttätig arbeitende Meßgeräte gebaut. So gelang der Nachweis der Atomzertrümmerung mit natürlichen Alphastrahlen auch noch bei einigen anderen Elementen, z.B. bei Aluminium und Phosphor.

Gewaltige, schwierige Pläne

Bis zum Jahre 1932 waren nur natürliche Alphastrahlen für diese spärlichen Elementenumwandlungen benutzt worden. In diesem Jahre wurden zum erstenmal auch künstliche Protonenstrahlen, also Strahlen von Wasserstoffkernen, zu diesem Zwecke herangezogen. Die natürlichen Alphastrahlen kommen aus den radioaktiven Präparaten mit solcher Wucht hervorgeschossen, als seien sie von einer elektrischen Spannung von rund drei Millionen Volt gehetzt. Darum hielt man Zertrümmerungsversuche nur dann für aussichtsreich, wenn Spannungen von mehreren Millionen Volt herangezogen würden. Gigantische Pläne wurden erwogen. Der Blitz sollte eingefangen werden. Unter Aufwand der größten Mittel wurden gewaltige Atomzertrümmerungsmaschinen gebaut, Entladungsröhren für Spannungen von 1 bis 10 Millionen Volt. Mit sehr viel Mühe und Scharfsinn suchte man das schwere Problem zu lösen.

Moderne Alchimie im Film

Die Kunde von diesen Vorarbeiten hat Anregung zu manchem spannenden Zukunftsroman gegeben und hat seinerzeit auch in dem eindrucksvollen phantastischen Film „Gold" ihren Niederschlag gefunden. Die gigantischen Atomzertrümmerungsmaschinen dieses Filmes erinnerten in manchen Einzelheiten an das Vorbild im wissenschaftlichen Laboratorium, an die Entladungsröhren, Riesenmagneten, Funkeninduktoren usw. Im einzelnen soll dieser Film hier nicht besprochen werden. Er zeigte auf jeden Fall in höchst einprägsamer, ja sogar aufregender Weise, daß zur Transmutation der Metalle im Großen, insbesondere zur Umwandlung von Blei in Gold, so fürchterliche, beängstigende Energiebeträge zur Entladung kommen müßten, daß, wie beim Ausbruch eines Vulkans vom explosiven Typ, alles zertrümmert und zerschlagen würde, wenn der Mensch die Herrschaft über diese bösartigen elektrischen Ungeheuer verlöre.

Eine genial einfache Lösung

Während noch in verschiedenen Ländern durchaus bewundernswerte Riesenapparaturen mühevoll ersonnen wurden, kamen einige englische Forscher auf Grund theoretischer Überlegungen zu dem Ergebnis, daß man, wenigstens bei leichten Elementen, schon mit einigen hunderttausend Volt auskommen müßte, und der Versuch gab ihnen recht. Bereits mit 125 000 Volt glückte ihnen die Zerlegung des Lithiums. Immerhin bereitete auch dieses Verfahren, bei dem über 100 000 Volt Spannungsunterschied die Apparatur belasteten, noch überreichlich technische Schwierigkeiten.

Es war daher eine große Erleichterung, als Lawrence in Berkeley eine Möglichkeit ersann, Protonenstrahlen von ebenso großer Energie wie mit einer Spannung von 1 Million Volt zu erzeugen, ohne dabei aber mehr als rund 5000 Volt zu benötigen.

Dies erscheint auf den ersten Blick widersinnig, und doch ist die Lösung genial einfach. Im Grunde genommen wird bei diesem Verfahren ein genau so einfacher Kunstgriff gebraucht wie beim Läuten einer Glocke. Die Kraft eines einzelnen Menschen reicht unmöglich aus, mit einem einzigen Ruck eine schwere Glocke zum größten Ausschlag zu bringen, aber durch wiederholte verhältnismäßig leichte Züge im richtigen Augenblick kann die Glocke schließlich zur größten Schwingung gebracht werden. So wird auch beim Verfahren von Lawrence auf Protonen, welche im Wirkungsfelde eines starken Elektromagneten hin und her kreisen, immer wieder im richtigen Augenblick ein kurzer Spannungsstoß von 5000 Volt losgelassen. Die Stöße summieren sich, und schließlich rasen die Protonen mit der gleichen Geschwindigkeit dahin wie nach einem einmaligen Stoß durch 1 Million Volt.

Die Mittel der Atomzertrümmerung

Wie aus leichtem Wasserstoff Protonenstrahlen, sind auch aus schwerem Wasserstoff Strahlen aus dessen Atomkernen hergestellt worden. In Anlehnung an Deuterium spricht man hier von Deutonenstrahlen. Neuerdings gelang es, Deutonenstrahlen eine 5 Millionen Volt entsprechende Wucht zu erteilen. Aus Helium sind ganz entsprechend Strahlen von Heliumkernen, also künstliche Alphastrahlen, gewonnen worden. Für diese letztere Strahlungsart ist man also jetzt von den außerordentlich teuren und stets nur in winziger Menge zur Verfügung stehenden radioaktiven Elementen unabhängig geworden. Man ist außerdem in der glücklichen Lage, Strahlen von wesentlich höherer Intensität zu erzeugen als mit den stärksten radioaktiven Präparaten. Während man mit diesen bestenfalls einige hundert Atome in der Sekunde zu zertrümmern vermochte, kann man mit den künstlichen Atomkernstrahlen schon einige hunderttausend Atome in der gleichen Zeit zerlegen. Das sind noch immer unwägbar geringe Mengen, aber das Studium der Vorgänge ist durch diese Erhöhung der Ausbeute doch wesentlich erleichtert worden.

Die Protonen- und Deutonenstrahlen haben sich als höchst wirksame Mittel zur Atomzertrümmerung und Atomumwandlung erwiesen. Auch mit Neutronenstrahlen, also mit Strahlen von Atomen des Elementes Null, hat man eine Anzahl der allermerkwürdigsten Vorgänge auslösen können.

Die künstliche Elementenverwandlung

Seit uns alle diese hochwirksamen Materiestrahlen zur Verfügung stehen, hat ein neuer Abschnitt in der Geschichte der Atomforschung begonnen. Ein großes Tatsachenmaterial ist schon zusammengetragen, und jeder Monat bringt neue bedeutende Entdeckungen. 1919 war Rutherford die erste Elementenumwandlung gelungen. Er hatte damals ermittelt, daß natürliche Alphastrahlen aus dem Atomkern des Stickstoffs Wasserstoffkerne herausschießen können. Diese

Entdeckung hat großes und nachhaltiges Aufsehen erregt. Sie wurde mit Recht als wissenschaftliche Tat ersten Ranges gefeiert. Heute sind die Chemiker und Physiker schon sehr verwöhnt. Eine neue Transmutation wird heute nicht viel mehr beachtet als irgendeine andere gute Spezialarbeit, es sei denn, daß das Ergebnis gar zu sehr aus dem Rahmen des Üblichen herausfällt.

Es würde zu weit führen, alle bisher gelungenen Umwandlungen einzeln zu besprechen. Statt dessen seien einige Regeln dargelegt, die sich bereits klar abzeichnen.

Beim Einschlagen eines Neutrons, Protons, Deutons oder eines Alphateilchens in einen Atomkern bleibt das Geschoß zunächst stecken. Aus Geschoß und getroffenem Atomkern entsteht ein neues Gebilde. Ist dieses neu entstandene Gebilde beständig, so ist eine neue Atomart entstanden, die um das Gewicht des Geschosses zugenommen hat. Aus einem leichteren Element ist ein schwereres geworden. Wir haben einen Atomaufbau vor uns.

Vielfach aber zerbricht das neu entstandene Gebilde unmittelbar nach dem Einschlag explosionsartig. In einzelnen Fällen zerstiebt es in kleine Bruchstücke; das getroffene Atom wird zertrümmert. Dies hat man bisher aber nur bei einigen leichten Elementen beobachtet. Bei schweren Elementen wird in der Regel nur ein verhältnismäßig kleines Stück abgesplittert. Ist dieser Splitter leichter als das einschlagende Geschoß, dann bleibt wiederum eine neue Atomart übrig, die schwerer ist als die ursprüngliche. Ist der abgesplitterte Teil aber schwerer als das Geschoß, dann bleibt eine neue leichtere Atomart zurück.

Zwischen dem explosionsartigen Zerfall des Gebildes aus getroffenem Atomkern und Geschoß und dessen praktisch unbegrenzter Beständigkeit sind grundsätzlich alle Übergänge denkbar, d.h. Gebilde, die nach ihrer Entstehung mehr oder weniger rasch zerfallen. Aus einem derartigen mehr oder weniger kurzlebigen Gebilde würden also während einer gewissen Zeit Atomtrümmer ausstrahlen, ähnlich wie wir es bei den radioaktiven Elementen gesehen haben.

Wir hätten dann künstliche Radioaktivität vor uns. Alle diese Möglichkeiten sind in den letzten Jahren in großer Zahl verwirklicht worden, doch es würde ermüdend wirken, die ganzen Fälle hier aufzuzählen.

Künstliche Radioaktivität

Das Jahr 1934 ist gekennzeichnet durch eine äußerst wichtige Entdeckung, nämlich durch die Auffindung der künstlichen Radioaktivität. Die künstliche Radioaktivität tritt dann auf, wenn das Gebilde aus getroffenem Atomkern und eingeschlagenem Geschoß nicht explosionsartig, sondern im Laufe einiger Zeit zerfällt.

Über hundert Fälle von künstlicher Radioaktivität sind im Laufe von knapp 3 Jahren verwirklicht worden. Mit Alphastrahlen, Protonenstrahlen und Deutonenstrahlen konnten etwa 30 Elemente zur Radioaktivität angeregt werden. Diese Strahlungsarten erwiesen sich vor allem bei leichten und mittelschweren Atomen wirksam, während Elemente mit hohem Atomgewicht nur vereinzelt, und zwar von Deutonenstrahlen beeinflußt werden konnten. Daß die schweren Elemente den genannten Strahlenarten Widerstand leisten, kommt daher, daß ihre Atomkerne eine große Zahl positiver Ladungen tragen und infolgedessen die Protonen, Deutonen und Alphateilchen, die ebenfalls positiv geladen sind, stark abstoßen.

Das Neutron jedoch, das nicht elektrisch geladen ist, wird durch das stark elektrische Feld der Atomkerne in keiner Weise gebremst. Es durchschlägt es widerstandslos. Daher sind mit Neutronenstrahlen bei nicht weniger als 70 Elementen, vom Kohlenstoff mit seinem kleinen Atomgewicht 12 angefangen bis zum Uran, das das höchste Atomgewicht, nämlich 238, besitzt, radioaktive Zwischenstufen hergestellt worden.

Gelungene Transmutationen

Bei der künstlichen Radioaktivität erleben wir nun die Transmutation beständiger altbekannter Elemente über neue unbeständige

DER AUFBAU DER MATERIE

Zwischenstufen hinweg in andere altbekannte beständige Elemente. Die Lebensdauer der unbeständigen Zwischenstufen schwankt zwischen Bruchteilen einer Sekunde und einigen Wochen. Die unbeständigen Zwischenstufen strahlen, wie schon gesagt, entweder positive Elektronen oder Gammastrahlen aus; aber auch Betastrahlen, wie man sie von der natürlichen Radioaktivität kennt, sind verschiedentlich beobachtet worden.

Bisher wurden alle diese Vorgänge nur gemessen mit Hilfe der Nebelspurphotographie und den anderen überaus empfindlichen Verfahren. Dies ist der Grund, warum die breite Öffentlichkeit die ganz umwälzende Bedeutung dieser Vorgänge nicht richtig gewürdigt. Es ist nämlich, wenn auch erst in unwägbar geringer Menge, die Transmutation vieler Elemente gelungen. Aluminium wurde in Magnesium oder in Silizium, Chlor in Schwefel, Mangan oder Vanadium wurde in Chrom, Mangan und Kobalt wurden in Eisen verwandelt. Der Traum der Alchimisten, die Transmutation der Metalle, ist also zur Wirklichkeit geworden, wenn auch noch in so geringem Umfang, daß von einer praktischen Verwendung keine Rede sein kann. Noch ist die Umwandlung eines billigen Metalles in Gold nicht durchgeführt. Noch steht das schwere Problem vor uns, den Weg von diesen subtilsten Laboratoriumsversuchen zur großtechnischen Ausnutzung zu finden; aber daß dies möglich ist, kann heute weniger denn je einem Zweifel unterliegen.

Immer neue ungelöste Probleme

Wie wir sehen, haben die letzten Jahre ganz wundervolle Ergebnisse gebracht. Zur Zeit beschäftigt man sich sehr mit der Frage, welche Anordnung von positiven Elektronen und Neutronen zu beständigen Atomkernen führt, und wie der innere Feinbau der Atomkerne im einzelnen aussieht. Verschmelzen Protonen und Neutronen im Atomkern zu einer homogenen Masse, oder entwickelt sich da eine bestimmte Struktur nach feststehenden Gesetzen? Es steht fest, daß bei leichten Elementen bis zum Kalzium beständige Atomarten möglich sind, bei denen auf ein positives Elektron zwei Neutronen kommen. Bei den schweren Elementen kommen auf ein positives Elektron immer mehr als zwei Neutronen.

Im ganzen Weltall herrscht Einheit der Materie, d.h. auf der Erde und auf den Gestirnen kommen die gleichen Elemente vor, und man hat bei Gesteinsproben aus den größten Tiefen des Erdballs und in Meteoriten, die aus den Fernen des Weltraumes zu uns gelangten, genau das gleiche Verhältnis der Isotopen in Mischelementen festgestellt wie in Material, das an der Erdoberfläche aufgelesen wurde. Beruht nun dieses gleichbleibende Mischungsverhältnis darauf, daß eine restlose Durchmischung stattfand in jenen ungeheuer fernen Zeiten vor der Erstarrung der Massen oder darauf, daß Atomaufbau und Atomabbau sich nach bestimmten Gesetzen vollziehen, die zwangsläufig überall zum gleichen Verhältnis der Isotope führen? Einstweilen können wir nur Vermutungen aufstellen.

Atome der Energie

Der Welt der Materie steht die Welt der Energie gegenüber. Die Welt der Materie ist aus Atomen aufgebaut. Die Untersuchungen von Planck und Einstein haben ergeben, daß auch die Energie nicht in beliebig kleinen Mengen auftritt, sondern daß auch sie atomistischen Aufbau hat. Es gibt gewisse kleinste Energiebeträge, die einzeln oder in ganzzahligen Vielfachen auftreten, gewissermaßen Atome der Energie, sogenannte Energiequanten. Das Licht ist eine Form der Energie, und auch das Licht tritt in Atomen, in Lichtquanten oder „Photonen" auf (Quantentheorie). Energie und Materie haben somit letzten Endes gleichartige Struktur.

Die Eigenenergie der Materie

Da die Materie nie frei von Energie auftritt und ihre Eigenschaften sich stets nur durch ihr Verhalten gegenüber den ver-

DER AUFBAU DER MATERIE

schiedenen Energiearten, wie Licht, Wärme usw., beschreiben lassen, muß ein innerer unlösbarer Zusammenhang zwischen Energie und Materie bestehen. Auch zu dieser Frage haben die letzten Jahre Beiträge von gewaltiger Bedeutung geliefert. Es ist einwandfrei erwiesen, daß Materie in Energie und Energie in Materie sich überführen läßt. Wir würden uns über den Rahmen dieses Buches hinaus in das Gebiet der reinen Physik begeben, wollten wir uns mit diesen Dingen hier näher befassen. Die Physik hat schon seit längerer Zeit auf Grund der Untersuchungen von Planck, Einstein u.a. die zahlenmäßigen Beziehungen bei der Umwandlung von Materie in Energie und umgekehrt, die sogenannte Eigenenergie der Materie, berechnet. Hier sei nur der Sinn des Gesetzes angedeutet. Gibt ein Stoff Energie in Form von Wärme, Lichtstrahlen, Gammastrahlen usw. ab, so ist nach diesem Gesetz auch ein entsprechender Materieverlust mit der Energieabgabe verknüpft. Wenn z.B. ein Gramm Wasser von 100° auf 0° abgekühlt wird, so wird es um 5 milliardstel Milligramm leichter. Dies ist ungeheuer wenig; es zeigt uns aber, wie außerordentlich hoch der Energieinhalt der Materie ist. Würde ein Gramm Wasser oder die gleiche Gewichtsmenge irgendeines beliebigen Stoffes in Energie zerstrahlt, so würde dabei ebensoviel Energie frei wie beim Verbrennen von 3000 t Kohlen! Wenn man die Möglichkeit hätte, diese Zerstrahlung der Materie nach Belieben herbeizuführen, könnte man also mit wenigen Gramm Papier oder sonst einem Stoff sämtliche Großkraftwerke der ganzen Erde mit Energie versorgen.

Zerstrahlung von Materie

Bei der natürlichen und künstlichen Radioaktivität, bei den Atomzertrümmerungsvorgängen vollziehen sich solche Zerstrahlungen der Materie in Energie, aber auch das Umgekehrte, die Umwandlung von Strahlungsenergie in Materie. Mit der Nebelspurphotographie hat man diese Umwandlungen messend verfolgen können. Man hat aus der Energie der bei Atomzertrümmerung auftretenden Strahlung berechnen können, welcher Materieverlust eintritt, und diese Berechnungen stehen in glänzender Übereinstimmung mit den Ergebnissen der Massenspektrographie. Es ist nämlich gelungen, den Massenspektrographen derartig zu vervollkommnen, daß man die Atomgewichte bis auf die vierte Dezimale genau bestimmen kann. Dabei stellt sich heraus, daß die Atomgewichte doch nicht absolut ganzzahlige Vielfache von demjenigen des Wasserstoffs sind, sondern daß sie um winzige Bruchteile von der Ganzzahligkeit abweichen. Trotzdem besteht die Behauptung zu Recht, daß die Atomkerne durch eine ganzzahlige Zusammenlagerung von Neutronen und positiven Elektronen entstanden sind. Darum brauchte auf diese kleine Unstimmigkeit noch nicht näher eingegangen werden. Diese kleinen Abweichungen erklären sich nämlich daraus, daß bei der Bildung der Atome große Energiebeträge ausgestrahlt worden sind. Umgekehrt müssen die gleichen Energiebeträge in den Atomkern hineingepreßt werden, wenn man ihn restlos in Neutronen und positive Elektronen zertrümmern will.

Die durchdringende Höhenstrahlung

Aus dem Weltenraum trifft durch die Lufthülle eine höchst geheimnisvolle Strahlung auf die Erdoberfläche. Diese sogenannte durchdringende Höhenstrahlung oder kosmische Strahlung wurde 1912 entdeckt und vor allem von deutschen und amerikanischen Forschern untersucht. Über ihre Herkunft und ihre wahre Natur wissen wir noch wenig. Die interessantesten Vermutungen wurden ausgesprochen. Nach der einen Anschauung sollte sie aus Sternen in einem bestimmten Entwicklungsstadium kommen; nach einer anderen Anschauung verdankte sie der Entstehung von Atomen im nahezu leeren Weltenraum ihren Ursprung. Alle diese etwas voreiligen Hypothesen sind wieder fallen gelassen worden. Soviel nur ist sicher, daß die Strahlung auf ihrem Weg durch die Atmosphäre weitgehend verändert wird. Was auf die Erdoberfläche auftrifft, ist ein Gemisch von Elektronenstrahlen, Protonenstrahlen, Gammastrahlen usw. Alle diese Strahlenarten besitzen aber einen Energieinhalt von solcher Größe, wie wir ihn im Laboratorium noch nicht erreichen konnten. Es ist ein Glück, daß diese ungeheuerlich energiereiche Strahlung nur sehr schwach auftritt, sonst würde alles Leben sofort vernichtet werden.

IV. Die Verbreitung der Elemente im Erdkörper und im Weltall

Phantastische Annahmen?

Diese Überschrift dürfte alle, die sich mit dem Gegenstand noch nicht beschäftigt haben, überraschen. Woher wollen denn die Naturwissenschaftler wissen, wie die Erde im Inneren aufgebaut ist; woher wollen sie wissen, woraus die Sterne bestehen? Die tiefsten Bohrlöcher sind zwischen 2000 bis 3000 m tief. Das Material, welches der Bohrer fördert, kann der Chemiker analysieren. Gut. Bis in etwa 3000 m Tiefe können wir also eindringen und bestimmte Aussagen machen. Der Radius der Erde ist aber 6370 km! Stellen wir uns die Erde so groß vor wie eine Apfelsine, dann dringen die tiefsten Bohrlöcher nicht einmal durch die äußerste gelbe Schicht. Auf den Sternen ist noch niemand gewesen, um von dort Materialproben mitzubringen. Am nächsten von allen Himmelskörpern ist uns der Mond. Seine durchschnittliche Entfernung von der Erde beträgt rund 385 000 km. 20 km hoch stieg der Stratosphärenballon der russischen Forscher, die beim Abstieg im Sommer 1933 ums Leben kamen. 39 km über der Erde bewegte sich am höchsten Punkt ihrer Bahn die Granate des Riesengeschützes, mit dem die Deutschen aus 127 km Entfernung 1918 Paris beschossen. Bis zum Start einer bemannten Rakete auf den Mond wird noch eine Reihe von Jahren vergehen. Das Licht legt die 385 000 km bis zum Mond in rund $1\frac{1}{3}$ Sekunden zurück. Von den Sternen der Milchstraße braucht das Licht etwa 6800 Jahre bis zu uns. In der Tiefe des Weltraumes hat man Sternsysteme entdeckt, die sogar über 100 Millionen Lichtjahre (vom Licht in einem Jahr zurückgelegte Strecke) von uns entfernt sind! — Und doch ist es keine Phantasie, daß wir über den chemi-

Die Zusammensetzung der Erdrinde

Beschäftigen wir uns zunächst mit unserer Erde. Wenn auch nur wenige Bohrungen über 2000 m vorgedrungen sind, können wir doch über noch tiefere Schichten Sicheres aussagen. Durch gebirgsbildende Vorgänge sind ursprünglich tiefliegende Schichten gehoben worden. Aus abgründigen Tiefen des Erdinnern sind durch vulkanische Vorgänge Gesteinsmassen an die Oberfläche gestiegen. Dadurch ist uns der Aufbau der Erde bis zu einer Tiefe von mindestens 16 km in großen Zügen bekannt. Die chemische Zusammensetzung der wichtigsten Gesteine, wie z.B. von Granit oder Basalt und vielen anderen, weist eine große Ähnlichkeit auf. Diese Gesteine und ihre Verwitterungsprodukte bilden den Hauptbestandteil der äußeren Erdkruste. So war es nicht allzuschwierig, die Häufigkeit der Elemente in der äußeren Erdkruste mit einiger Genauigkeit zu ermitteln. Die Zahlen beanspruchen natürlich keine absolute Gültigkeit, sind aber der Größenanordnung nach sicher richtig. Nach wissenschaftlicher Schätzung hat die feste Erdrinde folgende Zusammensetzung:

Sauerstoff	47,33%
Silizium	27,74%
Aluminium	7,85%
Eisen	4,50%
Kalzium	3,47%
Magnesium	2,24%
Natrium	2,46%
Kalium	2,46%
	98,05%

Alle übrigen Elemente machen nur 1,95 Prozent aus. Für den Nichtchemiker wirkt auf den ersten Blick die Tatsache befremdlich, daß die feste Erdrinde zu über 47 Prozent aus Sauerstoff bestehen soll. Berücksichtigt man noch den Ozean und die Lufthülle, so kommt man gar zu 50,02 Prozent Sauerstoff. Dabei ist Sauerstoff doch ein Gas. Wie soll es möglich sein, daß die Erdrinde zur Hälfte aus Gas besteht? Sauerstoff vermag mit den meisten anderen Elementen eine feste Verbindung zu bilden. So ist die Verbindung von Silizium, das mit fast 28 Prozent an zweiter Stelle steht, mit Sauerstoff die sogenannte Kieselsäure. Sie ist in ihrer reinsten Form als Bergkristall und Quarz, in weniger reiner Form als Hauptbestandteil von Kies und Sand allgemein bekannt. Auch die Sauerstoffverbindungen der Metalle sind feste, vielfach schwer schmelzbare Stoffe. Magneteisenstein und Roteisenstein sind Sauerstoffverbindungen des Eisens, Magnesia ist die Sauerstoffverbindung des Magnesiums usw. Die Sauerstoffverbindungen der Metalle vermögen sich mit der Kieselsäure zu kieselsauren Salzen, sogenannten Silikaten, zu vereinigen. Die Silikate sind die wichtigsten gesteinbildenden Mineralien. Hierher gehören z.B. Glimmer und Feldspat. Feldspat ist ein Kaliumaluminiumsilikat, bekannt als mattglänzende, weiße bis rötliche, eckige Stückchen im Granit. Das Verwitterungsprodukt des Feldspats ist das Kaolin, die Porzellanerde. Kaolin ist auch der Hauptbestandteil der mehr oder weniger reinen Tone und des Lehms. Die Verbindung des Sauerstoffs mit Kohlenstoff, die Kohlensäure, ist wohl gasförmig, aber die gasförmige Kohlensäure bildet in Verbindung mit der Sauerstoffverbindung des Kalziums den kohlensauren Kalk, das Kalziumkarbonat. Die reinste Form des Kalziumkarbonats ist der weiße Marmor. In weniger reiner Form, als Kalkstein, bildet er ganze Gebirgszüge. Der Dolomit ist ein Kalkstein, der neben Kalziumkarbonat noch beträchtliche Mengen von Magnesiumkarbonat enthält. Die Sauerstoffverbindung des Wasserstoffs ist das Wasser.

So sehen wir, daß der äußere Mantel der Erde aus verhältnismäßig wenig Grundstoffen aufgebaut ist. Neben den Elementen, die in einer Menge von mehr als 1 Prozent vorkommen, treten die übrigen 80 Elemente massenmäßig ganz in den Hintergrund; sie machen

DIE VERBREITUNG DER ELEMENTE

zusammen knapp 2 Prozent aus. Merkwürdig ist, daß die Elemente, aus denen die organische Materie der Lebewesen aufgebaut ist, einen so geringen Prozentsatz der Erdrinde ausmachen. Die organischen Verbindungen bestehen in erster Linie aus Kohlenstoff, Wasserstoff und Sauerstoff. Daneben hat Stickstoff noch eine sehr große Bedeutung. Die Eiweißstoffe enthalten zum Teil Schwefel, einige organische Verbindungen auch noch Phosphor, wie z.B. das Lezithin. Außer dem Sauerstoff finden sich alle diese Elemente zu weniger als 1 Prozent in der äußeren Erdhülle. Nur ein verschwindend geringer Bruchteil des gesamten Kohlenstoffs, Wasserstoffs, Stickstoffs, Schwefels und Phosphors kreist in den lebenden Organismen. Die Hauptmenge des Wasserstoffs ist im Wasser der Weltmeere gebunden, Phosphor tritt hauptsächlich auf in Form von Phosphaten, der Kohlenstoff als Kohlensäure in der Luft und im Kalkstein, der Stickstoff in freier Form in der Luft.

Die Beschaffenheit des Erdinnern

Über die Beschaffenheit des Erdinnern war man bis ins 19. Jahrhundert hinein nur auf Vermutungen angewiesen. Man stellte sich vor, daß das Erdinnere glutflüssig sein müsse. Man glaubte, daß die Zusammensetzung der glutflüssigen Massen im Erdinnern im wesentlichen dieselbe sei wie die der Gesteine (Granit usw.) und der Laven der Vulkane. Diese Ansicht gründete sich auf die Tatsache des Vulkanismus und auf das Ansteigen der Wärme bei zunehmender Erdtiefe. Im Erdinnern nimmt nämlich im Durchschnitt alle 30 bis 40 m die Temperatur um 1° zu. In einigen besonders tiefen Bohrlöchern herrscht eine Hitze von über 60°. Wenn die Wärmezunahme bis zum Erdmittelpunkt so fortschreitet, müßte dort eine Hitze von etwa 200 000° herrschen. Diese Rechnung fußt auf der nicht bewiesenen Voraussetzung, daß die Wärmezunahme bis zum Mittelpunkt der Erde weitergeht. Unter diesen Bedingungen müßten alle Stoffe sich im gasförmigen Zustand befinden.

Die Erde wurde gewogen

Mit diesen Vorstellungen mußte aber im Verlauf des 19. Jahrhunderts gebrochen werden. Aus astronomischen Berechnungen, auf die wir hier nicht eingehen können, ergab sich, daß der Erdkern sich wie eine ganz starre Masse verhält. Außerdem konnte es keinem Zweifel mehr unterliegen, daß der Erdkern eine andere chemische Zusammensetzung hat als die Erdkruste, nachdem es gelungen war, die Erde zu wiegen. Das Gewicht der Erde kann man ermitteln mit der sogenannten Drehwaage. Die Erde wiegt rund sechs Millionen Trillionen Kilogramm, in Ziffern: 6 000 000 000 000 000 000 000 000 kg. Der Rauminhalt der Erde ist uns bekannt. Damit kann auch leicht die Dichte des Erdballes berechnet werden. Die Erde hat ein spezifisches Gewicht (Dichte) von rund 5,6, d.h., sie ist 5,6 mal schwerer als eine gleich große Kugel aus Wasser. Das durchschnittliche spezifische Gewicht der Erdkruste ist etwa 2,6, also muß das Erdinnere aus wesentlich schwereren Stoffen bestehen als die äußere Hülle.

Die Erdbebenwellen „durchleuchten" die Erde

Die Erdbebenforschung hat uns interessante Aufschlüsse über den inneren Bau der Erde geliefert. Der Seismograph, der Erdbebenmesser, ist ein Instrument von ungeheurer Empfindlichkeit. Ein stärkeres Beben, das z.B. in Japan stattfindet, wird von diesem Instrument auch in Europa, in Südamerika, in Südafrika, kurz in der ganzen Welt registriert. Vom Erdbebenherd verbreitet sich die Erschütterung in der äußeren Erdkruste um die ganze Erde, außerdem aber auch durch das Erdinnere hindurch. Die Seismographen zeichnen also nacheinander die Wellenstöße auf, die die Erdoberfläche entlang geeilt sind, bzw. ihren Weg durch das Erdinnere genommen haben. Je dichter eine Masse ist, um so schneller breitet sich die Erschütterungswelle aus. Liegen Schichten verschiedener Dichte und Elastizität übereinander, so wird an den Grenzflächen ein Teil der Erdbebenwellen in bestimmter gesetzmäßiger Weise abgelenkt.

DIE VERBREITUNG DER ELEMENTE

Durch langjährige, gewissenhafte vergleichende Untersuchung der Aufzeichnungen aller Erdbebenwarten ergab sich, daß in bestimmten Tiefen eine ziemlich plötzliche Änderung der Dichte auftritt, und zwar in Tiefen von rund 120 km, 1200 km und 2900 km. Die äußere Erdkruste von 120 km Dicke hat eine Dichte von etwa 2,8. Von 120 km bis zu einer Tiefe von 1200 km ist das spezifische Gewicht 3,6–4, von 1200 km bis 2900 km 5–6, und dann folgt ein großer Kern mit einer durchschnittlichen Dichte von etwa 8,3. Es ist klar, daß dieser sprunghaften Dichteänderung auch eine Änderung in der chemischen Zusammensetzung entspricht. Die Erde hat also einen schalenförmigen Aufbau, der an die Struktur einer Zwiebel erinnert.

Ähnliche Zusammensetzung der Meteore und des Erdinnern?

Woraus bestehen diese einzelnen Kugelschalen? Darüber können wir nichts absolut Sicheres aussagen, können aber ziemlich fest begründete Vermutungen entwickeln, die sich auf die Ergebnisse der Untersuchungen der Meteore stützen. Wenn auch das letzte Wort noch nicht gesprochen ist, so ist doch wahrscheinlich, daß die Meteore als Auflösungsprodukte von Kometen aufzufassen sind. Die Kometenbahnen sind bald dichter, bald weniger dicht angefüllt mit Meteorschwärmen. Kreuzt die Erde eine solche Kometenbahn, so fängt sie durch ihre große Anziehungskraft einen Teil der Meteore ab. Diese dringen mit ungeheurer Geschwindigkeit (etwa 40 km in der Sekunde) in die Erdatmosphäre ein und werden durch die Reibung mit der Luft zum Glühen erhitzt. Die meisten sind so klein, daß sie hierbei zu Staub verbrennen. Es sind die Sternschnuppen, die nach kurzem Aufleuchten erlöschen. Die größeren werden nur äußerlich geschmolzen und fallen zur Erde nieder. Bis jetzt hat man vier Arten von Meteoren kennengelernt. Die Meteoreisen bestehen im wesentlichen aus gediegenem Eisen, dem 10% Nickel beigemischt sind. Sie haben ein spezifisches Gewicht von etwa 8,5. Die Meteorsteine bestehen im wesentlichen aus Silikaten vom spezifischen Gewicht 3,8. Seltener sind die Kohlemeteoriten, die einen starken Prozentsatz an graphitischem Kohlenstoff und pechähnlichen Kohlenwasserstoffen enthalten. In diesen Kohlenmeteoriten hat man eifrig nach Resten fossiler Lebewesen gesucht, jedoch vergebens. Eisenmeteore, Steinmeteore und Kohlemeteore sind in geschichtlicher Zeit häufig niedergegangen und bald nach dem Sturz aufgelesen worden. Dagegen sind die sogenannten Tektite schon in geologischer Vorzeit, wahrscheinlich während des Diluviums, herabgestürzt. Es sind meist kugelige Gebilde von glasartigem Aussehen. Sie bestehen zu etwa 90% aus Kieselsäure. In geschichtlicher Zeit ist ein Fall von Tektiten nicht beobachtet worden. Das spezifische Gewicht der verschiedenen Klassen von Meteoren zeigt eine auffallende Ähnlichkeit mit dem spezifischen Gewicht der drei Kugelschalen im Erdinnern. Deshalb nimmt man an, daß diese Kugelschalen chemisch die gleiche Zusammensetzung haben wie die Meteore. Der innere Erdkern würde demnach eine massige Kugel aus Nickeleisen sein. Die Schicht von 120 bis 1200 km Tiefe mit ihrem spezifischen Gewicht von 3,6 bis 4 soll eine ähnliche Zusammensetzung besitzen wie die Steinmeteore. Die Schicht zwischen 1200 und 2900 km unter der Erdoberfläche besteht, so vermutet man, im wesentlichen aus Sauerstoff und Schwefelverbindungen der Schwermetalle.

Haben wir deshalb so wenig Gold?

Ausgehend von der gutbegründeten Annahme, daß das Eisen in so hohem Maße am Aufbau der Erde beteiligt sei, kann man sich die Gliederung unseres Erdkörpers folgendermaßen entstanden denken: Das Eisen, welches in großem Überschuß vorhanden ist, muß alle Metalle, die edler sind als das Eisen selbst, z.B. Kupfer, aus ihren Verbindungen mit Sauerstoff, Schwefel usw. in Freiheit gesetzt haben. Diese edleren Metalle haben durchweg ein hohes spezifisches Gewicht. Dem Gesetz der Schwere folgend, haben sich das Eisen, das Nickel und die schweren Edelmetalle Silber, Gold, Platin u.a. im Erdinnern angesammelt und so den massiven Metallkern gebildet. Die Sauerstoff- und vielleicht auch die Schwefelverbindungen der

DIE VERBREITUNG DER ELEMENTE

Schwermetalle haben sich dann über dem Eisenkern abgelagert. Die Kieselsäure und die Oxyde (Sauerstoffverbindungen) der unedlen Leichtmetalle, wie Aluminium, Magnesium, Kalzium, Kalium und Natrium, haben schließlich als die leichtesten die äußeren Silikatschichten gebildet, wobei wiederum dem Gesetz der Schwere entsprechend eine Trennung in die schwere Schicht mit dem spezifischen Gewicht 3,6 und die leichtere äußere Erdkruste mit 2,5 bis 2,8 eintrat. Wir leben also auf der an schweren Edelmetallen so armen Schlackenschicht, während — wie man es ausgedrückt hat — „der goldene Nibelungenhort der schweren Elemente in die Tiefe versunken ist und langsam noch weiter sinkt". Nur dem Umstand, daß durch vulkanische Vorgänge im tiefen Erdinnern bisweilen schwerere Massen nach oben steigen, sei es zu verdanken, daß von den kostbaren Edelmetallen doch noch kümmerliche Reste uns zugänglich sind. So haben Chemie, Physik, Mathematik und Astronomie, Erdbebenforschung und Meteoritenkunde gemeinsam uns ein Bild geschaffen von der Verbreitung der Elemente im Erdinnern.

Vom chemischen Bau der Himmelskörper

Die Meteore sind als Trümmer geborstener Himmelskörper aufzufassen, und deshalb wurde auch die Analogie ihrer Zusammensetzung mit dem chemischen Aufbau des Erdinnern für zulässig gehalten. Mit Spannung wurden die Meteore analysiert, um zu erfahren, ob nicht in ihnen Elemente vorkämen, die wir auf der Erde nicht kennen. Es wurde kein einziges neues in ihnen entdeckt. Interessant ist aber, daß man in ihnen einzelne Mineralien aufgefunden hat, denen wir in der Erde bisher nicht begegnet sind. Doch sind diese Mineralien nach denselben chemischen Gesetzen gebildet, die auch auf unserem Planeten alles stoffliche Geschehen bestimmen.

Der Mond und die Planeten

Wenden wir uns nun den übrigen Körpern unseres Sonnensystems zu. Aus astronomischen Berechnungen ist uns das spezifische Gewicht der größeren Planeten und des Mondes bekannt. Der Mond hat eine Dichte von 3,3. Daraus ergibt sich ohne weiteres, daß sein innerer Bau von dem der Erde abweicht. Die schwereren Elemente müssen in einem geringeren Prozentsatz an seinem Aufbau beteiligt sein als an dem der Erde. Der Planet Mars hat ein spezifisches Gewicht von 3,9, Venus ein solches von 4,5. Es ist durchaus möglich, sogar wahrscheinlich, daß starke Parallelen der inneren Struktur und der chemischen Zusammensetzung mit unserer Erde vorhanden sind; doch bestehen offensichtlich starke quantitative Unterschiede. So gut wie nichts wissen wir von der chemischen Zusammensetzung der äußeren großen Planeten Jupiter, Saturn, Uranus, Neptun. Diese Riesenplaneten sind von einer dichten Atmosphäre umgeben, so daß wir nicht den wahren Durchmesser der festen Himmelskörper und damit auch nicht ihr spezifisches Gewicht bestimmen können. Da sie kein eigenes Licht aussenden, versagt hier die sogenannte Spektralanalyse.

Von der Enträtselung des Sonnen- und Sternenlichtes

Wesentlich besser sind wir unterrichtet über die chemische Zusammensetzung der Oberfläche der Sonne und der Fixsterne. Hier kommt uns die Spektralanalyse sehr zu Hilfe. Bringt man durch starke Erhitzung ein Element zum Verdampfen, so zeigt uns das Spektroskop, daß das von dem glühenden Dampf ausgehende Licht nicht sämtliche Farben des Regenbogens aufweist, sondern aus einer mehr oder minder großen Zahl farbiger, scharf umgrenzter Linien besteht. Jedes Element sendet andere Linien aus. Man kann also an dem Auftreten der Linien ermitteln, welche Elemente in dem Dampf, z.B. auch in einer glühenden Sternatmosphäre, vorkommen. So können wir ferne Welten, die hunderte von Lichtjahren von uns entfernt sind, chemisch analysieren. Durch Ausmessung der Stärke der einzelnen Linien konnten Rückschlüsse auf die Mengen der einzelnen Elemente in den Sternen gezogen werden. Durch Ermittlung der Verteilung der Lichtenergie in den Sternspektren

DIE VERBREITUNG DER ELEMENTE

konnte die Temperatur festgestellt werden. Diese Auswertungen waren aber erst möglich, nachdem in gründlichen und langwierigen Arbeiten in chemischen und physikalischen Laboratorien die Spektroskopie durchgebildet worden war. Man kann heute durch Analyse des Sternlichtes erfahren: 1. Aus welchen Elementen der Stern besteht, 2. welche Temperatur an seiner Oberfläche herrscht, 3. welche Größe er besitzt, und 4. wie groß sein spezifisches Gewicht ist.

Die Zusammensetzung der Sonnenoberfläche

Was lehrt uns das Spektroskop über die chemische Zusammensetzung der Sonne? Rund vierzig Elemente sind darauf nachgewiesen. Das ist etwa die Hälfte. Daß die übrigen uns bekannten Grundstoffe in der Sonne nicht vorkommen sollen, ist unwahrscheinlich. Es ist lediglich noch nicht gelungen, sie in der Sonnenatmosphäre zu entdecken. Zu den Elementen, die in der „goldenen" Sonne bisher noch nicht aufgefunden wurden, gehört das Gold. Es ist seiner großen Schwere entsprechend in der Hauptsache wohl schon nach dem Sonneninnern abgewandert. Die Temperatur der Sonnenoberfläche beträgt rund 6000°. Diese Messung ist bis auf etwa 200° genau.

Die Einheit der Materie im ganzen Weltall

Die wichtigsten Ergebnisse der Sternspektroskopie sind kurz folgende: Man hat bis jetzt in den Sternspektren mit Sicherheit noch kein Element beobachtet, das nicht auch auf der Erde zu finden wäre. Viel Kopfzerbrechen hat den Astronomen, Physikern und Chemikern das Spektrum der sogenannten Sonnenkorona (Strahlenkranz der Sonne, der nur bei vollständigen Sonnenfinsternissen beobachtet werden kann) und einzelner Nebelflecke bereitet; denn hier beobachtete man Linien, die man im chemischen Laboratorium noch nicht gesehen hatte, und man nahm daher an, daß es sich um unbekannte Grundstoffe handelte, um das Koronium, Asterium und Nebulium. Neuere Experimentalarbeiten und Berechnungen haben jedoch erwiesen, daß die Linien des Nebuliums schon bekannten

Elementen zuzuschreiben sind, wenn diese unter ungewöhnlichen Bedingungen zum Glühen gebracht werden. Die Gewißheit, daß für den ganzen Kosmos die gleichen Elemente wie bei unserer Erde als Bausteine in Frage kommen, ist erst das Ergebnis der letzten Jahre. 1868 beobachteten Forscher im Sonnenspektrum eine Linie, die bei keinem damals bekannten irdischen Element zu sehen war. Das unbekannte Sonnenelement wurde Helium benannt nach dem griechischen Worte für Sonne. 1882 beobachtete man die Heliumlinie bei der spektroskopischen Untersuchung von Lava aus dem Vesuv. Zu fassen bekam man das Element jedoch nicht. Dies gelang erst 1885. Beim Erhitzen des Minerals Cleveit entwich ein Gas, das die Heliumlinie zeigte. In diesem Falle war ein Element auf der Sonne entdeckt worden, 27 Jahre bevor man seiner auf der Erde habhaft wurde.

Ungelöste Rätsel

Das bemerkenswerteste Ergebnis der genauen Untersuchungen ist die Erkenntnis von der Gleichartigkeit der Materie im Kosmos. Damit sind aber noch lange nicht alle Rätsel gelöst. Wir erfuhren in unserer Unterhaltung über den Aufbau der Materie, daß die Elemente ineinander überführbar sein müßten, und daß man als bisher letzte Bausteine der Materie das Elektron, das Positron und das Neutron erkannt hat. Bei den radioaktiven Prozessen zerfallen die schwersten Elemente Uran und Thorium schließlich zu Blei. Wohl alle Elemente müssen sich unter bestimmten Bedingungen in ihre Bausteine auflösen; umgekehrt müssen sie auch irgendwann aus denselben Bausteinen gebildet werden. Gehen solche Prozesse in den heißesten Sternen oder im Inneren der Weltkörper vor sich? In der durchdringenden Höhenstrahlung hat man in den letzten Jahren eine Erscheinung kennengelernt, die vielleicht auf derartige Vorgänge im Weltenraum zurückzuführen ist. Es ist auch nicht denkbar, daß die Sterne durch geologische Zeiträume hindurch so ungeheure Mengen an Licht und Wärme ausstrahlen könnten, wenn nicht

DIE VERBREITUNG DER ELEMENTE

radioaktive Prozesse sich in ihrem Inneren abspielten. Die Atmosphären der heißen Sterne und das Innere der Weltkörper, wo Drucke von vielen Millionen Atmosphären herrschen müssen, sind großartige Laboratorien mit Hilfsmitteln, gegen die die unsrigen sich wie Kinderspielzeug ausnehmen. Eine eigenartige Erscheinung sind noch die Sterne mit abnorm hoher Dichte. Man hat erst wenige Vertreter dieser Klasse beobachtet. Zu ihnen gehört unter anderen der Siriusbegleiter. Diese Sterne haben eine Dichte von etwa 50 000. Von allen bekannten Elementen hat das Osmium das höchste spezifische Gewicht. Ein Osmiumwürfel von 10 cm Kantenlänge wiegt 22 kg. Ein gleichgroßer Würfel aus der Sternmaterie des Siriusbegleiters würde 50 000 kg — 50 Tonnen — wiegen! Im Spektrum dieser schweren Sterne hat man keine neuen Elemente nachweisen können. Wie erklärt sich aber diese Erscheinung? Es wurde, wie wir bei der Betrachtung des Neutrons sahen, die Vermutung ausgesprochen, daß sich im Inneren dieser Sterne große Mengen dieses Elementes angesammelt haben. Vielleicht sammelt sich in jedem Erdkörper das Neutron im Mittelpunkt an. Bilden sich hier vielleicht aus Neutron, positiven und negativen Atomen der Elektrizität die schweren Elemente? Wir wissen es nicht. Große Rätsel tun sich vor uns auf. Vieles ist schon erreicht, mehr noch bleibt für die Zukunft zu tun.

V. Die chemische Eroberung der Atmosphäre

Der Mond, eine Welt ohne Luft

Unsere größeren Fernrohre bringen uns den Mond so nahe, daß wir ein Gebäude in der Größe des Kölner Domes darauf noch erkennen könnten. Wir wissen, daß der Mond von keiner Atmosphäre umgeben ist. Er ist infolgedessen eine trostlose Steinwüste. Der Anblick der Mondlandschaft erinnert an die Fliegeraufnahme eines durch Trommelfeuer völlig zerrissenen Kampfgeländes; nur sind die „Granattrichter" auf dem Monde Ringgebirge bis zu etwa 100 km Durchmesser. Während des Mondtages brennt die Sonne auf das zackige Gestein, dessen Temperatur an der Oberfläche bis über 100° ansteigt, und in der Mondnacht wird diese Hitze rasch wieder in den Weltenraum ausgestrahlt. Die Mondoberfläche starrt dann in einer mehr als sibirischen Kälte. Da keine Luft vorhanden ist, gibt es auch keine Wolken, keinen Wind, keinen Regen. Darum verwittern die Gesteine nicht; deshalb kann es auf dem Mond auch keine Ackererde geben, auf der Pflanzen wachsen könnten. Leben ist auf dem Mond ausgeschlossen. Es fehlt der zum Atmen nötige Sauerstoff für Mensch und Tier sowie die Kohlensäure, aus der unter dem Einfluß des Sonnenlichtes die Pflanzen ihre organischen Verbindungen aufbauen. Der Mond zeigt uns mit einem Blick anschaulicher als eine lange Beschreibung die Bedeutung der Atmosphäre für alles Leben.

Es liegt auf der Hand, daß die Aufklärung der Atmungsvorgänge im tierischen und pflanzlichen Organismus, daß die Erforschung der Einwirkung der Atmosphäre auf die Erdkruste und der chemischen Vorgänge in der Atmosphäre selbst, zu den wichtigsten Aufgaben der chemischen Forschung gehört. Wir können aus dem Gebiet der Chemie der Atmosphäre hier nur einen engumgrenzten Teil heraus-greifen. Wir wollen uns nicht mit den angedeuteten Vorgängen beschäftigen, die ohne Zutun des Menschen sich entwickeln, sondern uns ansehen, in welcher Weise der Mensch sich die Atmosphäre auf Grund seiner chemischen Erkenntnis nutzbar gemacht hat. Die wissenschaftliche Untersuchung der Atmosphäre ist so alt wie die moderne Chemie überhaupt, die ja ihren Ausgangspunkt von der Untersuchung der Luft nahm, insbesondere von der Untersuchung der Atmungs- und Verbrennungsvorgänge. Die großtechnische Verwertung der Luft setzte aber erst am Ende des 19. Jahrhunderts ein, nahm in den letzten Jahrzehnten einen immer größeren Maßstab an, und heute stehen wir mitten in der vollen Entwicklung dieses Gebietes der angewandten Chemie.

Die Hauptbestandteile der Luft

Unter normalen Verhältnissen ist der Luftdruck, d.h. das Gewicht unserer Atmosphäre in Meereshöhe, gleich dem einer Säule Quecksilber von 760 mm Länge. Er entspricht also einem Gewicht von 1033,2 g auf den Quadratzentimeter. Da wir die Größe der Erdoberfläche kennen, können wir das Gesamtgewicht der Luft leicht berechnen. Die Erdatmosphäre wiegt rund 5,2 Trillionen kg. Die Luft ist nicht, wie man früher annahm, ein Element, sondern ein Gemenge. Wenn sich die Atmosphäre in voller Ruhe befände, so träte im Lauf der Zeit eine Entmischung nach der Schwere der Bestandteile ein. Durch den Wind findet jedoch in den unteren Luftschichten, der sogenannten Troposphäre, eine vollständige Durchmischung statt, so daß auf der ganzen Erde — von zufälligen Beimischungen abgesehen — die Luft die gleiche chemische Zusammensetzung hat. Erst in großen Höhen von über 11 km, in denen keine nennenswerten Luftströmungen mehr vorkommen, in der sogenannten Stratosphäre, fängt die Trennung der Bestandteile nach ihrer Schwere allmählich an. Auch auf den höchsten Bergen hat die Luft noch die gleiche Zusammensetzung wie auf dem Erdboden; doch kann der Mensch in einer Höhe von über 8500 m ohne künstliche Sauerstoffzufuhr auf die Dauer nicht mehr leben, weil in dieser Höhe die Luft schon zu verdünnt ist. Drei Viertel der gesammten Atmosphäre sind nämlich in den Schichten unter 8000 m zusammengedrängt. Auf dem Gaurisankar z.B. herrscht ein rund viermal geringerer Luftdruck als auf dem Meeresspiegel. Die Analyse der Luft hat den Chemikern einen Streich gespielt. In älteren Chemiebüchern können wir lesen, daß die Luft aus 21 Volumprozent Sauerstoff und 79 Volumprozent Stickstoff besteht. Zur Atmung wird der Sauerstoff benötigt. Auch die Verbrennung ist eine Vereinigung des Brennmaterials, z.B. Kohle, mit Sauerstoff. Der Sauerstoff ist also das lebenswichtige Element der Luft. Der Stickstoff erscheint nur als Verdünnungsmittel, er unterhält weder Verbrennung noch Atmung und ist chemisch sehr träge. Tausendmal war die Luft analysiert worden, stets hatten die Analysen die angegebene Zusammensetzung bestätigt— und doch war ein Bestandteil übersehen worden, der zu 0,94 Volumenprozent und sogar 1,3 Gewichtsprozent in der Luft enthalten ist, das Argon nebst geringen Spuren von anderen Edelgasen.

Der Triumph der dritten Dezimale

Man hat die Entdeckung des Argons scherzhaft als den „Triumph der dritten Dezimale" bezeichnet. 1894 wurde nämlich festgestellt, daß die Dichte des Stickstoffs einen verschiedenen Wert besitzt, je nachdem, ob das Gas aus einer Verbindung, z.B. Ammoniak, dargestellt oder aus der Luft abgeschieden wird. Der Unterschied kommt allerdings erst in der dritten Dezimale zum Ausdruck. Ein Liter chemisch erzeugter Stickstoff wiegt 1,2505 g, während ein Liter Stickstoff aus der Luft 1,2572 g wiegt. Diese Abweichung wurde so erklärt, daß im Luftstickstoff noch ein schwereres stickstoffähnliches Gas enthalten sein müsse. Es gelang auch dieses unbekannte Gas zu fassen, indem man Luft zuerst über glühendes Kupfer leitete, wodurch der Sauerstoff an das Kupfer als Kupferoxyd gebunden wurde, und dann über glühendes Magnesium, das den Stickstoff als Magnesiumnitrit zurückhielt.

DIE EROBERUNG DER ATMOSPHÄRE

Elemente ohne chemische Eigenschaften

Mit dem Argon war das erste Element einer merkwürdigen Gruppe, der sogenannten Edelgase, gefunden. Argon ist noch reaktionsunfähiger als Stickstoff. Es ist bis heute nicht gelungen, es mit irgendeinem anderen Element zu verbinden. Der Name Argon, vom griechischen Worte für träge, weist schon auf diese Reaktionsträgheit hin. Die Verwandten des Argons sind ebenso reaktionsunfähig. Man hat diese Elemente immer wieder mit anderen Elementen zusammengebracht, sie äußerst hohen und tiefen Temperaturen ausgesetzt, sie zusammen mit bösartig wirksamen Elementen, wie Chlor und Fluor, mit elektrischen Entladungen mißhandelt — aber vergebens. Eine Verbindung hat sich nicht fassen lassen, und wir stehen der Tatsache gegenüber, daß wir hier Elemente ohne chemische Eigenschaften, wenigstens im gewöhnlichen Sinne des Wortes, vor uns haben.

Dieses Verhalten der Edelgase hat grundlegende Schlüsse über das Zustandekommen der chemischen Verbindungen, über das Wesen der chemischen Bindung und über den inneren Aufbau der Elemente ermöglicht. Zwischen 1895 and 1900 gelang es, noch vier weitere argonähnliche Elemente in der Luft zu entdecken: das Helium, das Neon, das Krypton und das Xenon. Auch die Emanation der radioaktiven Elemente gehört in die Edelgasgruppe. 100 Liter Luft enthalten rund 930 ccm Argon, 1,2 ccm Neon, 0,4 ccm Helium, 0,005 ccm Krypton und 0,0006 ccm Xenon. Diese Gase unterscheiden sich nur durch ihre verschiedenen physikalischen Eigenschaften, wie Verflüssigungspunkt, Dichte, Spektrum, dann auch durch ihre Löslichkeit in Wasser usw.

Einst Laboratoriumskostbarkeit, jetzt Füllgas für Riesenluftschiffe

Das Helium wurde, wie wir im vorigen Kapitel sahen, schon 27 Jahre früher auf der Sonne entdeckt, als man es auf der Erde feststellen konnte. Zunächst erscheinen diese Entdeckungen als Dinge von lediglich wissenschaftlichem Wert. Aber wie so oft in der Geschichte der Chemie haben auch hier Ergebnisse, die der Außenstehende leicht als nutzlose Arbeit des Chemikers anzusehen geneigt ist, hohen technischen Wert. Das Helium ist neben Wasserstoff das leichteste aller Gase. Seine Tragfähigkeit ist nur etwa 7% geringer als die des Wasserstoffs. Dem Wasserstoff gegenüber besitzt es aber einen für die Zwecke der Luftschiffahrt unschätzbaren Vorteil: Es ist vollkommen unbrennbar. Man fand Helium in beachtlicher Menge in einer ganzen Reihe von Erdgasquellen. Die Vereinigten Staaten verfügen über fünf große Heliumvorkommen. Der Heliumgehalt dieser Gasquellen schwankt zwischen $\frac{1}{10}$ und 2,1%. Eine Erdgasquelle in Neuengamme bei Hamburg enthält ebenfalls Helium, aber nur 0,015%. Nordamerika kann zur Zeit bequem 300 000 cbm jährlich herstellen.

Edelgase für Leuchtröhren und Taucher

Neben dieser Verwendungsmöglichkeit haben die Edelgase sich noch ein für das tägliche Leben sehr bedeutendes Anwendungsgebiet erobert, die Beleuchtungstechnik. Das Argon wird, nötigenfalls mit Stickstoff gemischt, als Füllgas für starke Metallfadenlampen benutzt, um zu verhindern, daß der weißglühende Draht zu schnell verdampft und durchbrennt. Nur ein Edelgas, das sich mit dem Metall nicht verbindet, kann für diesen Zweck mit Erfolg verwandt werden.

Seit einer Reihe von Jahren werden zu Reklamezwecken orangerot, hellblau oder gelbgrün leuchtende Röhren hergestellt. Die orangerot leuchtenden Röhren enthalten ein Gemisch von Neon und Helium unter geringem Druck. Durch hochgespannten Wechselstrom werden sie zum Leuchten gebracht. Wird etwas Quecksilber zugesetzt, so entsteht das Hellblau, das bei Anwendung von braunem Glas gelbgrün erscheint. Leuchtröhren, die mit einem Gemisch von Helium und Kohlensäure gefüllt sind, liefern rein weißes Licht. Sie dienen als Tageslichtlampen in Färbereien, wo es auf die richtige Beurteilung der Farbe ankommt.

Noch eine eigenartige Anwendung findet das Helium in der Taucherglocke für Arbeiten in großer Tiefe. Der Luftdruck muß dem äußeren Wasserdruck das Gleichgewicht halten. Bei diesem hohen Druck löst sich im Blut wesentlich mehr Stickstoff als unter gewöhnlichen Bedingungen. Käme ein Taucher rasch an die Oberfläche zurück, würde der gelöste Stickstoff in Bläschen plötzlich aus dem Blut entweichen, was den Tod des Tauchers zur Folge haben könnte. Helium löst sich kaum im Blut, und deshalb ist nach dem Arbeiten in einer Taucherglocke, die mit einem Sauerstoff-Heliumgemisch gespeist wird, ein rascher Aufstieg des Tauchers ohne schädliche Folgen möglich.

Die technische Bedeutung der Edelgase wird weit in den Schatten gestellt von der überragenden Bedeutung der Hauptbestandteile der Luft, des Sauerstoffs und des Stickstoffs. Die Luft verwertenden Industrien gehören zu den wichtigsten Betrieben, und besonders für Deutschland sind sie eine Lebensfrage. Auch sie haben ihren Ursprung rein wissenschaftlichen Problemen zu verdanken.

Autogenes Schneiden und Schweißen

Der Sauerstoff wird vor allem beim autogenen Schneiden und Schweißen gebraucht. Mit Gebläsen wird aus Sauerstoff und Wasserstoff oder Azetylen eine sehr heiße Stichflamme erzeugt. Je nachdem, ob man mit einem Überschuß oder Unterschuß an Sauerstoff arbeitet, kann man damit Metalle, insbesondere Stahl und Eisen, zerschneiden oder zusammenschweißen. Die Bedeutung dieser Arbeit ist größer, als man zuerst annehmen möchte. Es handelt sich nämlich nicht bloß darum, alte Maschinen und Eisenteile mit dem Brenner in Stücke zu schneiden, die gewaltigen Eisenkonstruktionen der Neuzeit, Brücken, Großhallen, Schiffe, Schwimmdocks usw., sind ohne diese beiden Verfahren nicht denkbar. Mit Sauerstoff und

Azetylen kann man eine Hitze von nahezu 3000° erzielen. Auch mit Wasserstoff oder Leuchtgas erreicht man Temperaturen von etwa 2000°. Mit solchen Gasgemischen werden unter anderen die Schmelzöfen zur Herstellung von künstlichen Edelsteinen betrieben.

Im Kältelaboratorium

Der Sauerstoff wird aus flüssiger Luft gewonnen. Die Luft wird bei etwa 190 unter Null flüssig. Wie kann man so tiefe Temperaturen erreichen? Nachdem im wissenschaftlichen Laboratorium das Verhalten der Gase bei hohem Druck genau untersucht worden war, ließ sich auf diesen zunächst weltfremden Forschungen in kurzer Zeit eine Riesenindustrie aufbauen. Das Prinzip der Luftverflüssigung ist ziemlich einfach. Zunächst wird die Luft auf etwa 200 Atmosphären zusammengepreßt. Dabei erwärmt sie sich stark. Durch Kühlung wird die Wärme abgeleitet und die zusammengepreßte Luft durch ein Ventil plötzlich entspannt. Bei der Entspannung kühlt sich die Luft stark ab. Diese kalte Luft wird nun zur Vorkühlung der nachströmenden gepreßten Luft benutzt, so daß diese schon vor der Entspannung sehr kalt ist. Dann tritt bei der Entspannung eine weitere starke Abkühlung ein, und so geht es fort, bis schließlich minus 190 erreicht sind und die Luft flüssig wird. Die flüssige Luft läßt sich in Gefäßen, die ähnlich gebaut sind wie eine Thermosflasche, leicht aufbewahren und mit der Bahn verschicken.

Mit flüssiger Luft kann man leicht die Wirkung hoher Kältegrade veranschaulichen. Taucht man eine Blume in flüssige Luft, so wird sie augenblicklich glashart und splittert bei leisem Druck in tausend Stücke. Alkohol, der erst bei minus 112 fest wird, erstarrt zu einem harten Firnis. Ein Stück Fleisch oder ein Apfel werden so hart und spröde, daß sie durch einen mäßigen Schlag in kantige Stücke auseinanderbrechen. Aus Quecksilber (Gefrierpunkt minus 40°) kann man sich leicht ein Hämmerchen gießen, das nach dem Herausnehmen aus der flüssigen Luft noch so lange fest bleibt, daß man

DIE EROBERUNG DER ATMOSPHÄRE

damit einen Nagel in die Wand schlagen kann. Ein Glöckchen aus Blei klingt nach Kühlung mit flüssiger Luft silberhell. Gießt man flüssige Luft aus dem Spezialgefäß, so verdampft sie augenblicklich. Bringt man einige Tropfen in eine Kinderdampfmaschine, so jagt das Maschinchen los. Als Betriebsstoff für Maschinen ist flüssige Luft aber nicht brauchbar. Die Maschinen würden bald von einer dicken Eiskruste überzogen sein, und sämtliche bekannten Schmiermittel würden durch die große Kälte fest. Schließlich ist für diese Zwecke die flüssige Luft auch zu teuer, trotzdem das Kilogramm für etwa zehn Pfennig herstellbar ist. Gießt man sich flüssige Luft über die Hand, so hat man nicht einmal ein Kältegefühl. Durch die Wärme der Hand verdampft an der Berührungsfläche die flüssige Luft sofort, und es bildet sich ein Schutzmantel von gasförmiger Luft um die Hand, ähnlich wie Wasser mit einer glühenden Herdplatte nicht in Berührung kommt, sondern durch eine Schutzschicht von Dampf getragen in Tropfen hin und her saust. Viele farbige Körper hellen sich bei tiefen Temperaturen auf. Schwefelstücke werden beim Kühlen mit flüssiger Luft weiß wie Kreide. Für den Chemiker und Physiker ist flüssige Luft ein unentbehrliches Hilfsmittel für Untersuchungen bei tiefen Temperaturen geworden. Wenn man flüssige Luft im luftleeren Raum rasch verdampfen läßt, kann man zu noch tieferen Kältegraden kommen.

Nach dem gleichen Prinzip wie bei der Luft haben sich auch andere Gase verflüssigen lassen, z.B. Wasserstoff. Bei minus 252,5 wird dieser flüssig. Am längsten hat Helium den Versuchen zur Verflüssigung Widerstand geleistet. Aber es ist Kamerlingh Onnes in seinem berühmten Kältelaboratorium in Leiden gelungen, auch das Helium zu bezwingen. Bei minus 268,5 wird es flüssig und erstarrt bei minus 271 zu kleinen Kristallen. Helium wird von allen Stoffen am schwersten flüssig. Nach Ansicht der Physiker soll es keine tiefere Temperatur als minus 273 geben können. Bis minus 272,2 ist man im Kältelaboratorium schon gekommen. Minus 273 ist der absolute

Nullpunkt. Diese Ansicht stützt sich darauf, daß die Gase bei einer Abkühlung von einem Grad sich um $1/273$ ihres Volumens bei 0 Grad zusammenziehen.

Sprengstoff aus flüssiger Luft

Die Hauptverwendung des gasförmigen Sauerstoffs, der in komprimierter Form in Stahlzylindern in den Handel kommt, kennen wir schon. Aber auch flüssiger Sauerstoff und flüssige Luft selbst sind wichtige Artikel geworden bei der Herstellung von Sprengstoffen. Nachdem Linde 1895 die großtechnische Darstellung von flüssiger Luft ermöglicht hatte, suchte er nach einer Verwendungsmöglichkeit für seine Entdeckung. Er fand, daß ein Gemisch von Holzkohlepulver und flüssiger Luft nach Entzündung mit einer Sprengkapsel explodiert. Die Wirkung des neuen Sprengstoffes war der des Dynamits überlegen. Noch günstigere Ergebnisse wurden bei Anwendung von Korkkohle erhalten, die mit Petroleum getränkt war, und bei Ersatz der flüssigen Luft durch flüssigen Sauerstoff. Eine ganze Reihe von Mischungen wurde untersucht. Die brauchbarsten kommen unter dem Namen Oxyliquit zur Verwendung. Man hängt die Hülse mit dem Korkkohle-Petroleumgemisch einige Minuten in flüssigen Sauerstoff, versieht sie mit einer Sprengkapsel und legt sie in das Bohrloch. Innerhalb zehn bis fünfzehn Minuten muß gezündet werden. Der Vorteil der Oxyliquitsprengstoffe beruht auf ihrer Billigkeit und der gefahrlosen Handhabung. Vor dem Tränken mit flüssiger Luft oder Sauerstoff sind die Patronen vollständig ungefährlich. Sollte ein Schuß sich nicht lösen, braucht man nur kurze Zeit zu warten. Dann ist die flüssige Luft verdampft, und der Versager kann ohne jede Gefahr entfernt werden. Nachteile sind die umständliche Vorbereitung und die Notwendigkeit, innerhalb einer Viertelstunde zünden zu müssen.

VI. Synthetische („künstliche") Edelsteine

Schon lange bevor man das Gold kannte, nahmen die Menschen schöne Steine zur Herstellung von Schmuck. Ebenso alt wie das Suchen nach dem Geheimnis der Verwandlung wertloser Metalle in Gold ist daher auch das Streben, Edelsteine künstlich herzustellen. Die chemische und physikalische Forschung der letzten Jahrzehnte hat ergeben, daß die künstliche Erzeugung von Gold grundsätzlich möglich ist. Da aber Gold ein Element ist, bedarf man zur Schaffung der Goldatome aus Atomen anderer Elemente derartig gewaltiger Energien, wie sie uns heute noch nicht zur Verfügung stehen. Darum war auch alles Mühen der Alchimisten vergeblich. Zur Herstellung von Edelsteinen aber ist keine Atomverwandlung nötig. Sie erscheint durch chemische Prozesse gewöhnlicher Art grundsätzlich möglich. Da man im Altertum und im Mittelalter noch nicht die Möglichkeit hatte, einen Stoff richtig zu analysieren, konnte man auch die Zusammensetzung der Edelsteine nicht ermitteln. Daher sind die alten Nachahmungen von Edelsteinen meist farbige Glasflüsse.

Edelsteinnachahmungen einst und jetzt

Im Mittelalter gab es in Venedig und später auch andernorts regelrechte kleine Fabriken für Edelsteinnachahmungen. In der Schatzkammer des Münsters auf der Insel Reichenau im Bodensee ist ein großer, dunkelgrüner Glasfluß zu sehen, eine plumpe Smaragdnachahmung aus dem frühen Mittelalter. Der Stein ist so groß, daß schon in alter Zeit Bedenken an der Echtheit aufgetaucht sein dürften. Dieser Meinung ist auch Viktor von Scheffel in seiner Schilderung der Flucht der Mönche vor dem Hunneneinfall:

„Sie schleppten auch den schweren, durchsichtiggrünen Smaragd bei; achtundzwanzig Pfund wog er. ‚Den mögt Ihr zurücklassen', sprach der Abt. ‚Das Gastgeschenk des großen Kaisers Karl, des Münsters seltenstes Kleinod, wie keines mehr in den Tiefen der Gebirge verborgen ruht?' fragte der dienende Bruder.

„‚Ich weiß einen Glaser in Venezien, der kann einen neuen machen, wenn diesen die Hunnen fortschleppen', erwiderte leichthin der Abt. Sie stellten das Juwel in den Schrank zurück."

Dort steht es bis zum heutigen Tag; denn die Hunnen wollten es auch nicht haben!

Noch heute werden Edelsteinnachahmungen aus Glasflüssen in großen Mengen für billigen Schmuck hergestellt. Solche Nachahmungen haben vielfach dieselbe schöne Farbe und den Glanz wie echte Steine. Im Schaufenster sieht man sie oft mit dem Vermerk „echte Fassung". Nach kurzem Gebrauch verrät sich aber die wahre Natur: Die Steine sind bald zerkratzt und trübe. Der feine Quarzstaub (Sand), der überall in der Luft schwebt, sich auf Hände und Kleider legt, schneidet feine Risse in das Glas. Es fehlt eben eine wesentliche Eigenschaft des echten Edelsteins, die Härte, die so groß ist, daß Quarz und Stahl keine Schrammen hervorrufen können. Von diesen billigen Nachahmungen soll hier nicht die Rede sein.

Was sind synthetische Edelsteine?

Unter synthetischen Edelsteinen versteht man Steine, welche die gleiche Zusammensetzung und gleichen Eigenschaften haben wie die Natursteine. Sie unterscheiden sich von diesen nur dadurch, daß sie nicht in der Natur gewachsen sind.

Begreiflicherweise hat man sich in erster Linie Mühe gegeben, die kostbarsten und schönsten Edelsteine künstlich zu erzeugen, Rubin, Saphir, Smaragd und Diamant. Der erste Teil der Arbeit war nicht schwer zu bewältigen. Die genaue Zusammensetzung der Natursteine mußte festgestellt werden. Es ist dann leicht, ein Gemisch dieser Zusammenstellung herzustellen, und, außer beim Diamant, macht es auch keine Mühe, das Gemisch zusammenzuschmelzen.

SYNTHETISCHE EDELSTEINE

Die erstarrte Schmelze hat Farbe und Härte der Edelsteine. Aber sie ist trüb. Die echten Steine sind einzelne klare Kristalle. Die im Tiegel erhaltenen Schmelzen zerfallen in mikroskopisch kleine Kriställchen, die in der Masse trüb wirken, sich nicht schleifen lassen und als Schmuck unverwendbar sind. Die Hauptaufgabe ist also das Auffinden der richtigen Bedingungen, unter denen die Schmelzen zu größeren klaren Stücken zusammenwachsen.

„Rekonstruierte" Rubine

Im Jahre 1837 wurden die ersten Versuche unternommen, um synthetische Rubine von der gleichen Zusammensetzung wie die natürlichen Steine zu erhalten. Jahrzehntelang aber ergaben alle Schmelzversuche immer nur trübes, unbrauchbares Material. 1882–1895 kamen klare „künstliche" Rubine in den Handel, die wahrscheinlich in der Weise erzeugt wurden, daß kleine Splitter echter Rubine vorsichtig zusammengeschmolzen wurden. Diese „rekonstruierten" Rubine wurden nur in kleiner Menge hergestellt. Sie fanden Absatz in Europa, in Amerika und auch in Indien. Vielleicht ist aus Indien der eine oder andere als teurer Naturstein zu uns zurückgekehrt.

In der Rubinfabrik

Die ersten klaren, völlig synthetisierten Rubine erhielt der Franzose Frémy in gemeinsamer Arbeit mit seinem Assistenten Verneuil durch Zusammenschmelzen von Aluminiumoxyd, etwas Kaliumbichromat unter Zusatz von „agents minéralisateurs", d.h. die Kristallisation befördernder Salze der Flußsäure. Nach dem Erkalten war die Tiegelwand mit Tausenden von Rubinen besetzt. Diese Rubine boten einen herrlichen Anblick. Sie waren klar, hatten eine wunderbare Farbe, bildeten aber meist nur dünne Blättchen. Auch die schwersten wogen noch lange kein Karat ($1/5$ g). Verneuils Geschick gelang aber bald des Rätsels Lösung.

Nach seinem Verfahren wird heute noch gearbeitet. Natürlich sind in den einzelnen Fabriken sinngemäße Herstellungsverbesserungen eingeführt worden. Das Ausgangsmaterial ist ein Gemisch von ca. 97,5% Aluminiumoxyd und 2,5% Chromoxyd. Das Chromoxyd ist der färbende Bestandteil. Die Stoffe müssen völlig rein und sorgfältig durchgemischt sein. In einer sinnreich gebauten Vorrichtung rieselt aus einem siebartigen Behälter das mehlfeine Oxydgemisch in das Gebläse. Dieses wird mit Wasserstoff und Sauerstoff gespeist. In der Stichflamme schmilzt der Oxydstaub, und die winzigen glühenden Tröpfchen fallen auf eine fast punktförmige, feuerfeste Unterlage. Der größte Teil fällt allerdings daneben. Auf der Unterlage beginnt nun ein Tropfen von geschmolzenem Rubin zu wachsen. Die Geschwindigkeit muß so geregelt werden, daß der Schmelztropfen in seinem unteren Teil auf der Unterlage erstarrt, während auf die noch flüssige Oberfläche das Gemisch langsam weitertropft; so wächst der Rubin, sich immer mehr nach oben verbreiternd, langsam in die Höhe. Auf die richtige Temperatur, bestimmte Größe der Stichflamme, richtige Rieselgeschwindigkeit, bestimmten Abstand des Schmelztropfens von der Gebläseöffnung muß peinlich geachtet werden. Ein Arbeiter kann jedoch mehrere Schmelzöfen zugleich bedienen.

Nach diesem Verfahren kann man im Verlauf einiger Stunden Schmelztropfen, auch *boules* oder Birnen genannt, von 50 g (250 Karat) Gewicht herstellen. Ein solcher Schmelztropfen hat etwa kegelförmige Gestalt. Nur mit der dünnen Spitze hängt er mit der Unterlage zusammen. Diese Schmelztropfen sind einheitliche, klare Kristalle, wenn auch die Kristallflächen nicht schön ausgebildet sind.

Jetzt müssen sie noch mit Geschick zerteilt und geschliffen werden. In Deutschland und anderen Ländern werden jährlich große Mengen Rubine hergestellt. Ihre Hauptverwendung finden sie aber nicht in der Schmuck — sondern in der Uhrenindustrie, in der Elektrotechnik und verschiedenen anderen Zweigen der Feinmechanik als Achsenlager.

Synthetische Saphire u.a.

Der blaue Saphir unterscheidet sich chemisch vom Rubin nur durch andere färbende Bestandteile. Die blaue Farbe wird durch einen geringen Gehalt an Eisenoxyd und eine Spur Titandioxyd hervorgerufen. Die Grundmasse ist wie beim Rubin Aluminiumoxyd. Man kann daher nach dem gleichen Verfahren auch den blauen Saphir erzeugen. Willkürlich kann man Rubine vom zartesten Rosa bis zum tiefen Taubenblutrot und Saphire vom hellsten Blau bis zum dunklen Nachtblau erhalten. Mineralogisch sind Rubin und Saphir eine Abart des Korunds. Korund ist kristallisiertes Aluminiumoxyd. In seiner reinsten Form ist er ein schöner, wasserklarer Edelstein, der weiße Saphir. Außer Rubin und Saphir gibt es noch mehrere Edelsteine in der Korundgruppe, z.B. den schönen gelbroten Padparatschah und gelbe Saphire. Alle diese Vertreter der Korundgruppe lassen sich jetzt fabrikmäßig herstellen. Man kann sogar schöne Steine in Farbtönen gewinnen, wie sie die Natur nicht hervorbringt.

Diese synthetischen Edelsteine besitzen dieselbe Härte (Härtegrad 9) wie die natürlichen. Farbton, Lichtbrechungsvermögen und Glanz sind ebenfalls gleich. Man hat verschiedentlich bedeutenden Juwelieren und Edelsteinkennern synthetische und natürliche Steine nebeneinander vorgelegt mit dem Ergebnis, daß eine sichere Unterscheidung selbst diesen Fachleuten nicht gelang. So viel steht fest, daß mit dem üblichen Rüstzeug der Juweliere ein sicheres Erkennen der Herkunft nicht möglich ist. Nur mit besonderen Untersuchungsmethoden lassen sich gewisse Unterscheidungsmerkmale erkennen, die aber für den Wert als Schmuckstein belanglos sind. Im Mikroskop kann man bei vielen, aber nicht bei allen synthetischen Rubinen winzige Gasbläschen sehen, während der Naturstein meistens winzige nadelförmige Einschlüsse anderer Mineralien aufweist. Unter dem Einfluß von Röntgenstrahlen leuchten Birmarubine und synthetische Rubine stark rot, während die siamesischen Rubine keine Leuchterscheinung zeigen. Nach dem Ausschalten der Röntgenstrahlen leuchten die synthetischen Rubine nach, die Birmarubine erlöschen sofort. Auch im Absorptionsspektrum bestehen leichte Unterschiede. Worauf diese kleinen Verschiedenheiten zurückzuführen sind, wissen wir noch nicht genau. Sollte es, was wahrscheinlich ist, einmal gelingen, diesen letzten Unterschied zu beseitigen, so könnte der natürliche Ursprung eines Rubins nur durch eine lückenlose Untersuchung seiner Vorgeschichte bewiesen werden. Jedenfalls ist es heute schon so, daß nur der Reiz der Seltenheit, nicht die besondere Schönheit uns den natürlichen Stein begehrenswerter erscheinen lassen könnte als den künstlichen.

Das Mühen um den synthetischen Smaragd

Eine als Schmuckstein sehr begehrte Abart des Berylls ist der kostbare grüne Smaragd. Die Farbe wird durch einen Gehalt von etwa 0,3% Chromoxyd hervorgebracht. Im Glimmerschiefer kommt Smaragd nicht selten vor, doch sind die Steinchen meist durch Einschlüsse von Glimmerplättchen oder durch Risse entwertet. Im Gegensatz zum Aquamarin, einer anderen Abart des Berylls, der öfter in großen fehlerfreien Stücken gefunden wird, sind klare größere Smaragde äußerst selten und dementsprechend teuer. Smaragd ist heutzutage der wertvollste Edelstein.

Es war daher ein sehr lockendes Ziel, ein Verfahren zur künstlichen Darstellung dieses herrlichen Schmucksteines zu finden. 1888 erhielten die französischen Forscher Hautefeuille und Perrey Smaragdkriställchen, indem sie Berylliumoxyd, Aluminiumoxyd, Kieselsäure und etwas Chromoxyd, also die Bestandteile des Smaragds, mit einem Flußmittel zusammen auf etwa 800° erhitzten. Dies waren richtige Smaragde, aber sie erreichten nur Bruchteile eines Millimeters. 1912 gelang es der deutschen Edelsteingesellschaft H. Wild, schöne Kriställchen von durchschnittlich 1 mm Größe zu erzielen. Das waren gewiß schöne Erfolge von bedeutendem wissenschaftlichen Wert, aber für die praktische Verwendung kamen diese sehr kleinen synthetischen Smaragde natürlich nicht in Frage. Viele

SYNTHETISCHE EDELSTEINE 63

Jahre hindurch konnten trotz aller Mühe keine wesentlichen Fortschritte erzielt werden.

Der Erfolg

1935 ging jedoch durch die Presse die interessante Mitteilung, daß nun doch die Herstellung schöner brauchbarer Smaragde gelungen sei. In langwierigen, geduldigen Untersuchungen hatten Dr. Jäger und Dr. Epsig in den Bitterfelder Werken der I. G. Farbenindustrie die richtigen Versuchsbedingungen ermittelt. Schon 1930 war das Verfahren in aller Stille im wesentlichen abgeschlossen worden. Aus besonderen Gründen traten sie mit ihrer schönen Entdeckung erst 1935 an die Öffentlichkeit. Die Smaragdsynthese geht grundsätzlich andersartig vor sich als die Synthese der Rubine, Saphire und Spinelle. Man läßt die Smaragde unter ähnlichen Bedingungen sich bilden wie in der Natur, nämlich aus der überhitzten Lösung der Bestandteile. Aus begreiflichen Gründen werden genauere Einzelheiten nicht bekanntgegeben. Das Wachsen der Kristalle dauert recht lange. Sie sind im Rohzustand bis zu 2 cm lang; man kann daraus Schmucksteine von wunderbarer Schönheit bis zu einem Karat schleifen. Da die Entstehungsbedingungen denen in der Natur ziemlich ähnlich sind, weisen auch die synthetischen Smaragdkristalle sogar in vielen, nur unter dem Mikroskop erkennbaren Feinheiten die größte Ähnlichkeit mit den Natursteinen auf. Nur mit besonderen Untersuchungsverfahren lassen sich Verschiedenheiten gegenüber den naturgewachsenen Steinen feststellen. So sind z.B. die Röntgendiagramme verschieden. Der natürliche Smaragd leuchtet im ultravioletten Licht grün, der synthetische braunrot. Dieses letztere Verhalten ermöglicht zwar den leichten Nachweis, ob ein synthetischer Smaragd vorliegt, ist aber für die Schönheit des Schmucksteins völlig gleichgültig.

Die Smaragde der I. G., oder wie sie verschiedentlich genannt werden, die Igmeralde, sind infolge des verhältnismäßig schwierigen Darstellungsverfahrens wesentlich teurer als die synthetischen Rubine, aber immerhin ganz erheblich billiger als die Natursteine. Um den Edelsteinhandel vor empfindlichen Verlusten und höchst unangenehmen Störungen zu bewahren, sollen die Igmeralde bis auf weiteres nicht in den Handel kommen. Nur für wissenschaftliche Untersuchungen und für einzelne Sonderschmuckstücke sind bisher wenige Steine zur Verfügung gestellt worden.

Die schwierigste Aufgabe: synthetische Diamanten

Bisher hörten wir von wunderschönen Erfolgen: Rubin, Saphir und Smaragd kann man synthetisch herstellen. Leider läßt sich solches aber nicht von dem Diamanten erzählen. Hier ist man so weit wie in der Smaragdsynthese vor rund 50 Jahren. Da der Preis der Diamanten mit der Größe rasch ansteigt, versuchte man schon im 18. Jahrhundert, Splitter zu einem größeren Stein zusammenzuschmelzen. Zum Erstaunen der Experimentatoren entstand in der Glühhitze jedoch kein größerer Diamant, sondern die Splitter wurden noch kleiner. 1773 stellte Lavoisier fest, daß Diamant bei großer Hitze völlig verbrannte, und zwar zu Kohlensäure (Kohlendioxyd). Diese Kohlensäure aus Diamant war dasselbe wie die Kohlensäure, die durch Verbrennen von Holzkohle und ähnlichem entsteht. Diamant ist also weiter nichts als eine besondere Abart des Kohlenstoffes.

Kohlenstoff kommt in drei Abarten oder Modifikationen vor: als Diamant, als Graphit und als amorpher Kohlenstoff, z.B. Ruß. Es ist eine interessante Tatsache, daß wir im Diamanten, der härtesten Substanz (Härtegrad 10), und dem Graphit, der sehr weich ist, denselben Grundstoff vor uns haben. Die Verschiedenheit wird lediglich hervorgerufen durch die andersartige Anordnung der Atome.

Ein Meteoreisen zeigt den Weg

Für die Synthese des Diamanten muß eigentlich nur das Geheimnis gefunden werden, wie Graphit oder amorpher Kohlenstoff in Diamant umgewandelt werden kann. Im Jahre 1891 entdeckte Friedel und bald darauf Moissan in einem Eisenmeteor kleine Diamanten. Daß Kohlenstoff sich in flüssigem Eisen auflösen läßt, ist schon seit Jahrhunderten bekannt. Das Gußeisen enthält etwa 5% Kohlenstoff, während Schmiedeeisen fast kohlenstoffrei ist. Man wußte auch schon lange, daß aus einer gesättigten Lösung von Kohlenstoff in flüssigem Eisen beim Abkühlen ein Teil des Kohlenstoffs als Graphit auskristallisiert, daß aber der Kohlenstoff auch als Diamant herauskommen könnte, war eine neue Entdeckung an dem Meteoreisen. Diamant besitzt eine größere Dichte als Graphit. Deshalb nahm Moissan an, daß der Kohlenstoff als Diamant aus geschmolzenem Eisen auskristallisieren würde, wenn die Lösung unter ungeheurem Druck stünde und dadurch die Kohlenstoffatome gezwungen würden, sich dichter zusammenzulagern.

Moissans Experiment

Moissan hatte einen Ofen ersonnen, der aus zwei ausgehöhlten Blöcken von ungelöschtem Kalk bestand, die aufeinander paßten. In die Höhlung wurde der Tiegel gebracht. Durch zwei Rinnen führten die beiden Kohleelektroden in den Ofen. Moissan stellte zunächst reine amorphe Kohle her durch sorgfältiges Verglühen von chemisch reinem Zucker. Mit einem Strom von etwa 40 Volt und 700 Ampere erhitzte er im elektrischen Ofen Eisen bis auf ungefähr 4000° und löste in diesem beinahe kochenden Eisen den reinen Kohlenstoff auf. Dann goß er die grellweiß glühende Schmelze in die Bohrung eines Kupferblocks, der mit Wasser stark gekühlt wurde. In der Bohrung erstarrte die Schmelze augenblicklich an der Oberfläche. Durch die rasche Kühlung zog sich diese stark zusammen und übte auf den noch glutflüssigen inneren Teil einen ungeheuren Druck aus. Nachdem die Schmelze völlig erkaltet war, wurde mit geeigneten Säuren das Eisen aufgelöst. Im Rückstand fanden sich unter anderem kleine Kristalle, die nach Moissans Annahme richtige Diamanten waren. Doch ist durch neuere Untersuchungsmethoden, welche Moissan nicht zur Verfügung standen, einwandfrei festgestellt worden, daß die so erzeugten Kristalle doch nicht die Eigenschaften des Diamanten besaßen.

In der Folgezeit hat man die Moissanschen Versuche, die zuerst in 1893 ausgeführt wurden, wiederholt; man hat die Art der Erhitzung und Abkühlung verbessert, jedoch ohne wesentlich andere Ergebnisse. Voraussichtlich würde man bessere Resultate erhalten, wenn man gleichzeitig Temperaturen von über 2000° und Drucke von über 10 000 Atmosphären anwenden könnte. Theoretisch ist es also nicht unmöglich, einen synthetischen Diamanten zu schaffen, doch muß noch manche böse experimentelle Klippe umschifft werden.

VII. Wie entsteht ein künstliches Arzneimittel?

Der große Spötter Voltaire hat einmal gesagt: „Un médecin est un homme, qui met des drogues, qu'il ne connaît pas, dans un corps, qu'il ne connaît encore moins." * Das war boshaft und verrät wenig Achtung vor der ärztlichen Wissenschaft und ihren Mitteln. Und doch kann man nicht leugnen, daß Voltaire den Stand der Arzneimittellehre im ausgehenden 18. Jahrhundert, also am Vorabend des Beginns der wissenschaftlichen Chemie, insofern richtig beurteilte, als damals die Ärzte, Apotheker und Chemiker über die wirksamen Stoffe der Heildrogen herzlich wenig wußten und noch weniger sich vorstellen konnten, in welcher Weise ihre chemische Wirkung im erkrankten Körper sich vollzieht.

Vor zweihundert Jahren
Damals war es um die Arzneimittelkunde noch übel bestellt. Zur Verfügung standen in erster Linie eine Menge Stoffe pflanzlichen, tierischen oder gar mineralischen Ursprungs, denen alte Volksüberlieferung oder die Meinung der Ärzte Heilkräfte zuschrieb. Neben einzelnen altbewährten Mitteln, die seit Jahrhunderten in Europa verwandt wurden, und einigen wertvollen Drogen, die erst durch den Verkehr mit überseeischen Ländern bekannt geworden waren, wurde ein ungeheurer Wust von Mitteln in den Apotheken vorrätig gehalten, deren Wert zum mindesten höchst zweifelhaft war. Analytische Verfahren zur Bestimmung des Gehalts einer Droge an wirksamen Stoffen kannte man noch nicht. Zuverlässige physiologische Prüfungsmethoden waren ebenfalls noch fremd. So

* "A physician is a man who puts drugs which he does not know into a body of which he knows even less."

blieb man mehr auf wildes Versuchen angewiesen. Dazu war man damals auch weniger kritisch als heute und sehr wagemutig in der Zusammenstellung von Rezepten. Wenn man vermutete, daß ein Mittel helfen müsse, empfahl man es als unbedingt zuverlässig. Astrologische und magische Vorstellungen, und oft sogar ein starker Aberglaube, beeinflußten oft die Zusammenstellung der oft endlosen Rezepte. Im 17. und 18. Jahrhundert hatte man allmählich begonnen, mit diesem wilden Durcheinander aufzuräumen, aber was unsere Voreltern schlucken mußten, wenn ihnen das Mißgeschick widerfuhr, krank zu werden, war immer noch schlimm genug. Man darf kaum darüber nachdenken, daß bis ins zweite Drittel des 19. Jahrhunderts Chloroform- und Äthernarkose unbekannt waren, und daß man den Erregern ansteckender Krankheiten fast schutzlos preisgegeben war, weil man ihre Natur noch nicht erkannt hatte und infolgedessen nicht einmal die schwachen Schutzmittel der damaligen Zeit sinngemäß anwenden konnte.

Aus einem alten Arzneibuch

Vor mir liegt ein altes Arzneibuch aus dem 17. Jahrhundert. Man möchte beim Durchlesen dieser alten Rezepte lächeln, wenn einem nicht die ganze tragische Hilflosigkeit bewußt würde. Es finden sich da Mittel „für vergiftete Schüsse", „für die Pestilenz", „Kröpfe zu vertreiben", „für die Melancholie", „für erzauberte Liebe", dann auch Schönheitsmittel „für schön Haar zu machen" und für manches andere oft noch mit dem Zusatz: „Es hilft". Wir wollen das nicht bezweifeln. Zurückhaltender in unserer Zustimmung sind wir aber, wenn empfohlen wird, zwei lebende Krebse zu zerquetschen und den Saft als Linderungsmittel auf die schmerzende Stelle zu streichen. Es gibt noch Besseres: Ein junger Hund soll mit einigen Dutzend roter Schnecken, aber nur mit solchen, die auf dem Friedhof aufgelesen wurden, lebend in einem Brei aus Käse und Wein gekocht und das Ganze dann bei stärkerem Feuer destilliert werden! Auch ohne besondere medizinische und chemische Vorbildung kommt man zu

KÜNSTLICHE ARZNEIMITTEL

der sicheren Überzeugung, daß die meisten dieser Rezepte kaum helfen konnten.

Heroische Mittel

Bis zum Beginn der wissenschaftlichen Chemie war man fast völlig auf die Heildrogen angewiesen. Im ersten Viertel des 16. Jahrhunderts hatte Paracelsus fanatisch den Grundsatz gepredigt: „Der wahre Gebrauch der Chemie ist nicht, Gold zu machen, sondern Arzneien." Im damals beginnenden medizinischen Zeitalter der Chemie, der sogenannten iatrochemischen Epoche, wird nun auch versucht, Arzneimittel künstlich aufzubauen. Nach Paracelsus' Vorbild greift man zunächst einmal zu kräftig wirkenden Metallsalzen, zu Sublimat, Brechweinstein, Kupfervitriol, Glaubersalz und anderen „liebenswürdigen" Dingen. Nicht immer war man in der Verabreichung vorsichtig, und mancher arme Kranke wurde nicht mehr gesund. Mancher auf den Jahrmärkten auftretende „Heilkünstler" kam mit seinen kräftigen Heilmitteln und herzhaften chirurgischen Eingriffen dem berüchtigten Vorbild des Doktors Eisenbart bedenklich nahe.

Die Aufgabe der modernen Chemie

Nach diesen Ausführungen zeichnet sich vor unserem geistigen Auge hinreichend klar der Stand der Dinge, als zu Beginn des 19. Jahrhunderts die wissenschaftliche Chemie vor die Aufgabe gestellt wurde, auch auf dem Gebiete der Arzneimittelbereitung klärend und helfend einzugreifen. Das höchste Ziel auf diesem Gebiete wäre, die chemischen Vorgänge im gesunden Körper klar zu durchschauen, zu wissen, welche Störungen bei krankhafter Veränderung eintreten, den chemischen Aufbau und die giftigen Stoffwechselprodukte der Krankheitserreger zu erkennen, die Beziehungen zwischen Konstitution und physiologischer Wirkung bei allen Stoffen zu erfassen und zielbewußt für jedes Leiden ein harmloses, aber sicher wirkendes Heilmittel bereit zu halten. Von diesem Idealzustand trennt uns noch ein mühsamer, jahrhundertelanger Weg. Im vergangenen Jahrhundert chemischer Arbeit ist aber schon sehr viel geleistet worden. An Stelle des endlos langen Rezeptes aus Drogen wechselnder Zusammensetzung, wo die Wirkung oft Glückssache war, tritt heute das unzählige Male erprobte chemisch reine Produkt. Wenn das durchschnittliche Lebensalter heute gegenüber der Zeit vor hundert Jahren um zwanzig und mehr Jahre verlängert ist, so haben wir dies nicht zuletzt dem Fortschritt in der Herstellung künstlicher Arzneimittel zu verdanken.

Der erste Schritt: zunächst Reindarstellung der Wirkstoffe

Der erste Schritt, den die Chemiker unternahmen, war die Isolierung der wirksamen chemischen Verbindungen aus den von der Natur dargebotenen Drogen. Damit wurden Präparate von höchster Wirksamkeit gewonnen, und, was viel wichtiger ist, man konnte Heilmittel von genau bestimmtem Gehalt den Kranken verabreichen. Man lernte die chemischen Reaktionen kennen, mit deren Hilfe die Wirkstoffe sich nachweisen und mengenmäßig bestimmen lassen. So war man in der Lage, den Wert einer Droge genau einzuschätzen und Extrakte bestimmter Konzentration herzustellen. Man war jetzt von der Qualität des Naturproduktes, die ja nach dem Standort der Pflanze oder Klima wechselt, weitgehend unabhängig. Es war nicht mehr nötig, den Kranken zu zwingen, Medizinen, die ihm zuwider waren, glasweise einzunehmen oder große Portionen unangenehmer Drogenpulver zu schlucken. Wenige Tropfen, eine kleine Pastille oder eine Injektion tun heute denselben Dienst in angenehmerer und sicherer Weise. Heute können wir ohne diese reinen Wirkstoffe nicht mehr auskommen.

Einiges über starkwirkende Pflanzenbasen

Im Jahre 1804 isolierte man aus dem Opium das erste Alkaloid (natürliche Base), das Morphium. Dieser Entdeckung folgte in kurzen Abständen eine unübersehbare Reihe anderer Alkaloide. Aus

KÜNSTLICHE ARZNEIMITTEL

dem Opium allein hat man bis jetzt etwa zwei Dutzend Pflanzenbasen herausgeholt. Tollkirschensaft diente schon zur Zeit der Renaissance gelegentlich als Schönheitsmittel; ins Auge geträufelt, erweitert er die Pupille, was dem Auge einen merkwürdigen dunklen Glanz verleiht. Von dieser Unsitte leitet sich der botanische Name der Tollkirsche *Atropa belladonna* ab. Aus der Tollkirsche gewinnt man das Atropin, das Ursache der pupillenerweiternden Wirkung ist und auch die starke Giftigkeit der Tollkirsche verursacht. Tollkirschensaft war schon oft ein beliebtes Mittel, „guten Freunden" zum ewigen Schlaf zu verhelfen.

Kokain und Chinin

Aus der großen Zahl der medizinisch wichtig gewordenen Pflanzenstoffe seien nur noch zwei genannt: das Kokain und das Chinin. Das Kokain wurde 1860 aus Cocablättern isoliert. Als örtliches Betäubungsmittel war es in der Chirurgie lange unentbehrlich. In Verbindung mit Adrenalin, welches die Blutgefäße zusammenzieht, war es in der Injektionsspritze enthalten.

Das Chinin ist der wirksame Stoff der Chinarinde. Schon 1820 wurde es isoliert. Chinin hat als spezifisches Mittel gegen Malaria unschätzbaren Wert und war lange Zeit das einzig brauchbare Mittel gegen diese Krankheit. Die Kenntnis dieses Mittels verdanken wir letzten Endes den südamerikanischen Indianern. Diese wußten schon lange, daß Chinarinde vorzüglich gegen das Sumpffieber, die Malaria, hilft. Der Name Chinarinde hat mit China nichts zu tun, sondern stammt aus dem Indianischen.

Vom Werdegang unserer modernen Arzneimittel

Die Reindarstellung der wirksamen Bestandteile ist nur der Anfang. Es ist aber ein arbeitsreicher Weg von der opiumliefernden Mohnblume in China bis zum kristallisierten Codeïn, das im nebligen Nordeuropa den Kranken von seinem quälenden Husten befreit. Es soll hier nicht im einzelnen geschildert werden, wie die Gewinnung der reinen Wirkstoffe aus dem Pflanzenmaterial vor sich geht. Zuerst müssen die Pflanzen getrocknet werden und eine oft recht lange Reise zur Fabrik zurücklegen. Dort werden sie zerkleinert und im Perkolator oder sonstigen Extraktionsapparaten mit verdünnten Säuren oder Alkohol, manchmal auch mit anderen Stoffen, z.B. Kalkmilch, behandelt. Diese sauren oder alkoholischen Auszüge werden filtriert. Durch besondere Fällungsmittel werden störende Begleitstoffe, wie Pflanzenschleim, Eiweiß, Farbstoffe usw., in unlöslicher Form niedergeschlagen. Nach nochmaligem Filtrieren wird aus der Lösung die gesuchte Verbindung durch Ätzlauge oder auch durch besondere Reagenzien abgeschieden. In der Regel ist sie aber dann noch nicht rein. Sie enthält noch eine mehr oder weniger große Zahl ähnlicher Stoffe und meist noch ölige, harzige oder sonstwie lästige Substanzen. Von diesen unerwünschten Begleitern muß sie in umständlichen und langen Reinigungsverfahren befreit werden.

Der zweite Schritt: Aufklärung des chemischen Feinbaus

Bis hierhin kann man eigentlich noch nicht von künstlichen Arzneimitteln sprechen; denn die wirksamen Stoffe wurden ja nicht neu geschaffen, sondern nur aus dem Naturerzeugnis in reiner Form extrahiert. Bald nachdem die ersten Pflanzenbasen rein erhalten worden waren, setzte das Bestreben ein, sie nun auch künstlich aufzubauen. Dem künstlichen Aufbau, der Synthese, muß die genaue Ermittlung des chemischen Feinbaus, die Konstitutionsermittlung, vorangehen. In sehr vielen Fällen ist es schon gelungen, die Konstitution restlos aufzuklären. Wir wissen heute genau Bescheid, wie in einem Kokainmolekül (kleinstes Teilchen Kokain) die Atome aneinander gebunden sind. Wir können sogar ein Modell des Kokainmoleküls entwerfen, das uns die Lage der Atome im Raum richtig wiedergibt. Das gleiche gilt für Kampfer, Chinin, Koffein, für viele Pflanzenbasen, Duftstoffe und andere in der Heilkunde wichtige Verbindungen.

KÜNSTLICHE ARZNEIMITTEL

Der Abbau

Leicht ist eine solche Konstitutionsermittlung in der Regel nicht. Bei sehr vielen Naturstoffen, z.B. beim Kampfer, war jahrzehntelange eifrige Arbeit nötig, um das Rätsel zu lösen. Besonders hartnäckigen Widerstand leistete das Morphium. Es hat rund 125 Jahre gedauert, bis die Konstitutionsformel erkannt war. Viele Stoffe haben auf die Fragen, die der Chemiker im Reagenzglas an sie stellte, bis heute keine klare Antwort gegeben, so daß man ihre genaue Zusammensetzung immer noch nicht kennt.

Auf die Arbeitsweise der Konstitutionsermittlung sei hier nur kurz eingegangen. An die Reindarstellung schließt sich die Analyse und die Bestimmung des Molekulargewichts. Dadurch erfahren wir, aus wieviel Atomen Kohlenstoff, Wasserstoff, Sauerstoff und Stickstoff die Verbindung besteht. Die Verfahren sind in den letzten zwei Jahrzehnten so vervollkommnet worden, daß zu diesen Bestimmungen im Notfall einige Milligramm genügen, während man früher die hundertfache Menge benötigte. Bei nicht allzuschweren Molekülen geben uns die Verfahren eindeutigen Aufschluß über die Zahl der vorhandenen Atome. Besitzt aber eine Verbindung ein sehr großes Molekül, so machen sich die Fehlergrenzen der analytischen Verfahren unangenehm bemerkbar. Wir können dann manchmal nicht mehr mit Sicherheit behaupten, ob die Verbindung ein Kohlenstoffatom mehr oder weniger enthält. Durch diese Unsicherheit wird aber die ganze nachfolgende Arbeit von vornherein auf eine wankende Grundlage gestellt.

Dann wird die Substanz einer ganzen Reihe chemischer Prozesse unterworfen, um sie in Sprengstücke zu zerlegen, die aus wenigen Atomen bestehen, deren Aufbau also leichter zu durchschauen ist als der des ursprünglichen verwickelten Ausgangsstoffs. Man wendet nach Möglichkeit schonende Verfahren an, damit Abbauprodukte erhalten werden, in denen die Atome sich noch in der gleichen Anordnung befinden wie im ursprünglichen Molekül. Es ist nämlich ungefähr das Schlimmste, was dem Chemiker widerfahren kann, wenn bei den Abbaureaktionen eine Umlagerung von Atomgruppen stattfindet, so daß er leicht in die Gefahr kommt, das Formelbild in Anlehnung an die umgelagerten Sprengstücke falsch zu entwerfen. Ist man bei diesen Abbaureaktionen schließlich zu Verbindungen gelangt, deren Feinbau schon von anderen Untersuchungen her bekannt ist, so denkt man sich rückwärts aus den Sprengstücken das ursprüngliche Molekül wiederaufgebaut und kommt so zu einem vorläufigen Bild von dem Feinbau des Naturproduktes.

Der Aufbau

Dieses Formelbild gilt aber erst dann als völlig gesichert, wenn es gelungen ist, eine Verbindung dieser Zusammenstellung künstlich aufzubauen, und wenn sich dann völlige Gleichheit sämtlicher Eigenschaften mit denen des Naturproduktes ergeben hat. Die Schwierigkeiten einer solchen Synthese sind vielfach außerordentlich groß. Trotz aller Mühe ist man in vielen Fällen noch nicht ans Ziel gelangt, wie z.B. bei der Synthese des Morphins. Vom Chinin hat man schon eine Reihe von Derivaten herstellen können, die diesem chemisch sehr nahe stehen. Das Chinin selbst hat man aber noch nicht künstlich aufgebaut. Vielleicht steht dies unmittelbar bevor. In zahlreichen Fällen haben die synthetisch arbeitenden Chemiker aber Glück gehabt. Die Synthesen haben zunächst wissenschaftlichen Wert; sie sollen Klarheit schaffen über die Konstitution der in Frage kommenden Naturstoffe. Meist sind die aus wissenschaftlichen Gründen durchgeführten Synthesen zu kostspielig, um als technische Darstellung des betreffenden Stoffes verwendet zu werden.

Der dritte Schritt: die brauchbare Synthese

Die wissenschaftlichen Arbeiten bilden aber die Grundlage für die Versuche zur billigen künstlichen Herstellung; sie werden naturgemäß bei solchen Stoffen angestellt, die sehr hoch im Preise stehen, weil sie aus teuren ausländischen Rohstoffen gewonnen werden müssen. Einige wertvolle Arzneimittel, die noch vor wenigen Jahren nur aus kostbaren Drogen zu erhalten waren, können jetzt zu erschwinglichen Preisen in jeder beliebigen Menge im chemischen Betrieb hergestellt werden. Ausgangsmaterialien sind dabei nicht mehr fremdländische Blüten und Wurzeln oder tierische Sekrete, sondern meist der schwarze Teer, aus dem auch das Heer der Anilinfarben, Süßstoffe, Sprengstoffe und Wohlgerüche hervorgezaubert werden.

Auswege

Bei allen diesen Synthesen ist der von der Natur gelieferte Stoff das Vorbild. Da die Nachahmung dieses Vorbildes oft erhebliche Schwierigkeiten macht, schlägt man in der Arzneimittelsynthese auch einen Nebenweg ein: Man baut ähnliche, leichter zugängliche Verbindungen auf, in der Hoffnung, daß diese eine ähnliche Wirkung haben könnten wie das teure Naturprodukt. Ein anderer Ausweg ist, daß man nicht zu teure Naturstoffe durch verhältnismäßig einfache chemische Prozesse abwandelt. So kann man in einzelnen Fällen zu brauchbaren Ersatzmitteln kommen, bzw. sogar ein bestimmtes Naturprodukt teilweise synthetisieren. Das Codeïn, das den Hustenreiz so hervorragend mildert, ist im Opium nur zu 0,3% enthalten, Morphin dagegen in einer Menge von 10%. Nun stehen sich Morphin und Codeïn chemisch sehr nahe. Das Codeïn ist Morphinmethyläther. Morphin läßt sich leicht durch „Methylieren" in Codeïn überführen. Daher läßt sich aus dem Morphin das Codeïn zu einem erschwinglichen Preis herstellen. Dies ist nur eines der vielen Beispiele, wie die oft als weltfremd angesprochene Arbeit des rein wissenschaftlich tätigen Forschers zu einem Segen für die Menschheit werden kann. Der Feststellung der nahen Verwandtschaft der beiden Pflanzenbasen ist es zu verdanken, daß das Codeïn nicht eine unbezahlbare Kostbarkeit geblieben ist.

Zufallsentdeckungen: Äther und Chloroform

Zufällig entdeckte Charles Jackson 1842 in Boston, daß eine so einfache chemische Verbindung wie Äther Bewußtlosigkeit hervorruft. Seit 1846 dient Äther nach Mortons Vorgehen zum Hervorrufen der Narkose bei chirurgischen Eingriffen. Es ist tragisch, daß diese Beobachtung erst so spät gemacht wurde. Schon im 16. Jahrhundert kannte man den Äther. Wieviel Schmerzen und Qual hätte man lindern können, wäre diese Beobachtung dreihundert Jahre früher gemacht worden! 1831 wurde das Chloroform entdeckt; 1847 führte Simpson in Edinburgh das Chloroform bei der Narkose ein. Auch hier war die einschläfernde Wirkung eine gänzlich unvorhergesehene Tatsache. Anfangs kamen bei Chloroformnarkosen ab und zu Todesfälle vor. Beim Stehen im Licht bildet sich aus Chloroform mit Luftsauerstoff das fürchterliche Lungengift Phosgen, das im Weltkrieg traurige Berühmtheit erlangte. Durch sorgfältige Reinigung des Chloroforms und durch Zusatz von 2% Alkohol läßt sich die Phosgenbildung verhindern, wenn streng darauf geachtet wird, daß das Narkosechloroform in braunen, völlig gefüllten Flaschen aufbewahrt wird.

Über das Vorbild hinaus

Bei der Arzneimittelsynthese sind zunächst Natur und Zufall unsere Lehrmeister. Der Synthetiker sucht jedoch weiter zu kommen und beginnt nun, die wirksamen Produkte systematisch abzuwandeln. Er ändert Schritt für Schritt eine Atomgruppe nach der andern, ersetzt sie durch ähnliche Atomgruppen, und so probiert er geduldig lange Reihen von chemischen Verbindungen durch, in der Hoffnung, ein besseres und billigeres Produkt zu finden oder eine unerwartete Entdeckung zu machen. Oder er stellt Verbindungen her, die mit dem einstweilen noch nicht synthetisierbaren teuren Naturstoff konstitutionelle Ähnlichkeit haben, und ändert, von diesen Modellversuchen ausgehend, wiederum geduldig eine Atomgruppe nach der andern.

KÜNSTLICHE ARZNEIMITTEL

Chemische Zusammensetzung und Wirkung

Über die Abhängigkeit der physiologischen Wirkung von der chemischen Zusammensetzung wissen wir noch sehr wenig. Oft genug kommt es vor, daß chemisch einander nahestehende Stoffe ganz verschiedene Wirkung zeigen. Aber auch das Gegenteil kommt vor, daß nämlich ganz verschiedene Stoffe verwandte Wirkungen auslösen. Einzelne Forscher haben sich Mühe gegeben, Regeln über die Beziehungen zwischen chemischer Konstitution und physiologischer Wirkung aufzustellen. Es ist auch eine Reihe interessanter Zusammenhänge gefunden worden, die jedoch nur für eine begrenzte Zahl von Verbindungen Gültigkeit haben. Ein lebender Organismus ist eben ein ungeheuer verwickeltes System aus unzähligen chemischen Verbindungen, und die Einwirkung eines Arzneimittels kann zu den mannigfachsten Reaktionen führen, die wir meist weder voraussehen noch verfolgen können. So bleibt nichts übrig, als eine chemische Körperklasse nach der andern im Tierversuch auf ihre medizinische Brauchbarkeit hin zu prüfen.

Ersatzstoffe für Kokain

In einer ungünstigen Lage befand sich der Arzneimittelsynthetiker, als es sich darum handelte, das Kokain künstlich herzustellen. Der hohe Preis des Kokains verlangte dringend eine verbilligende technische Darstellungsmethode oder ein leicht zugängliches Ersatzmittel. Ein Kilo Kokain kostete 1885 noch dreizehntausend Mark. Im Jahre 1898 wurde durch die Arbeiten Willstätters die Konstitution des Kokains aufgeklärt. Eine künstliche Darstellung zu annehmbarem Preis ist bis heute nicht gelungen. Man mußte sich damit begnügen, einfacher gebaute Stoffe, die eine gewisse chemische Ähnlichkeit aufweisen, künstlich aufzubauen und auf ihre Wirkung zu prüfen. Man hat diese Produkte dann in mannigfacher Weise abgewandelt. Bei diesen Abänderungen hat man sich von der Konstitution des Kokains immer weiter entfernt und ist schließlich zu Stoffen gekommen, die kaum mehr Ähnlichkeit mit dem Kokain besitzen.

Die Frucht jahrzehntelanger Arbeiten ist eine Gruppe hervorragender künstlicher Anästhetika, die wir nicht mehr missen möchten.

Die Chininsynthese macht Schwierigkeiten

Am ausgeprägtesten tritt uns der Werdegang der künstlichen Arzneimittel entgegen in den Arbeiten für die Herstellung von Chininersatz. Den ersten Versuch, Chinin künstlich darzustellen, unternahm 1856 der achtzehnjährige William Perkin. Damals konnte man sich noch kein klares Bild machen vom inneren Aufbau des Chininmoleküls. Man hatte das Chinin wohl abzubauen versucht, aber die Abbauverfahren waren noch so gewalttätiger Natur und so primitiv, daß man aus den Zersetzungsprodukten keinen Rückschluß auf die Anordnung der Atome im Chininmolekül ziehen konnte. Als Zersetzungsprodukt war eine kleine Menge Anilin erhalten worden. Mit jugendlichem Schwung versuchte Perkin, aus Anilin künstliches Chinin zu machen. Chinin hat er bei seinen Arbeiten nicht gewonnen, statt dessen fand er den ersten Anilinfarbstoff, das Mauveïn, und wurde so zum Begründer der Teerfarbenfabrikation. Späteren Untersuchungen ist die Aufklärung der Chininstruktur gelungen, aber die Synthese ist auch heute noch nicht völlig geglückt.

Die Entdeckung des Antipyrins und seiner Verwandten

Ich sagte, daß die Arbeiten der Arzneimittelsynthese von zwei Lehrmeistern geleitet würden, von der Natur und dem Zufall. Bei den angedeuteten Arbeiten zur Auffindung eines Mittels gegen Malaria und sonstiges Fieber war das von der Natur gebotene Chinin das Vorbild gewesen. Der Zufall hat eine nicht minder große Rolle gespielt. In den achtziger Jahren machten sich die Chemiker noch eine falsche Vorstellung von der Anordnung der Atome im Chininmolekül. In der Absicht, einen Stoff zu synthetisieren, der diesem — falschen — Vorbild möglichst nahe kam, baute Knorr in Ludwigshafen eine chemische Verbindung auf mit dem für Nichteingeweihte verwirrenden Namen Phenyldimethylpyrazolon. Zufall ist, daß diese

Verbindung, die eine andere Zusammensetzung hat, als Knorr damals glaubte, die also gar keine Ähnlichkeit mit der falschen Chininformel aufweist, doch ein hervorragendes Fiebermittel ist, das gleichzeitig schmerzstillend wirkt. Vertrauter als der geheimnisvolle chemische Name klingt uns die Bezeichnung Antipyrin. Mit Eifer haben sich die Chemiker auf dieses neue Gebiet gestürzt. Bald erkannte man die wahre Anordnung der Atome dieses Stoffes und mußte erstaunt feststellen, daß im Antipyrin eine Anordnung von Stickstoffatomen vorhanden ist, die aufzubauen die lebende Natur nach unserem bisherigen Wissen gar nicht in der Lage ist. Wenigstens sind uns im Tier- und Pflanzenreich Körper derartiger Zusammensetzung noch nie begegnet.

Jetzt setzte das in der Arzneimittelsynthese so beliebte und unentbehrliche Abändern ein. Man hängt an den Grundkörper alle mögliche Atomgruppen und sah sich im Tierversuch an, gegen welche Krankheiten die neuen Stoffe helfen konnten. Pyramidon und Melubrin sind einige der wertvollsten Stoffe, für die die leidende Menschheit den Chemikern und Pharmakologen, die sich auf diesem Gebiet abgemüht haben, dankbar sein kann.

Wie das Aspirin gefunden wurde

Einen glücklichen Mißgriff ließ sich im Jahre 1886 ein Apotheker in Straßburg zuschulden kommen. Die Menschheit darf dem Schicksal für diesen Irrtum dankbar sein. Zwei Ärzte hatten Naphthalin gegen Eingeweidewürmer verordnet. Aus Versehen nahm der Apotheker die neben Naphthalin auf dem Regal stehende Flasche. Sie enthielt Azetanilid, eine einfache Verbindung aus Anilin und Essigsäure. Die Wirkung war verblüffend: Das Azetanilid entpuppte sich als Fiebermittel. Damals war das teure Chinin das einzige wirklich brauchbare Präparat gegen Fieber. Seine Konstitution war noch nicht ermittelt, und alle Versuche zur Chininsynthese waren ein blindes Herumtasten. Es war schon länger bekannt, daß das Anilin Fieber bricht. Aber die Verwendung dieses Stoffes stößt auf unüberwindliche Hindernisse. Anilin und seine Salze wirken verheerend auf die roten Blutkörperchen, sie bringen sie zum Verfall. Alsbald stellt sich Zyanose ein; Lippen und Nägel werden blau, Atemnot und Schwindel treten auf, und bei größeren Dosen ist der Tod die Folge. Beim Azetanilid war nur die fiebersenkende Eigenschaft des Anilins geblieben, die gefährlichen Nebenwirkungen waren nicht völlig beseitigt, aber doch so weit aufgehoben, daß sie bei vorsichtiger Verabreichung des Mittels nicht mehr in die Waagschale fielen. An dieser Verbesserung mußte der Rest der Essigsäure, die Azetylgruppe, schuld sein. Dieser Gedanke wirkte belebend auf die Arzneimittelsynthetiker. Sie führten diesen Essigsäurerest in alle möglichen Stoffe ein, die irgendein heilkundliches Interesse boten. So entstand aus der Salizylsäure die Azetylsalizylsäure. Zahllose Azetylverbindungen wurden hergestellt und physiologisch untersucht. Die meisten waren nichts wert. Nur selten hatte ein Chemiker das Glück, daß aus der langen Reihe seiner Präparate ein brauchbares hervorging. Die Azetylsalizylsäure war ein großer Treffer. Wir alle kennen sie; die meisten haben ihre wohltuende Wirkung am eigenen Leibe gespürt: Es ist das berühmte Aspirin.

Von der Steinkohle zum Fiebermittel

Das Anilin ist bekanntlich Ausgangsmaterial für eine Reihe künstlicher Farbstoffe. Man gewinnt es aus der Steinkohle auf folgende Weise: In der Gasfabrik wird Kohle unter Luftabschluß geglüht. Koks bleibt zurück, während Leuchtgas, Ammoniakwasser und Teer entweichen. Aus dem Teer gewinnt man durch Destillation eine Unmenge wichtiger Stoffe. Benzol, Toluol, Xylol, Naphthalin, Anthrazen, Phenol und Kresol sind die wichtigsten. Es sind aber über hundert verschiedene Verbindungen im Teer enthalten. In den Retorten der Teerdestillation bleibt das Pech zurück, das technisch besonders heute größte Bedeutung hat als Dichtungsmittel, zur Herstellung von Dachpappe und vor allem im Straßenbau.

KÜNSTLICHE ARZNEIMITTEL

Durch Nitrierung, d.h. durch Behandeln mit Salpetersäure und Schwefelsäure, macht man aus Benzol das Nitrobenzol. Behandelt man Nitrobenzol mit Eisen und Salzsäure, so wird es in Aminobenzol oder Anilin verwandelt. Durch Erhitzen mit Essigsäure erhält man aus Anilin das Azetanilin oder Antifebrin.

Künstliche Schlafmittel

Im Zusammenhang mit diesen Antifebrinarbeiten sind auch andere Körperklassen auf ihre physiologische Wirkung hin untersucht worden. Dabei wurden wertvolle Schlafmittel entdeckt, z.B. die schwefelhaltige Verbindung Sulfonal. Bei der Betrachtung der chemischen Formeln des Sulfonals, verwandter Präparate und anderer Schlafmittel fiel es auf, daß in diesen Verbindungen bestimmte Atomgruppen häufig vorkommen. Man führte die einschläfernde Wirkung der Stoffe auf diese Atomgruppen zurück und untersuchte nun Verbindungen anderer Körperklassen, die ebenfalls die betreffenden Atomgruppen mehrfach enthielten. So kam man auch darauf, die sogenannte Barbitursäure und ihre Derivate auszuprobieren. Die Barbitursäuregruppe hat eine große Reihe von Schlafmitteln geliefert. Allen voran geht das bekannte Veronal. Dem Veronal nahe stehen die Präparate Dial, Luminal, Medinal, Diogenal und Nirvanol.

Nicht zu unterschätzen: der gutklingende Name!

Diese Namen klingen zum Teil nicht gerade schön, und manchem sieht man gleich die Verlegenheit der Erfinder bei der Namengebung an. Der Name Diogenal soll ein Präparat empfehlen, das den Verbraucher in eine angenehme Losgelöstheit von allen Sorgen versetzt, wie man sie dem griechischen Philosophen Diogenes in der Weltabgeschiedenheit seiner Tonne nachrühmt. Nirvanol gaukelt uns die Wunschlosigkeit des indischen Nirvana vor. Viele andere Namen klingen an die chemischen Bezeichnungen an. Glückliche

Namengebung ist für die Beliebtheit des Präparates beim Publikum sehr wichtig. Manches gute Präparat hat sich nicht eingebürgert, weil der Name nicht das Vertrauen des Volkes gewinnen konnte.

Merkwürdige Wünsche des Publikums

Die Wünsche des Publikums müssen nicht nur bei der Namenwahl berücksichtigt werden, was ja schließlich eine Äußerlichkeit ist, auf die der Chemiker, wenigstens bei seiner Arbeit, nicht achten braucht. Schlimmer ist es schon, wenn das Publikum ein bestimmtes Aussehen des Medikaments verlangt. Jodoform z.B. hat als antiseptisches Wundstreupulver größte Verbreitung gefunden. Unangenehm empfinden viele Verbraucher seinen hartnäckigen Geruch. Ein geruchloser Ersatzstoff wurde daher dringend gewünscht. Auffallend am Jodoform ist seine leuchtend gelbe Farbe. Obwohl diese mit der antiseptischen Wirkung nichts zu tun hat, wollten die Verbraucher unbedingt gelbes Wundstreupulver haben. Das Publikum konnte sich lange nicht entschließen, einem farblosen Antiseptikum zu vertrauen, und die Kranken ließen die Ärzte und Arzneimittelfabriken nicht zur Ruhe kommen, bis endlich im Dermatol ein gelbes, antiseptisch wirkendes Wundpulver gefunden wurde.

Nochmals: die Arbeit ist schwierig und langweilig

In den bisherigen Ausführungen wurde wiederholt geschildert, wie nur nach geduldigem Durchprobieren langer Reihen chemischer Verbindungen der Erfolg sich einstellt, weil wir von den Beziehungen zwischen Konstitution und physiologischer Wirkung noch wenig wissen. Um sich die ganze Schwierigkeit auf diesem Arbeitsgebiet deutlich zu vergegenwärtigen, ist es nötig, noch einmal auf diesen Punkt zurückzukommen.

Nichts ist verkehrter, als wenn ein junger Chemiker, der in die Industrie eintritt, sich vorstellt, er werde bald eine Reihe schöner Patente herausbringen und in wenigen Jahren ein reicher Großindustrieller sein. Gewiß, das kommt auch einmal vor, aber es ist eine

KÜNSTLICHE ARZNEIMITTEL

Ausnahme. Zum industriellen Erfolg gehören nicht nur fleißiges Arbeiten, Blankhalten des geistigen Rüstzeuges und gute Beobachtungsgabe, sondern auch Glück. Das Glück fällt hier in der Regel aber nur dem zu, der es auf Grund seines Könnens zu erfassen versteht. Glück bei der chemischen Arbeit hat ein Nichtskönner so gut wie nie. Zunächst heißt es also, sich mit viel Geduld und festem Gleichmut wappnen. Gerade auf dem Gebiet der Arzneimittelsynthese sind diese beiden Eigenschaften ganz unentbehrlich: denn das Normale ist, daß jeder Tag eine Enttäuschung bringt. Nur selten kommt ein Treffer heraus.

„Wir können mit Ihrem Präparat nichts anfangen!"

In den Elberfelder Farbwerken wurden in den letzten Jahren vor dem Kriege jährlich durchschnittlich etwa 600 Verbindungen pharmakologisch auf ihre Brauchbarkeit als Heilmittel untersucht. Sechshundert Verbindungen im Jahr! Welche Unsumme chemischer Arbeit verbirgt sich hinter dieser Zahl! Zur Herstellung mancher dieser Stoffe mußte ein Chemiker oft monatelang arbeiten. Mit leiser Hoffnung gibt er sein Präparat dem Pharmakologen, der nun im Tierversuch festzustellen hat, ob es etwas taugt. Meist kommt nach wenigen Stunden schon abschlägiger Bescheid, und die kaum erblühte Hoffnung welkt dahin. Ein stets wiederkehrender Vorwurf des Pharmakologen an den Chemiker lautet: „Ihr Präparat löst sich in nichts auf. Unsere Tiere haben keinen Alkohol in den Adern und keine Schwefelsäure im Leib — wir können mit dem Präparat nichts anfangen!" Manchmal sind die ersten Ergebnisse ganz gut; dann aber stellt sich heraus, daß das neue Präparat doch nicht mehr taugt als die bisherigen. Es lohnt sich nicht, den Betrieb darauf umzustellen und den ungeheuren Reklame- und Propagandaapparat in Bewegung zu setzen. Im Durchschnitt kommen von sechshundert neuen Präparaten vielleicht drei wirklich in den Handel, und davon verschwinden fünf Sechstel in kurzer Zeit wieder. Sie werden von Konkurrenzpräparaten oder besseren Heilmitteln der eigenen Fabrik verdrängt.

Der Tierversuch

Einige Worte noch über die pharmakologischen Prüfungen im Tierversuch. Über diesen Punkt sind in der Öffentlichkeit meist ganz unklare Vorstellungen verbreitet. Ich glaube meinen Lesern keine bessere und zuverlässigere Schilderung der Tierversuche geben zu können, als wenn ich wörtlich zitiere, was Professor Dr. Fritz Hoffmann, eine Größe auf dem Gebiete der Arzneimittelsynthese, in einem Vortrag in der Chemischen Gesellschaft zu Breslau erzählt hat: „Wenn der kluge Herr der Schöpfung mit einem neuen Stoff medizinisch nichts anzufangen weiß, so legt er ihn dem unvernünftigen Tier als Preisrätsel vor. Und das kleine Weißfischchen und die Elritze, die er in die Lösung solcher mysteriöser Substanzen hineinsetzt, wissen bald, womit sie es zu tun haben. Schlafmittel versenken sie in den Schlaf. Sie fallen aus der normalen Schwimmlage auf die Seite und stellen das Arbeiten mit den Flossen ein. Die erste Eigenschaft des neuen Körpers ist so erkannt. Natürlich ist dieses Urteil mit höchster Einschränkung zu bewerten. Die Schwanzflosse gibt weitere Aufklärung. Ist sie trübe geworden, so besteht großer Verdacht, daß der Stoff empfindliche Schleimhäute verätzt. Bleibt der Schwanz durchsichtig, so wird dem Fischchen ein kleiner Gummischlauch, der frisches Wasser zuführt, in den Mund geschoben, die Schwanzflosse aber wird unter das Mikroskop gelegt, und man kann nun in diesem durchsichtigen Bereich die Zirkulation des Blutes studieren. Ob die Blutkörperchen nun normal ihr Karussel fahren, ist leicht zu sehen; ob der Lebensstrom unter der Giftwirkung stockt, ebenfalls.

„Die erste Kritik des Mittels ist mit einfachsten Mitteln vielfach so gewonnen. Frosch, weiße Maus und Ratte, Meerschweinchen und Karnickel müssen weiter für die Wissenschaft herhalten. Der Pharmakologe aber setzt seinen Stolz darin, seine kleinen Helfer nach Möglichkeit zu schonen und ohne blutige Versuche auszukommen."

KÜNSTLICHE ARZNEIMITTEL

Warum sind Medikamente so teuer?

Viele Käufer von Medikamenten sind der Ansicht, daß die künstlichen Arzneimittel zu teuer seien. Es ist ihnen unbekannt, welch ungeheure Vorarbeit nötig ist, bis ein gutes Präparat in den Handel gegeben werden kann. Wir sahen, von sechshundert Präparaten bewähren sich vielleicht drei. Die Laboratorien, die Gehälter der Chemiker und ihrer Gehilfen, die teuren Ausgangsmaterialien, die Zucht der Versuchstiere verschlingen gewaltige Summen, die alle eingerechnet werden müssen. Sehr kostspielig ist die Reklame. Für den Verkehr mit der Ärztewelt muß ein großer Stab wissenschaftlicher Mitarbeiter unterhalten werden, die die Erfahrungen am Krankenbett überwachen und kritisch bewerten. Einen solchen umfangreichen Organismus kann nur ein ganz großes Werk sich leisten, dem seine Mittel gestatten, auf lange Sicht zu arbeiten.

Chemisches Zielen

Wir wollen uns noch kurz mit der neueren Arbeitsrichtung in der Arzneimittelsynthese befassen. Ein sehnlicher Wunsch ist es, chemische Verbindungen mit spezifischer Wirkung gegen bestimmte Krankheitserreger aufzubauen. Zu diesem Ziele ist besonders unermüdliches Abändern nötig. Denn die Verbindung muß in ihrer Löslichkeit und in ihren sonstigen Eigenschaften so beeinflußt werden, daß sie nur die Krankheitserreger angreift, nicht aber den Organismus. Paul Ehrlich nennt diese Arbeitsmethode „das chemische Zielen". Bis das Treffen erfolgt, muß man allerdings jahrelang zielen! Weltberühmtheit erlangte das Salvarsan oder „Ehrlich-Hata-606". Erst der 606. Versuch brachte den Erfolg.

Bayer 205 oder Germanin

Bayer 205 ist eine weitere derartige Bezeichnung. Sie verrät uns, daß erst 204 Präparate mit ihren vielen Hunderten von kleinen Versuchen nötig waren, um beim 205. endlich das Ziel zu erreichen. Schon vor dem Kriege begannen die Arbeiten in den Laboratorien und wurden erst einige Jahre nach dem Kriege zu einem vorläufigen Abschluß gebracht. Bayer 205 oder Germanin ist ein spezifisches Mittel gegen die afrikanische Schlafkrankheit. Es hat schon unzähligen Menschen das Leben gerettet. Es lohnt sich, den Werdegang dieses Präparates kurz zu betrachten.

Ehrlich hatte schon 1904 beobachtet, daß ein roter Farbstoff, den er Trypanrot nannte, Mäuse, die mit Trypanosoma equinum, dem Erreger der südamerikanischen Pferdeseuche Mal de Caderas, infiziert waren, zu heilen vermag. Diese Beobachtung veranlaßte mehrere Forscher, eine ganze Reihe verwandter Farbstoffe auf ihre Wirkung gegen Trypanosomen zu untersuchen. Sie wandten sich immer wieder an die Farbwerke mit der Bitte um unentgeltliche Lieferung derartiger roter, violetter und blauer Farbstoffe. Den Farbfabriken wurde diese dauernde Inanspruchnahme allmählich zu viel, und gelegentlich stellte man die Frage, ob denn bei diesen Arbeiten auch etwas Brauchbares herauskäme. Die Antwort war, daß die Farbstoffe zwar die Trypanosomen schädigten, aber für die Behandlung von Kranken nicht in Frage kämen, weil die blaue Farbe die Verabreichung unmöglich mache. Diese Unterredung führte dazu, die Verbindung systematisch so abzuändern, daß sie ihren Farbstoffcharakter verlieren sollte, ohne ihre Wirkung einzubüßen. Die Wirkung braucht ja mit dem Farbstoffcharakter an sich nichts zu tun haben. Das Ziel wurde, wie gesagt, auch erreicht, aber erst nach langer Mühsal.

Ein „Bayer-205-Tango"

Zum erstenmal wurde das Präparat nach dem Kriege in Thüringen zur Bekämpfung einer verheerenden Pferdekrankheit angewandt. Sie wird wie die Schlafkrankheit und das Mal de Caderas durch Trypanosomen hervorgerufen. Früher mußte man die erkrankten Pferde töten, um die Verbreitung der Seuche zu verhindern. Mit Bayer 205 aber wurde man der Seuche Herr. Glänzende Erfolge erzielte man in Südamerika gegen das Mal de Caderas. In der Freude über die Rettung seines Tierbestandes komponierte ein Farmer in Paraguay einen „Bayer-205-Tango"!

Die moderne Arbeitsrichtung

Die Arbeit für die Zukunft geht einerseits dahin, weitere spezifisch wirkende Mittel zu finden, z.B. gegen Tuberkulose und Krebs, andererseits sucht man weiter nach noch besseren Schlafmitteln, schmerzlindernden Mitteln usw.

VIII. Hormone und Vitamine

Sobald von einer neuen und aussichtsreichen Entdeckung auf dem Gebiet der physiologischen Chemie durch die Tagespresse in mehr oder weniger sachverständiger Weise Kunde an die Öffentlichkeit gelangt, finden sich gleich geschäftstüchtige Leute, die den neuen Begriff geschickt zu Reklamezwecken ausnutzen. Daran ist das kaufende Publikum teilweise selber schuld; denn zu leicht kommt solch ein neuer Begriff in Mode, und das Publikum verlangt nach dem neuartigen Heil- oder Stärkungsmittel, ohne zu wissen, um was es sich handelt, und ohne sich die Mühe zu geben, sich darüber ernsthaft zu unterrichten.

Radioaktive Tafelwasser

Als festgestellt worden war, daß die unbestreitbare Heilwirkung mancher Quellen, wie Kreuznach, Wildbad, Baden-Baden u.a. in erster Linie auf ihre ungewöhnlich starke Radioaktivität zurückzuführen sei, wurde es Mode, alle möglichen Mineralwässer als radioaktiv oder gar radiumhaltig anzupreisen. Mit Hilfe besonders empfindlicher Meßmethoden konnte aber ermittelt werden, daß in den meisten Fällen schon das gewöhnliche Leitungswasser in geringem Maße radioaktiv ist. Die Angabe „radioaktiv" auf einer Mineralwasserflasche ist also selten eine Lüge. Es sollte aber auf der Flasche auch das genaue Maß der Radioaktivität (in sogenannten Mache-Einheiten) angegeben werden, damit der Käufer erfährt, ob wirklich eine nennenswerte Aktivität vorliegt. Denn „radioaktiv" allein besagt noch nichts, wenn es auch vielversprechend klingt. Immerhin handelt es sich hier noch um verhältnismäßig harmlose Entgleisungen der Radiummode.

Kalorien und Vitamine

Schon bedenklicher ist der Unfug, der mit dem Wort „Vitamine" im Geschäftsleben getrieben wird. Vor einigen Jahren glaubten manche Leute, ihr Mittagessen nach seinem Kaloriengehalt einschätzen zu müssen, d.h. nach seinem Heizwert als Betriebsstoff für den verwickelten Motor, den ein menschlicher Körper darstellt. Doch diese Ansicht setzte sich nicht durch; denn bald darauf verkündeten die Tageszeitungen, daß ein Mensch nicht allein von Kalorien leben könne, die Nahrung müsse auch Vitamine enthalten. Ohne Vitamine tauge die reichlichste und beste Mahlzeit nichts. Seither sind vitaminhaltige Nahrungsmittel sehr begehrt, und eifrig arbeitet die Reklame mit dem neuen Schlagwort, wenn auch Käufer und Verkäufer sich darunter nichts vorstellen können.

Verjüngung durch Hormone

Etwa gleichzeitig mit der Erforschung der Vitamine begann auch die systematische Erschließung einer Gruppe von chemischen Verbindungen, die im Lebensprozeß eine geradezu magische Rolle spielen. Es sind die Hormone. Von Zeit zu Zeit dringt ein mehr oder weniger verständlicher Bericht von einer neuen, epochemachenden Entdeckung auf diesem Gebiete in die Presse. Die Hormone sind ganz große Mode geworden, und mit diesem Aushängeschild werden die Unerfahrenheit und Leichtgläubigkeit des Publikums kräftig ausgenutzt. Wenn wir einen Blick in den Inseratenteil mancher illustrierten Zeitungen tun, so sehen wir, in welcher Fülle sogenannte hochwertige Hormonpräparate zu teuren Preisen angeboten werden. Die Wirkung all dieser Mittel soll ans Zauberhafte grenzen. Präparate in Pillen-, Tropfen- und Tablettenform sollen die körperliche und geistige Spannkraft erhöhen, den ganzen Organismus verjüngen und unseren Körper erfrischen und verschönern. Gern wird ein Querschnitt des menschlichen Körpers beigefügt zur Erhöhung des ernsthaft wissenschaftlichen Anstrichs. Es gibt sogar Salben, Haut- und Haarwasser, die uns Schönheit und ewige Jugend bringen sollen.

Es sei ausdrücklich betont, daß von einigen ernst zu nehmenden Firmen wirklich brauchbare Hormonpräparate in den Handel gebracht werden; aber in den meisten Fällen liegen — gelinde ausgedrückt — Übertreibungen vor, und es wäre zu wünschen, daß von fachkundlicher Seite eine derartige Reklame verhindert werden könnte.

Diese Reklamen versprechen zu viel. Doch haben tatsächlich die Chemiker in mühseliger, langwieriger Arbeit in den Hormonen Stoffe kennengelernt, deren Wirkung ans Wunderbare grenzt. Besonders in den letzten Jahren sind wichtige Fortschritte gemacht worden in dem Bemühen, die Hormone in reinem Zustand zu erhalten, ihren Feinbau aufzuklären und ihre Synthese und ihr Schicksal im Körper zu erforschen. Es gibt auf diesem Gebiet aber noch viel zu tun, doch was wir wissen ist doch schon so grundlegend wichtig für die ganzen Lebensvorgänge und hat solche Bedeutung für die leidende Menschheit, daß jeder wenigstens mit den Grundbegriffen vertraut sein sollte.

Was ist ein Hormon?

Als Hormone bezeichnet man vom Organismus hervorgebrachte Stoffe, die schon in äußerst geringer Menge die Lebensvorgänge ausschlaggebend beeinflussen und anregen. Der Name ist vom griechischen Wort für „anregend" abgeleitet.

Vitaminen und Hormonen ist die Eigenschaft gemeinsam, daß schon geringe Mengen — es handelt sich vielfach um weniger als $1/1000$ Milligramm — einschneidende Wirkungen hervorrufen. Sie unterscheiden sich aber hinsichtlich der Art, in der sie dem Körper zugeführt werden. Die Vitamine werden mit der Nahrung aufgenommen; der Körper kann sie nicht selbst aufbauen. Die Hormone aber bildet der Organismus selber. Bei den Wirbeltieren und beim Menschen entstehen sie in den Drüsen mit innerer Sekretion. Drüsen mit innerer Sekretion geben ihre Produkte unmittelbar an das Blut ab, während Drüsen mit äußerer Sekretion ihren Inhalt durch einen besonderen Ausführungsgang nach außen oder in irgendein Organ entleeren, wie z.B. die Tränendrüse oder die Speicheldrüse. Die Hormone werden also unmittelbar vom Blut aufgenommen und von diesem an die Stelle gebracht, wo sie ihren lebenswichtigen Dienst zu leisten haben. Diese Stelle ist vom Entstehungsort oft weit entfernt. So sondert die Hypophyse, ein etwa erbsengroßes Gebilde am Hirnboden, ein Hormon ab, das seine eigenartige Wirkung erst in den Keimdrüsen auslöst.

Wie wird ein Hormon entdeckt?

Für die Anatomen vergangener Zeiten waren die Drüsen mit innerer Sekretion ganz rätselhafte Gebilde. Es kann nicht verwundern, daß man sie bisweilen für überflüssig hielt; denn die hervorgebrachten Stoffmengen sind so gering, daß die absondernde Tätigkeit gar nicht auffiel. Außerdem kommt das Hormon ja an einer ganz anderen Stelle zur Geltung, so daß ein Zusammenhang nicht zu erkennen war. Die Erschließung dieses Gebietes mußte daher der neuesten Zeit vorbehalten bleiben. Nur durch rege Zusammenarbeit von Klinikern, Physiologen und Chemikern war ein Fortschritt möglich.

Bis heute sind erst wenige Hormone gefaßt. Wie geht nun die Auffindung eines solchen Hormons vor sich?

Die Aufgabe des Arztes: Ermittlung des Versagens einer Drüse.

Zunächst mußte durch den Arzt und den Physiologen festgestellt werden, daß Beziehungen zwischen einem bestimmten Krankheitsbild und dem Versagen einer bestimmten Drüse mit innerer Sekretion bestehen.

Lange Zeit schon war der Verlauf der Zuckerkrankheit, um ein bekanntes Beispiel anzuführen, genau bestimmt, und doch stand man ihr hilflos gegenüber, da ihre Entstehungsursache unbekannt war. Ein Fortschritt war erst möglich, als durch die Kliniker festgestellt wurde, daß bei Zuckerkrankheit die sogenannten Langerhansschen

Inseln krankhaft verändert sind. Die Langerhansschen Inseln sind kleine Gebilde, die mit der Bauchspeicheldrüse verwachsen sind. Entfernt man sie bei einem Versuchstier, so wird es sofort zuckerkrank. Spritzt man dem zuckerkranken Tier einen Extrakt aus den Langerhansschen Inseln ein, so wird es schnell vorübergehend wieder gesund. Damit war der Nachweis geliefert, daß die Langerhansschen Inseln einen Stoff an das Blut abgeben, der für den normalen Zuckerstoffwechsel unerläßlich ist.

Nun erst konnte die Arbeit des Chemikers beginnen, diesen geheimnisvollen Stoff zu fassen. 1889 war die Ursache der Zuckerkrankheit erkannt worden, und doch vergingen über dreißig Jahre, bis es gelang, die lebenswichtige Substanz der Langerhansschen Inseln, das Insulin, zu erhalten.

Diese Tatsache ist zurückzuführen auf die besonderen Schwierigkeiten bei der Hormonisolierung, die nur bei intensivster Zusammenarbeit von Physiologen und Chemikern zu überwinden sind. Zunächst muß die wirksame Substanz aus dem Rohmaterial extrahiert und durch langwierige Abtrennung der unwirksamen Begleitstoffe allmählich angereichert werden. Es sind aber im Organismus nur außerordentlich geringe Hormonmengen vorhanden. Benötigt werden also ungeheure Mengen oft schwer zu beschaffenden Ausgangsmaterials. So wurden zur Isolierung eines Nebennierenhormons, des Adrenalins, die Nebennieren von rund zehntausend Ochsen gebraucht.

Der chemische Test

Dabei befand man sich im Fall des Adrenalins noch in einer sehr günstigen Lage. Das Adrenalin verrät sich nämlich durch eine bequeme Farbreaktion. Zum Unterschied von anderen Organen wird das Nebennierenmark mit Eisenchlorid grün, und diese Grünfärbung ist eine Eigenschaft des Hormones. Man konnte also die Anreicherung des Adrenalins bequem verfolgen. Dies ist der Grund, warum das Adrenalin schon 1901 in reinem Zustand erhalten wurde.

Ähnlich günstig, wenngleich schon schwieriger, lagen die Verhältnisse bei der Suche nach den Wirkstoffen der Schilddrüse. Es war schon lange bekannt, daß die Schilddrüse verhältnismäßig stark jodhaltig ist, während Jod im sonstigen Organismus nur in winzigen Spuren vorkommt. Der Jodgehalt gab also einen Fingerzeig, ob bei den einzelnen Aufbereitungsstufen eine Anreicherung des gesuchten Hormons stattfand oder nicht.

Der physiologische Test

In diesen beiden Fällen bot eine chemische Reaktion die Handhabe zur Verfolgung und Erfassung der gesuchten Verbindungen. Bei allen anderen Hormonen befand, bzw. befindet man sich in einer auf den ersten Blick aussichtslosen Lage. Man besitzt kein chemisches Hilfsmittel zu ihrer Erkennung. Hier müssen Kliniker und Physiologen helfend eingreifen. Man muß vor Beginn der chemischen Untersuchung eine physiologische Methode ausarbeiten, die in nicht allzu schwieriger Weise und in kurzer Zeit wenigstens in großen Zügen uns zahlenmäßig Aufschluß gibt, ob eine Anreicherung des Hormons in einem bestimmten Material stattgefunden hat oder nicht. Wir brauchen also zunächst ein sogenanntes physiologisches Testobjekt.

Der Sachverhalt liegt ähnlich wie seinerzeit bei der Entdeckung des Radiums. Es war festgestellt worden, daß alle Uranverbindungen Strahlen aussenden, die die photographische Platte schwärzen, und daß die Uranpechblende dies in besonders starkem Maße tut. Mit dieser Feststellung allein hätte man aber nicht die Möglichkeit gehabt, den stark strahlenden Begleiter des Urans in der Pechblende zu fassen. Die Pechblende hatte man schon häufig analysiert, aber kein neues Element gefunden. Seine Menge war zu gering, seine chemische Reaktion nicht auffallend. Erst als erkannt war, daß die neuartige Strahlung die Luft durch Ionisation elektrisch leitend macht und für diese Ionisation eine genaue Meßmethode ausgearbeitet war, konnte die chemische Arbeit beginnen. Nun vermochte man festzustellen, in welchen Produkten des Analysenganges sich das strahlende Element ansammelte. Schließlich gelang es durch sorgfältigste Aufarbeitung ungeheurer Mengen Pechblende, eine geringe Menge des äußerst wirksamen Elementes Radium zu fassen.

Ganz ähnlich geht die Isolierung eines Hormons vor sich. Sie stellt allerdings an das chemische Können noch höhere Anforderungen als die Isolierung des Radiums. Zunächst muß eine Maßeinheit gefunden werden. Vorher ist alles Mühen aussichtslos. Im Falle des Insulins genügte nicht die Feststellung, daß die Entfernung der Langerhansschen Inseln Zuckerkrankheit verursacht; es war der chemischen Forschung auch wenig geholfen, als es gelang, wirksame Auszüge aus der Bauchspeicheldrüse zu gewinnen, mit deren Hilfe Diabetes wieder behoben werden konnte. Es mußte erst eine leicht durchführbare und vor allem zahlenmäßig auswertbare Methode geschaffen sein. Diese fanden die Kanadier Banting und Best in folgendem Verfahren: Injiziert man Kaninchen, die einen Tag gehungert haben — bei Hunger oder Überanstrengung ist der Zuckergehalt des Blutes wesentlich niedriger als gewöhnlich —, wirksame Auszüge aus den Langerhansschen Inseln, so sinkt der Blutzucker in ganz charakteristischer Weise, und es treten schließlich eigenartige Krämpfe auf. Je stärker ein Produkt ist, um so geringere Mengen sind zur Hervorbringung dieser leicht zu beobachtenden Erscheinungen nötig. Der Zuckergehalt des Blutes läßt sich durch altbewährte Verfahren rasch ermitteln. Nach dieser Feststellung ließ die Isolierung des reinen kristallisierten Insulins nicht lange auf sich warten. Es bedurfte allerdings noch geschickter chemischer Feinarbeit.

Dieselbe Reihenfolge trifft bei der Entdeckung jedes Hormons zu: 1. Kliniker und Physiologe ermitteln den Zusammenhang zwischen einer Krankheitserscheinung und dem Versagen einer Drüse mit innerer Sekretion. 2. Physiologe und Chemiker stellen dann in gemeinsamer Arbeit einen physiologischen Test auf. 3. Der Chemiker isoliert das Hormon. Nach der Isolierung beginnt erst die Hauptaufgabe des Chemikers. Er hat die chemische Konstitution des Hormons zu ermitteln und seine Synthese durchzuführen. Damit hat der Chemiker aber nicht nur unser chemisches Wissen um wichtige Erkenntnisse bereichert, er hat vor allem dem Arzt am Krankenbett Präparate von genau bekanntem Wirkungsgrad unabhängig von tierischem oder pflanzlichem Material in beliebiger Menge zugänglich gemacht.

Trotzdem die Hormonforschung noch ganz am Anfang steht, liegt doch schon eine gewaltige Fülle von Arbeiten vor. Allein über das Insulin sind zwischen drei- bis viertausend Einzeluntersuchungen veröffentlicht worden. Vieles ist zwar außerordentlich interessant, aber doch noch wenig geklärt und teilweise sehr unsicher. Wir wollen uns deshalb darauf beschränken, uns nur mit den Hormonen zu beschäftigen, über die wir schon ganz Sicheres wissen, und im übrigen die Bedeutung der Hormone nur kurz umreißen.

Adrenalin, ein Hormon der Nebenniere

Das zuerst in reinem Zustand erhaltene Hormon ist das Adrenalin aus der Nebenniere. Seine Entdeckung nahm ihren Ausgang von einer alten Beobachtung der Metzgermeister: Wenn sich ein Metzger durch eine Ungeschicklichkeit geschnitten hatte, so preßte er den Saft einer Rindernebenniere auf die Schnittwunde, und sofort hörte die Blutung auf. Die Nebenniere besteht aus zwei Teilen, der Nebennierenrinde und dem Nebennierenmark. Schon 1856 war festgestellt worden, daß das Nebennierenmark durch Eisenchloridlösung grün wurde. Es lag nahe, diese Farberscheinung auf den merkwürdigen Stoff zurückzuführen, der die Blutungen stillt, indem sich durch seine Einwirkung die Blutgefäße zusammenziehen.

Ausgangsmaterial: zehntausend Ochsen

Um die Jahrhundertwende unternahm es der Japaner Takamine, diesen geheimnisvollen Stoff zu erfassen. Es zeigte sich gleich zu Beginn der Arbeiten, daß eine einzelne Nebenniere nur außerordentlich wenig von dem gesuchten Stoff enthält. Neuere Untersuchungen haben ergeben, daß in der menschlichen Nebenniere sich ungefähr fünf Milligramm davon befinden. Takamine mußte schließlich die Nebennieren von zehntausend Ochsen verarbeiten, um zum Ziele zu gelangen. Mit der gleichen Schwierigkeit beginnt die Isolierung eines Hormons immer, und die Hormonforschung leidet zunächst stets unter dem Mangel an Ausgangsmaterial. Diese Tatsache zeigt uns aber auch, wie ungeheuer wirksam die Hormone sein müssen, wenn schon so geringe Mengen eine entscheidende Rolle für die normale Entwicklung spielen.

Synthetisches Adrenalin

Das Auftreten der grünen Farbe durch Eisenchlorid diente Takamine zur Feststellung, in welchem Teil der Extrakte sich das gesuchte Präparat anreicherte. 1901 erhielt er die Verbindung in kristallisierter Form. Takamine gelang auch die Aufklärung des chemischen Feinbaus so weit, daß nur noch zwischen zwei Formelbildern zu entscheiden war. 1904 baute Stolz in den Höchster Farbwerken die Verbindung künstlich in klar durchsichtiger Reaktionsfolge auf und traf die Entscheidung zwischen den beiden Formeln. Mit dieser Synthese war aber auch die Möglichkeit gegeben, das Hormon fabrikmäßig letzten Endes aus Steinkohle herzustellen. Seither befinden sich Natur- und Kunstprodukt nebeneinander im Handel; die Wirkung ist bei beiden völlig gleich; denn sie sind ein und derselbe Stoff, nur die Entstehungsweise ist verschieden. In der Folgezeit sind noch mehrere bessere Darstellungsverfahren ausgearbeitet worden, so daß man im Notfall vom tierischen Organismus ganz unabhängig wäre. Bemerkenswert ist, daß Mensch und Tier in der Nebenniere ein und dasselbe Hormon hervorbringen. Nach dem lateinischen Wort für Niere wurde die Verbindung Adrenalin genannt.

Unentbehrlich bei Operationen

Das Adrenalin verengt die Blutgefäße und ruft so eine Steigerung des Blutdrucks hervor. Es besitzt eine ungeheure Bedeutung für die Regulierung des gesamten Blutkreislaufes. Die Wirkung auf den Blutkreislauf ist so stark, daß sie noch in einer Verdünnung von 1 : 100 000 000 nachweisbar ist. Adrenalin findet eine ausgedehnte medizinische Anwendung. Es dient in der Chirurgie zum Blutleermachen des Operationsfeldes. Den Lösungen der örtlichen Betäubungsmittel, wie Novocain u.a., wird meist etwas Adrenalin zugesetzt. Diese Betäubungsmittel haben vielfach die Eigenschaft, den Blutdruck zu senken, d.h. die Blutgefäße zu erweitern. Beim schmerzlosen Zahnziehen ohne Zusatz von Adrenalin z.B. würden dadurch starke Blutungen auftreten. Außerdem gebraucht man das Adrenalin auch gegen Asthma und Heufieber. Etwas unbequem dabei ist, daß auch in diesem Fall die Lösung in die Blutbahn injiziert werden muß. Darum ist in neuerer Zeit als Mittel gegen das Asthma das Ephedrin gebräuchlicher; man kann es einnehmen. Interessant ist, daß das Ephedrin dem Adrenalin chemisch sehr nahe steht, wie überhaupt das Adrenalin eine bestimmte Anordnung von acht Kohlenstoffatomen und einem Stickstoffatom enthält, die in zahlreichen bedeutungsvollen Naturprodukten wiederkehrt.

Die Bedeutung der Schilddrüsenhormone

Bei der Entdeckung des Adrenalins hatte die Nachweisbarkeit durch die Eisenchloridreaktion die Arbeit sehr erleichtert. Dasselbe war der Fall bei dem Hormon, das als zweites rein erhalten wurde, dem Thyroxin, einem Hormon der Schilddrüse. Die Schilddrüse liegt an der Vorderseite des Halses unterhalb des Kehlkopfes auf der Luftröhre; sie sondert Stoffe ab, die für die Regelung des gesamten Stoffwechsels von größter Bedeutung sind. Sondert sie zu wenig ab, so werden Herztätigkeit, Atmung, Verdauung, überhaupt der ganze Stoffwechsel herabgesetzt. Kinder, deren Schilddrüse mangelhaft arbeitet, werden blödsinnig; sie bleiben in ihrer körperlichen und geistigen Entwicklung zurück, es ergibt sich das trostlose Bild des Kretinismus. Sondert die Schilddrüse zu viel Säfte ab, so tritt eine zu starke

Steigerung des gesamten Stoffwechsels ein. Abmagerung, innere Unruhe, Herzbeschwerden, Reizbarkeit und schlechter Schlaf sind die Folgen. In schlimmen Fällen verstärken sich diese Erscheinungen zur sogenannten Basedowschen Krankheit.

Das Thyroxin, ein jodhaltiges Hormon

Die chemische Untersuchung ergab, daß der Schilddrüsensaft jodhaltig ist. Dieser Jodgehalt bot die Handhabe für die Verfolgung des Schilddrüsenhormons bei der Isolierung. Kendall erhielt aus dem Schilddrüsensaft eine kristalline Verbindung mit rund fünfundsechzig Prozent Jod, das Thyroxin. Bald darauf wurde auch die Konstitution ermittelt und die Synthese durchgeführt. Heute wird auch dieses wichtige Präparat künstlich hergestellt. Ausgangsmaterial ist das Anilin, das bekanntlich aus dem Benzol des Steinkohlenteers fabriziert wird. Das Thyroxin leistet hervorragende Dienste bei der Beseitigung der Krankheitserscheinungen, die auf dem Versagen der Schilddrüse beruhen.

Über die Ursache des Kropfes

Der Kropf ist meist — nicht immer! — eine Schwellung der Schilddrüse, die von ungenügender Hormonproduktion begleitet ist. Es war schon längst aufgefallen, daß der Kropf in manchen Gegenden besonders häufig auftritt, z.B. in der Schweiz und in den benachbarten Ländern. Man nimmt heute an, daß diese Häufigkeit darauf zurückzuführen ist, daß in diesen Gegenden die Luft und das Wasser besonders jodarm sind. Um die nötigen jodhaltigen Hormone hervorzubringen, muß der Mensch täglich etwa ein zehntel Milligramm Jod zu sich nehmen. Diesen Jodgehalt decken wir z.T. aus der Nahrung und aus der Luft. In der Luft kommen jodhaltige Bakterien vor. In der reinen, bakterienfreien Gebirgsluft fehlt naturgemäß auch das Jod. Ist außerdem das Trinkwasser noch arm an Jod, so sind es auch die Pflanzen und Tiere. Der Jodmangel macht es der Schild-

Merkwürdiges vom Axolotl

In besonders auffälliger Weise zeigt sich die Wirkung der Schilddrüsenhormone auf die Entwicklung des gesamten Organismus am Axolotl. Der Axolotl ist ein Lurch, der in Mexiko vorkommt. Wie bei allen Lurchen entwickelt sich auch beim Axolotl aus dem Ei erst die Kaulquappe mit Flossen und Kiemenatmung. Aus dieser bildet sich im Laufe vieler Wochen der fertige Lurch, der sich auf Beinen auf dem Lande fortbewegen kann und durch Lungen atmet. Aus einem fischähnlichen Wesen ist ein eidechsenartiges Tier geworden. Bei den anderen Lurcharten wird diese Verwandlung immer ganz durchlaufen, beim Axolotl dagegen entwickeln sich nur wenige Tiere bis zum richtigen Lurch. Die meisten kommen nicht über den Quappenzustand hinaus, und für die Erhaltung der Art ist es in diesem Falle auch gar nicht nötig; denn der Axolotl wird schon als Kaulquappe geschlechtsreif. Verabreicht man einer Axolotlquappe eine kleine Menge Schilddrüsenpräparat, so beginnt sofort die Entwicklung zum fertigen Lurch mit großer Geschwindigkeit. Das Tier bekommt Beine und Lungen, und die Verwandlung, die sonst Wochen in Anspruch nimmt, ist in wenigen Tagen vollendet.

In seinem chemischen Aufbau hat das Thyroxin große Ähnlichkeit mit dem Adrenalin. Auch hier kommt die charakteristische Anordnung von acht Kohlenstoffatomen und einem Stickstoffatom vor. Eigenartig ist der Jodgehalt der Verbindung; denn außer dem Thyroxin hat man in der Natur bisher nur eine organische Jodverbindung angetroffen, die sogenannte Jodgorgosäure, die zuerst aus der Koralle Gorgonia carolonii isoliert wurde. Sie steht dem Adrenalin und Thyroxin ebenfalls hinsichtlich ihrer Konstitution sehr nahe.

Die Entdeckung des Insulins

Bei Adrenalin und Thyroxin war man in der glücklichen Lage, ein chemisches Erkennungsmittel zu besitzen, mit dessen Hilfe man diesen beiden Stoffen nachspüren konnte. Bei allen anderen Hormonen besitzen wir ein solches Erkennungsmittel nicht, und die Isolierung kann erst gelingen, wenn eine bequeme physiologische Meßmethode, ein physiologischer Test, gefunden ist. Das erste Hormon, das auf Grund eines physiologischen Testes gefunden wurde, ist das Insulin. Wir haben gesehen, welche Beobachtungen zur Entdeckung des Insulins geführt haben. Schon 1889 war festgestellt worden, daß bei der operativen Entfernung der Bauchspeicheldrüse Zuckerkrankheit eintritt. Später wurde ermittelt, daß die Langerhansschen Inseln in der Bauchspeicheldrüse einen Stoff in das Blut absondern, der das Auftreten der Zuckerkrankheit verhindert. Nach diesen Entdeckungen hat man die Zuckerkrankheit dadurch zu bekämpfen versucht, daß man Bauchspeicheldrüsenextrakt innerlich verabreichte. Leider hatte man damit keinen Erfolg; denn es stellte sich heraus, daß die Verdauungssäfte, die die Bauchspeicheldrüse in den Darm absondert, auch den Schutzstoff gegen die Zuckerkrankheit verdauen und unwirksam machen. Erst bei Injektion von Extrakt der Langerhansschen Inseln in das Blut trat Heilung ein.

Die Toronto-Einheit

Im Jahre 1922 gelang es den beiden kanadischen Forschern Banting und Best in Toronto, einen geeigneten physiologischen Test auszuarbeiten und ein Extraktionsverfahren zu finden, bei dem das von den Langerhansschen Inseln abgesonderte Hormon dem zerstörenden Einfluß des Bauchspeicheldrüsensaftes entzogen wurde. Die Wirksamkeit der Präparate wird in sogenannten Toronto-Einheiten gemessen. Eine Toronto-Einheit besitzt ein Präparat, das bei einem 2 kg schweren Kaninchen eine Senkung des Blutzuckers auf 0,045% in 2½ Stunden bewirkt und dadurch Krämpfe hervorruft. 1923 gelang den beiden genannten Forschern die Isolierung des Hormons, das den Namen Insulin erhielt. 1926 wurde es in reinster kristallisierter Form erhalten.

Reines Insulin

Das Insulin bildet weiße Kriställchen und steht seinem chemischen Verhalten nach den Eiweißkörpern nahe. Es ist eine komplizierte Verbindung, und wir befinden uns hier in der unangenehmen Lage, daß die heutigen analytischen Verfahren uns nicht mit voller Sicherheit Aufschluß geben, ob nicht ein Kohlenstoffatom und zwei Wasserstoffatome mehr oder weniger in der Verbindung enthalten sind. Der chemische Feinbau des Insulins ist uns heute noch unbekannt. Beim Abbau wurden einige Säuren wie Tyrosin und das schwefelhaltige Cysteïn gefaßt, die auch Bausteine vieler Eiweißkörper sind. Die für die Insulinwirkung besonders typische Atomgruppe hat man einstweilen noch nicht ermitteln können. Da uns die genaue Formel des Insulins noch unbekannt ist, sind wir leider noch nicht in der Lage, dieses wichtige Heilmittel künstlich herzustellen.

Organpräparate

Wie wir sehen, sind zwar schon mehrere Hormone in reiner Form gefaßt worden; es ist aber eine noch viel größere Zahl an ihrer physiologischen Wirkung erkannt worden. In der Absicht, diese noch unbekannten Hormone für Heilzwecke jetzt schon verwenden zu können, stellt man sogenannte Organpräparate her und verabreicht sie den Kranken. Diese Präparate sind entweder trockene Pulver aus gereinigten und getrockneten Drüsen, oder es sind gereinigte Extrakte.

Die Vitamine

Etwa im gleichen Schritt wie die Erforschung der Hormone nimmt auch die Arbeit auf dem Gebiet der Vitamine ihren Fortgang. Beide Körperklassen weisen viele gemeinsame Züge auf. Beide Stoffarten sind im Ausgangsmaterial nur in verschwindend geringer Menge vorhanden. Von beiden Verbindungsklassen genügen winzige Mengen, um einschneidende Wirkungen auf den Organismus auszuüben. In beiden Fällen ist erst die Ermittlung eines physiologischen oder chemischen Tests nötig, bevor die Reindarstellung in Angriff genommen werden kann. Der grundlegende Unterschied ist nur der, daß die Hormone vom Organismus selbst hervorgebracht und unmittelbar in die Blutbahn geleitet werden, während die Vitamine mit der Nahrung aufgenommen werden.

Ausfallserscheinungen: Skorbut

Die Entdeckung eines Hormons nimmt ihren Ausgang von der Beobachtung, daß das Versagen einer Drüse mit innerer Sekretion ein bestimmtes Krankheitsbild hervorruft. Ganz entsprechend geht die Entdeckung eines Vitamins von der Feststellung aus, daß eine bestimmte ungeeignete Zusammensetzung der Nahrung bestimmte Krankheitssymptome nach sich zieht. Schon vor mehr als zweihundert Jahren wies der österreichische Militärarzt Kramer nach, daß Skorbut immer dann auftritt, wenn in der Nahrung lange Zeit frisches Obst oder Gemüse gefehlt hat, wie dies auf längeren Schiffsreisen oder im Kriege früher oft vorkam. Bei Skorbut werden die Zähne gelockert, das Zahnfleisch entzündet sich, in den Oberschenkeln finden Blutergüsse statt, die Knochen werden spröde und brechen leicht, und allgemeiner Körperverfall setzt ein. Erhält der Kranke frisches Gemüse, insbesondere Zitronen- und Apfelsinensaft, so tritt merkwürdig rasch wieder völlige Heilung ein. Offensichtlich muß also im frischen Gemüse und Obstsaft ein geheimnisvoller Stoff enthalten sein, der für das körperliche Gedeihen unerläßlich ist. Es genügt also nicht, wie man früher glaubte, daß eine bestimmte Menge Fett, Eiweiß und Kohlehydrate (Zucker, Stärke) sowie bestimmte Salze dem Körper zugeführt werden, damit Stoffwechsel und Wachstum in Ordnung gehalten werden. Später hat man noch eine ganze Reihe „Ausfallserscheinungen" kennengelernt, die sich auf unzweckmäßige einseitige Zusammensetzung der Kost zurückführen ließen.

Man bezeichnet diese Ausfallserscheinungen als Avitaminosen, weil sie anscheinend durch das Fehlen von Vitaminen hervorgerufen wurden. Der Name Vitamine, d.h. lebenbringende Amine, kommt von der irrtümlichen Auffassung her, daß die Vitamine Stickstoffverbindungen seien, die sich vom Ammoniak ableiten. Die neuere Forschung hat gezeigt, daß die Vitamine sehr verschiedenartigen Stoffklassen angehören und vielfach gar keinen Stickstoff enthalten. Eine gedeihliche Entwicklung hat die Vitaminchemie erst im letzten Jahrzehnt genommen. Jetzt ist die Arbeit in vollem Gange, und jedes Jahr bringt neue Entdeckungen.

Man kennt bis jetzt mit Sicherheit sechs Gruppen von Vitaminen, die man mit den Buchstaben A–E und K bezeichnet. Die B-Gruppe besteht aus verschiedenen Stoffen, so daß man bisher etwa 12 Verbindungen mit Vitamincharakter genauer kennt. Bei unserer kurzen Besprechung wollen wir jedoch die einzelnen nicht nach dem Alphabet betrachten, sondern mit den am besten untersuchten beginnen.

Vitamin C gegen Skorbut

Sehen wir uns an erster Stelle das Anti-Skorbut-Vitamin, das Vitamin C, an. Schon 1928 erhielt Szent-Györgyi aus den Nebennieren von Rindern eine Substanz, die chemisch manche Ähnlichkeit mit den aus Zitronen hergestellten, damals aber noch unreinen Vitaminpräparaten zeigte. Der Nachweis, daß wirklich das Vitamin C vorlag, war erst möglich nach Auffindung des geeigneten physiologischen Testes. Werden Meerschweinchen mit einem Futter aus gequetschtem Hafer, an der Luft erhitztem Milchpulver, Kleie, Butterfett und Salz ernährt, so erkranken sie nach einiger Zeit an Skorbut. Durch Verabreichung von Vitamin-C-haltigen Präparaten kann man sie gesund erhalten. Es ist nun verhältnismäßig leicht, den Gehalt eines Präparates zu ermitteln. Je vitaminreicher es ist, um so geringere Mengen genügen, um das vitaminfrei ernährte Meerschweinchen vor Skorbut zu schützen. Anfang 1933 wurde das Vitamin C aus Zitronen in reiner kristallisierter Form erhalten. Es erwies sich identisch mit der kristallisierten Verbindung aus den Nebennieren, die eben schon erwähnt wurde. In ziemlich kurzer Zeit wurden trotz mancher Schwierigkeit die Konstitution ermittelt und die Synthese durchgeführt. Vitamin C hat die Zusammensetzung $C_6H_8O_6$ und ist chemisch mit den Zuckern nah verwandt. Vitamin C ist eine Säure, der man unter Hinweis auf ihre Wirkung gegen Skorbut den Namen Ascorbinsäure gegeben hat. Etwas weniger als ein Milligramm täglich genügt, um ein Meerschweinchen vor Skorbut zu schützen. Dies scheint eine geringe Menge zu sein, ist aber in Wirklichkeit ziemlich viel; denn von manchen Hormonen genügt meist schon weniger als ein tausendstel Milligramm am Tag, um den Organismus gesund zu erhalten. Im tierischen Körper wird das Vitamin C in den Nebennieren, in der Schilddrüse und in der Leber aufgespeichert. Bemerkenswert ist, daß Ratten auch bei Vitamin-C-freier Kost nicht an Skorbut erkranken. Dies kommt daher, daß sie selbst in den Nebennieren Vitamin C aufzubauen vermögen. Diese Tatsache verdient auch deshalb besondere Beachtung, weil sie uns klar zeigt, daß Vitamine und Hormone physiologisch nahe zusammengehören. Außer in der Zitrone und Apfelsine kommt Vitamin C auch in Wurzelgemüsen und im Kohl, in geringer Menge auch in der Kartoffel vor, außerdem in der Milch. Es ist sehr empfindlich gegen Luftsauerstoff und wird beim Erhitzen oder längerem Aufbewahren zerstört. Die ärmere Bevölkerung, die sich im Winter kein Obst leisten kann, deckt ihren Vitaminbedarf mit Kartoffeln. Im Frühjahr beginnen die Kartoffeln zu keimen und werden dadurch vitaminarm. Vielleicht ist die Frühjahrsmüdigkeit auf den dadurch hervorgerufenen Ausfall von Vitamin C zurückzuführen. Es ist sehr erfreulich, daß außer mehreren zunächst wissenschaftlich wichtigen Synthesen auch schon ein technisch durchaus brauchbares Verfahren zu seiner Darstellung vorliegt. Hierbei werden als Ausgangsmaterial Vogelbeeren benutzt. Diese enthalten in verhältnismäßig reichlicher Menge eine zuckerähnliche Verbindung, den Sorbit, der über 6 Zwischenstufen in das Vitamin C übergeführt wird.

Vitamin D gegen Rachitis

Gut untersucht sind auch Vitamin D und A. Vitamin A findet sich im Lebertran und im Eigelb, ferner in den frischen grünen Blättern der Gemüse. Das Vitamin D ist der Schutzstoff gegen die bei uns leider weitverbreitete Englische Krankheit oder Rachitis. Bei dieser Krankheit ist besonders im Kindesalter das Knochengerüst mangelhaft ausgebildet, das Kind lernt spät laufen und hat Neigung zu Plattfuß, O- oder X-Beinen. Schon länger war bekannt, daß Sonnenbestrahlung heilend wirkte, und daß auch das Einnehmen von Lebertran die gleiche Wirkung hatte. In den Tropen mit ihrem kräftigen Sonnenlicht und in den Polargegenden, wo Tran und Fischfett in großen Mengen genossen werden, tritt Rachitis kaum auf.

Daß Sonnenlicht die gleiche Wirkung ausübt wie Lebertran, ist zunächst sehr merkwürdig. A. F. Hess in New York machte die grundlegende Beobachtung, die schließlich zur Entdeckung des Vitamins D führte. Durch Versuche an Ratten stellte er fest, daß die Haut und ebenso andere tierische und pflanzliche Gewebe und auch Öle durch ultraviolette Bestrahlung antirachitisch wirksam werden. Zunächst vermutete man, daß das in der Haut enthaltene Cholesterin durch die Bestrahlung sich in das antirachitische Vitamin verwandeln würde. Professor Windaus in Göttingen zeigte dann, daß zwar nicht das Cholesterin, sondern das diesem sehr ähnliche Ergosterin durch das Sonnenlicht die typischen antirachitischen Eigenschaften erhält. Ergosterin ist in der Hefe in ziemlich erheblicher Menge enthalten, und es gelang Windaus, durch Bestrahlung von Ergosterin tatsächlich den antirachitisch wirkenden Stoff in reiner kristallisierter Form zu bekommen. Eine Reihe anderer Forscher hat das Gebiet ebenfalls erfolgreich bearbeitet.

Vitamin A für normales Wachstum

Mit dem Vitamin D zusammen tritt meist das Vitamin A auf. Vitamin A ist für das normale Wachstum unbedingt nötig. Bei Mangel an diesem Vitamin tritt eine als Xerophthalmie bezeichnete

Augenkrankheit auf. Bindehaut und Hornhaut trocknen aus, die Hornhaut wird brüchig, das ganze Auge vereitert, und in den schlimmsten Fällen folgt dann Erblindung. Vitamin A findet sich in vielen Fetten, in der Milch und Butter, in frischen grünen Pflanzenteilen, besonders aber in der Karotte. Durch den Luftsauerstoff wird es allmählich zerstört. Beim Lagern der Pflanzen nimmt der Vitamingehalt ab. Die Grundstoffe dieses Vitamins sind am reichlichsten in frischen grünen Pflanzen vorhanden. Daher kommt es, daß die Milch von weidenden Kühen kräftiger ist als die Wintermilch von Stallkühen, und das gleiche gilt von der Butter. Der Lebertran ist deshalb so reich an Vitamin A, weil es letzten Endes die grünen Algen sind, die auf dem Umweg über Krebse und Fischchen in die Leber der großen Fische gelangen. Auf demselben Wege reichert sich auch das Vitamin D im Lebertran an.

1928 fand man, daß der Farbstoff der Karotte, das Carotin, Vitamin A Wirkung zeigt. Das Carotin kommt nicht nur in der Karotte vor, sondern ist auch in geringer Menge in allen grünen Blättern enthalten. Auch wurde festgestellt, daß die anderen Pflanzenfarbstoffe, die mit dem Carotin nah verwandt sind, wie der rote Farbstoff des Paprikas, der Farbstoff des Löwenzahns und der Maiskörner, keine Vitaminwirkung zeigen. Da aber der nur blaßgelbe Lebertran sehr starke Vitaminwirkung hat, konnte der Karottenfarbstoff nicht selbst das Vitamin A sein. Aus dem Tran einer Flundern- und Makrelenart hat man das Vitamin A isoliert und die interessante Feststellung gemacht, daß das Vitamin A ein Aufspaltungsprodukt des Carotins ist. Anscheinend wird im Organismus das Carotin unter Wasseraufnahme in zwei Teile Vitamin A aufgespalten. Der Karottenfarbstoff ist also die Vorstufe zum Vitamin, ein „Pro-Vitamin".

Vitamin B gegen Beriberi

Erhebliche Schwierigkeiten bereitet dem Chemiker die Aufklärung des Vitamins B oder, genauer ausgedrückt, der Vitamin-B-Gruppe.

HORMONE UND VITAMINE

Denn das ursprünglich für einheitlich gehaltene Vitamin B hat sich als ein Gemisch von verschiedenen Substanzen herausgestellt. Die Avitaminose, die beim Fehlen von Vitamin B auftritt, ist die Beriberi-Krankheit. Sie kommt vor allem in Ostasien vor, wo das Volk hauptsächlich von geschältem Reis lebt. Beriberi ist gekennzeichnet durch Entzündung verschiedener Nerven und Muskelschwund, was allmählich zum Verlust der Beweglichkeit führt. Das Vitamin B ist hauptsächlich im sogenannten Silberhäutchen des Reises enthalten. Von den Stoffen der B-Gruppe sind bisher wenigstens 5 erforscht. Das Vitamin B_1 ist der eigentliche Schutzstoff gegen die Beriberi-Krankheit. Es wurde sowohl aus dem Silberhäutchen des Reises als auch aus Hefe in kristallisierter Form erhalten.

Bedeutung der gemischten Kost

Es ist sicher, daß es noch andere Arten von Vitaminen gibt. Wir dürfen bestimmt damit rechnen, daß in den kommenden Jahren noch einige neue Klassen entdeckt werden. Aber auch jetzt schon haben wir so viel gelernt, daß wir wissen, wie wir unsere Nahrung zusammenzustellen haben, um gesund und widerstandsfähig zu sein und zu bleiben. Täglich soll man etwas Rohkost in Form von Obst, Salat, Tomaten, Radieschen u.a. genießen. Beachtenswert für die Zubereitung der Speisen ist, daß Vitamin A, D, E und K fettlöslich sind, während die Substanzen der B-Gruppe und C sich im Wasser auflösen. Da einige Vitamine beim Lagern in unwirksame Verbindungen übergehen, haben die Hausfrauen ganz recht gehabt, zu behaupten, daß Konserven doch nicht dieselbe Nährkraft haben wie Frischgemüse, und auch sich der Büchsenmilch gegenüber etwas zurückzuhalten. Dies soll uns jedoch in keiner Weise voreingenommen gegen Konserven machen. Dringend zu vermeiden ist nur alle Einseitigkeit in der Zusammenstellung der Nahrung, wie sie von manchen Gesundheitsaposteln gepredigt wird. Dies gilt auch für einen übertriebenen Rohkostfanatismus. Solange der Mensch in vernünftigen Grenzen seine Mahlzeiten frei nach seinem Geschmack zusammenstellt und Einseitigkeiten vermeidet, trifft er wohl das Richtige. Unser Gaumen ist meist klüger als alle übersteigerten Lehren über Kalorien u.a.

IX. Das Reich der Farben

Die Farbe als Sinneseindruck

Auf die Frage, wieviele Farbtöne es gibt, werden wohl alle, die sich noch nicht mit der Ostwald'schen Farbenlehre beschäftigt haben, antworten: Die sieben Farben des Regenbogens, nämlich rot, orange, gelb, grün, indigo, blau und violett. Außerdem noch braun, weiß, schwarz und grau. Also im ganzen elf Farben. Ostwald aber behauptet, weit über hunderttausend wäre die richtige Zahl! Dies klingt zuerst unmöglich und unverständlich. Und doch ist es so.

Wilhelm Ostwald teilt die Farben zunächst in bunte und unbunte Farben ein. Weiß, schwarz und grau sind unbunt. Ein Körper, der das Licht gleichmäßig nach allen Seiten zerstreut zurückwirft, erscheint uns weiß, z.B. weißes Papier. Vollkommen schwarz dagegen wäre ein Körper, der alles Licht verschluckt (absorbiert). Grau ist ein Körper, der das Tageslicht zum Teil absorbiert, zum Teil zurückwirft. Es ist bisher nie gelungen und wird auch wohl nie gelingen, ein vollkommen reines Weiß oder absolutes Schwarz herzustellen. Reinstem Weiß kommt das „blanc fix" (Bariumsulfat) ziemlich nahe, aber auch der schwärzeste Druck hat immer noch einen Weißgehalt von mindestens vier Prozent, d.h. er wirft vier Prozent des auffallenden Lichtes zurück.

Die Grauleiter

Den Übergang zwischen Schwarz und Weiß bilden die Grautöne. An sich sind unendlich viele Übergangsstufen zwischen den beiden Farben denkbar. Das Auge vermag aber allzu geringe Unterschiede zwischen zwei Farbtönen nicht zu erkennen; der Unterschied muß oberhalb einer gewissen Erkennungsschwelle liegen. Ein normales

Auge kann rund hundert Übergangsstufen zwischen Schwarz und Weiß feststellen. Diese Stufenfolge bezeichnet Ostwald als die Grauleiter.

Der Farbenkreis

Bei den bunten Farben ist zu unterscheiden zwischen reinen und gebrochenen Farben. Reine bunte Farben sind die bekannten Farben des Spektrums, die Regenbogenfarben und die im Spektrum nicht vorkommenden Purpurtöne, die den Übergang von Rot zu Violett bilden. Die Reihe der bunten Töne bildet einen lückenlosen Kreis. Von purpur über rot, orange, gelb, gelbgrün, grün, blaugrün, blau, blauviolett, violett, rotviolett und zurück zu purpur gibt es unendlich viele Übergangsstufen. Das Auge kann aber ungefähr nur vierhundert reine Bunttöne unterscheiden.

Das Farbendreieck

Außerdem gibt es noch die gewaltige Zahl der gebrochenen Farbmischungen einer rein bunten mit einer unbunten Farbe, also mit weiß, grau oder schwarz. So ist z.B. braun ein Rotorange, oliv ein Gelbgrün mit starkem Graugehalt. Von jeder der vierhundert bunten Vollfarben leiten zahllose Übergänge zu den hundert Grauleiterstufen. Diese Mischfarben lassen sich in sogenannten Farbendreiecken anordnen. Die eine Kante enthält die Übergangsstufen der Vollfarben nach weiß, die andere die nach schwarz. Die dritte Kante wird von den Grauleitern selbst gebildet. Die Fläche des Dreiecks ist ausgefüllt mit den stumpfen Übergängen der reinen Buntfarbe nach sämtlichen Graustufen. Unendlich groß erscheint die Zahl der in einem solchen Dreieck enthaltenen Mischtöne. Für stumpfe Farben ist das Unterscheidungsvermögen des Auges geringer als für reine Farben. Von jedem Buntton können wir noch viele hundert (mindestens vierhundert) Abkömmlinge unterscheiden; so errechnet sich die Gesamtzahl der von uns wahrnehmbaren Farben auf mindestens $400 \times 400 = 160\,000$ Töne. Ostwalds Theorie ist ein interessanter Versuch, alle

Farbtöne, die es gibt, zahlenmäßig zu kennzeichnen durch Angabe des Prozentgehaltes an reinem Bunt, an Weiß oder an Schwarz. Unsere Sprache reicht zur genauen Bezeichnung einer bestimmten Farbe nicht aus. Deshalb versieht Ostwald jeden Farbton des Farbenkreises mit einer Nummer oder Kennzahl. Wie es schon seit Jahrhunderten im Reich der Töne geschah, so können wir Maß und Zahl jetzt auch bei den Farben einführen.

Die praktische Bedeutung der Ostwald'schen Farbenlehre

Man hat besondere Meßgeräte zur genauen Untersuchung der Farbtöne gebaut, d.h. zur Feststellung, welche reine Buntfarbe einer gegebenen trüben Farbe zugrunde liegt, und zur Ermittlung ihres Weiß- und Schwarzgehaltes, also zur Bestimmung, wieviel Prozent des auffallenden Tageslichtes zurückgeworfen oder absorbiert werden. Dabei stellen sich manche Überraschungen heraus. Das schönste weiße Schreibpapier hat immer noch einen Schwarzgehalt von mindestens 15%. Drucke oder Malfarben, die zu 100% reines Bunt wären, gibt es überhaupt nicht. Wohl kennt man einige gelbe oder orange Malfarben, die etwa 90% Bunt enthalten; dagegen besitzen auch die leuchtendsten Ausfärbungen mit den satten violetten, blauen oder grünen Anilinfarben einen Graugehalt von 50 bis 80%.

Farbe als physikalische Erscheinung

Läßt man einen schmalen Sonnenstreifen durch ein Glasprisma treten, so wird dieser in ein breites, vielfarbiges Band auseinandergezogen, in das bekannte „Spektrum" mit den Farben des Regenbogens. Die Physik lehrt, daß das Licht aus elektromagnetischen Schwingungen, sogenannten Ätherwellen, besteht, und zwar von Wellenlängen zwischen 400–800 millionstel Millimeter (mμ) Größe. Jede Lichtwellenlänge empfindet unser Auge als besonderen Farbton. Violett hat die kürzeste Wellenlänge, von 400 mμ aufwärts, rot die größte, bis zu 800 mμ.

Die Welt, wie sie uns erscheint und wie sie wirklich ist

Zunächst müssen wir uns darüber klar sein, daß die Farbenerscheinungen nur Sinnesempfindungen in uns sind, die durch die Einwirkung von Lichtstrahlen auf unser Auge hervorgerufen werden. Außer uns sind nur die Lichtstrahlen vorhanden. Diese sind an sich nicht schönfarbig, nicht etwa rot, blau, grün, hell oder dunkel; sie sind nur elektromagnetische Schwingungen mit von Fall zu Fall wechselnder Wellenlänge und Stärke. Eine Rose ist an sich nicht rot, ein Blatt an sich nicht grün. Rose und Blatt halten aus dem Gewimmel von Wellen bestimmte Wellen zurück, und unser Auge und Gehirn übersetzen diesen Wellentanz in wundervoller Weise in schönste Farbeneindrücke. Es gibt niedere Tiere, die nur hell und dunkel, nicht aber Farben unterscheiden können. Ähnlich ergeht es farbenblinden Menschen. In der Netzhaut des Auges befinden sich außer den „Stäbchen", die uns die unbunten Farben empfinden lassen, auch die sogenannten „Zapfen", die uns die Reihenfolge der bunten Farben vermitteln.

Ein Unterschied von einem millionstel Millimeter in der Wellenlänge genügt, um einen anderen Farbton hervorzuzaubern. Und doch ist unser Auge ein Instrument von engbegrenzter Leistungsfähigkeit; es zeigt uns nur einen Ausschnitt aus der Wirklichkeit. Die physikalische Forschung hat nämlich elektromagnetische Schwingungen mit Wellenlängen von dreißig Kilometer bis hinunter zu einem billionstel Millimeter festgestellt, also von 30 000 000 mm bis 0,000 000 000 001 mm. Sicher gibt es noch längere und noch kürzere Wellenlängen; doch sehen wir nur die Schwingungen mit Wellenlängen von 0,0004 bis 0,0008 mm! Farbe ist dann vorhanden, wenn eine chemische Verbindung bestimmte Wellen dieses Bereiches zu absorbieren vermag. Dem Violett schließen sich die unsichtbaren „ultravioletten" Wellen an (Wellenlängen von 0,0004 bis ca. 0,000 015 mm). Dann beginnt das Gebiet der „Röntgenstrahlen" und schließlich das der „Gammastrahlen" des Radiums (Wellenlängen von ca. 0,000 015 bis ca. 0,000 000 005 mm). Noch kürzere Wellenlängen besitzt die geheim-

DAS REICH DER FARBEN

nisvolle, erst vor einigen Jahren entdeckte „durchdringende Höhenstrahlung". An das Rot schließt sich das Ultrarot oder die „Wärmestrahlung" an (Wellenlängen von 0,0008 bis ca. 0,06 mm), die mit steigender Wellenlänge in die „elektrischen Wellen" mit Wellenlängen bis zu vielen hundert Meter, bzw. Kilometer übergeht, wie sie von den Rundfunksendern ausgesandt werden. Alle diese Wellenarten können in der Natur auftreten, brausen in wildem Durcheinander über uns hinweg und durch uns hindurch, ohne daß wir sie wahrnehmen.

Wollen wir dem Rätsel der Farbe auf den Grund kommen, so dürfen wir uns nicht auf die Absorption der unserem Auge erkenntlichen Schwingungen beschränken, sondern wir müssen auch die Absorption der unsichtbaren Strahlenarten mitberücksichtigen. Die Erfahrung lehrt, daß die Farbe einer Verbindung abhängig ist von ihrem chemischen Feinbau, ihrer Konstitution. Jede konstitutive Veränderung kommt sofort im optischen Verhalten zum Ausdruck. Wir wissen, daß in den Atomen um einen elektropositiven Kern negative Elektronen in bestimmten Abständen kreisen. Wir wissen ferner, daß die Lichtstrahlen durch die äußersten Elektronen gewissermaßen aufgefangen und damit ausgelöscht (absorbiert) werden können. Welche Wellenlänge absorbiert wird, hängt von den jeweiligen Eigenschaften, z.B. der Geschwindigkeit der Elektronen, ab. Treten Atome zu einer chemischen Verbindung zusammen, so werden die Bahnen der äußersten Elektronen mehr oder weniger stark verändert und damit auch die Lichtabsorption, d.h. die Farbe der Verbindung. Von den äußersten Elektronen werden in gleicher Weise wie die sichtbaren Lichtstrahlen auch noch kürzere und längere Wellen absorbiert, nämlich die elektromagnetischen Schwingungen von rund 0,000 15 bis 0,003 mm Wellenlänge. Alle Stoffe, die in diesem Wellenbereich absorbieren, sind im höheren physikalischen Sinn als farbig anzusprechen. Benzol erscheint unserem Auge als wasserhelle Flüssigkeit. Würden wir das ultraviolette Licht sehen können, wie dies die photographische Platte vermag, so würde uns das Benzol farbig erscheinen, allerdings in einer Farbe, die wir uns nicht vorstellen können; denn das Benzol absorbiert einen Teil des Ultraviolett.

Das höchste Ziel der Forschung auf diesem Gebiet ist, die Beeinflußbarkeit der Lichtstrahlen durch die Elektronenhülle der Atome und Verbindungen genau berechnen zu können. Von diesem Ziel sind wir noch weit entfernt. Unsere Kenntnisse vom Feinbau der Atome und ihrer Elektronenhülle sind noch lückenhaft und unsicher. Deshalb muß der Chemiker sich bescheiden und versuchen, ausgehend von der Zusammensetzung farbiger Verbindungen, einige einfache Regeln abzuleiten, die uns sagen, welche Atomgruppierungen erforderlich sind, damit Farbe auftritt. Diese Regeln sollen ermöglichen, das gesamte Material einfach und übersichtlich zu ordnen, anderseits der Forschung Wege weisen zur Auffindung neuer Tatsachen von wissenschaftlichem und technischem Wert.

Ein junger Student will Chinin fabrizieren

1856 ist das eigentliche Geburtsjahr der Industrie der Teerfarbstoffe. Man hatte beobachtet, daß das bekannte fiebervertreibende Alkaloid Chinin beim Erhitzen mit Ätzkali etwas Anilin lieferte. Da faßte der achtzehnjährige Student William Henry Perkin in jugendlicher Begeisterung den kühnen Plan, umgekehrt aus Anilin Chinin künstlich aufzubauen. Was er erhielt war aber kein Chinin, sondern eine häßliche dunkle Masse. Perkin besaß die für den Chemiker unerläßlich nötige Beobachtungsgabe in hohem Maße. Er bemerkte, daß in dem häßlichen Produkt geringe Mengen eines violetten Farbstoffs enthalten waren, und in mühseliger Arbeit gelang es ihm, den Farbstoff einigermaßen rein zu erhalten, ein Violett von noch nie gesehener Reinheit des Tones. Der Farbstoff, Perkins Mauve oder Mauveïn genannt, erregte allgemeines Aufsehen. Man begann mit der Fabrikation, trotzdem sie sehr kostspielig war. Das Kilogramm kostete mehr als zweitausend Mark! Heute kann man es für ein bis zwei Mark herstellen, doch wird es kaum mehr gebraucht.

Für einen Zweck aber wird es noch in geringen Mengen benutzt: Die Engländer drucken noch heute ihre violetten Briefmarken mit Perkins Mauve, um das Andenken ihres großen Landsmannes zu ehren. Dies ist durchaus verständlich; denn die Wichtigkeit der Perkinschen Entdeckung für die damalige Zeit veranlaßte eine große Anzahl Chemiker, sich mit dem Anilin und ähnlichen Stoffen zu beschäftigen.

Alizarin

Die Chemiker haben damals vor allem ihre Aufmerksamkeit dem Alizarin und dem Indigo zugewandt. Das Färben mit Alizarin, dem Farbstoff der Krappwurzel, war schon im Altertum im östlichen Mittelmeergebiet üblich und kam von da nach Italien. Alizarin ist der unverwüstliche Farbstoff des türkischen und marokkanischen Fez und der roten Franzosenhosen. 1868 haben die deutschen Chemiker Graebe und Liebermann die Konstitution des Alizarins ermittelt. Es hat einen ziemlich einfachen Bau, und deshalb erscheint uns nach unseren heutigen Kenntnissen und experimentellen Methoden die Arbeit Graebes und Liebermanns verhältnismäßig leicht. Für jene Zeit aber war es eine Glanzleistung, theoretisch und experimentell. Das Anthrazen, heute ein billiges großtechnisches Produkt, das sie zu ihren Forschungsarbeiten benötigten, konnten sie überhaupt nicht kaufen. Sie mußten es in ihrem primitiven Laboratorium aus Dachpappenteer herausdestillieren. 1869 hat der deutsche Chemiker Heinrich Caro ein technisch brauchbares Verfahren zur Alizarindarstellung gefunden. Die Patentanmeldung ist datiert vom 25. Juli 1869. Einen Tag später kam Perkin mit der gleichen Anmeldung! Für ihn muß es ein schwerer Schlag gewesen sein. Ähnliche Ereignisse kommen in der Chemie immer wieder vor. Meist erfährt die Öffentlichkeit nichts von dem Ringen und der Enttäuschung der Wissenschaftler oder Technologen, die am Ziel zu sein glauben und im letzten Augenblick den Erfolg einem Glücklicheren zufallen sehen.

Indigo

Vor dem Erscheinen der künstlichen Farben war der Indigo „der König der Farbstoffe". Im Mittelalter wurde im Abendland mit dem etwas Indigo enthaltenden Waid blau gefärbt. Im 16. Jahrhundert aber, nach der Entdeckung des Seewegs nach Ostindien, kam der Indigo nach Europa. Das indische Produkt war besser und billiger als der aus Waid gewonnene Farbstoff. Zum Schutze der bedrohten Waidbauern wurden strenge Gesetze gegen die Einfuhr von Indigo erlassen; es stand verschiedentlich sogar Todesstrafe auf unerlaubter Einfuhr! Trotzdem setzte er sich durch. Der Indigo spielte im Welthandel bald eine große Rolle.

Künstlicher Indigo

Jahrzehntelang haben sich die Chemiker bemüht, den Feinbau des Indigos zu ergründen, Mittel und Wege zu finden, ihn künstlich herzustellen. Dem Scharfblick und der Experimentierkunst Adolf von Baeyers gelangen endlich als Frucht zahlreicher Einzeluntersuchungen die Konstitutionsaufklärung und die erste Synthese. Baeyers Verfahren hat aber nur wissenschaftlichen Wert. Bis aber 1897 der erste künstliche Indigo die Fabrik verlassen konnte, mußten noch viele chemische Nüsse geknackt werden. Große Mühe machte ein Zwischenprodukt, das Phthalsäureanhydrid. Zu dessen Darstellung kam damals nur der Abbau des Naphthalins mit rauchender Schwefelsäure in Frage. Während die anderen Arbeitsstufen befriedigend verliefen, schien an diesem Prozeß die ganze Indigofabrikation zu scheitern. Der Umsatz mit rauchender Schwefelsäure verlief mit so schlechter Ausbeute, daß der künstliche Indigo viel teurer wurde als das Naturprodukt. Der mit der Herstellung des Phthalsäureanhydrids beauftragte Chemiker änderte die Mengenverhältnisse, die Konzentration der Schwefelsäure, die Temperatur, die Zeit — vergeblich! Bis eines Tages unerwartet das Phthalsäureanhydrid in glatter, rascher Reaktion mit guter Ausbeute sich bildete. Warum hatte es auf einmal geklappt? Es war merkwürdig genug:

DAS REICH DER FARBEN

Das Thermometer war gesprungen, und das Quecksilber war in das Gemisch gelaufen. Daß Quecksilber so wirken würde, war allerdings nicht vorauszusehen. Wenn je Scherben Glück gebracht haben, so hier.* Die Fabrikation konnte beginnen.

Vom Purpur der Alten
Besondere Erwähnung verdient hier der Name Friedländer. Ihm gelang die Auffindung einer neuen Klasse indigoartiger Farbstoffe, in der alle Töne des Regenbogens vorkommen. Sie können zum Färben von Wolle und Baumwolle verwandt werden. Friedländer klärte auch das Geheimnis der Purpurfärberei auf. Der Purpur wurde im Altertum aus einer Drüse einer Reihe von Purpurschneckenarten gewonnen. Der Saft dieser Drüsen ist blaßgelb und wandelt sich am Licht über grün und blau in purpur. Da der Farbstoff bei den Tieren in ganz geringer Menge vorkommt, war er eine Kostbarkeit. So war das Tragen purpurner Gewänder das Vorrecht der Kaiser, Fürsten oder reichen Patrizier. Nach der Völkerwanderung ging das streng gehütete Geheimnis der Purpurfärberei allmählich verloren. Im Jahre 1907 isolierte Friedländer aus zwölftausend Purpurschnecken 1,4 g reinen Purpurfarbstoff; mit dieser kleinen Menge klärte er den Feinbau auf. Der antike Purpur ist ein naher Verwandter des Indigos. Nicht nur seine nahe Beziehung zu einem Pflanzenfarbstoff ist bemerkenswert, vor allem auch sein Bromgehalt. Dibromindigo ist bis heute die einzige bekannte natürliche organische Bromverbindung. Man könnte heute den Purpurfarbstoff zu einem erschwinglichen Preis großtechnisch herstellen. Doch besteht dafür keine Notwendigkeit, da wir Farbstoffe ähnlicher Zusammensetzung in viel schöneren Tönen billiger erzeugen können.

---

* An allusion to the German proverb: "Scherben bringen Glück" (Fragments of a broken vessel bring luck). The idea is only partially contained in "Every cloud has a silver lining" or "It is an ill wind that blows no one good."

Nichts mehr zu tun?

Angesichts der Tatsache, daß viele tausend Farbstoffe bekannt sind, liegt der Gedanke nahe, daß auf diesem Gebiete die wichtigsten Aufgaben gelöst sein dürften. Dies ist ein Irrtum. Eine ganze Reihe wichtiger Fragen ist noch zu lösen. Die Farbenindustrie versucht zunächst, die üblichen Farbstoffe aus Gründen der Konkurrenz nach neuen, billigeren Verfahren herzustellen. Bei aller Reichhaltigkeit weist die Musterkarte auch heute noch unangenehme Lücken auf. An echten grünen Farbstoffen herrscht noch empfindlicher Mangel. So hat man noch keine einheitliche grüne Verbindung, die zum Färben von Billardtuch geeignet wäre, und muß sich in diesem Fall mit Mischungen von blau und gelb helfen, was färberisch etwas lästig ist. Außerdem besitzen Farbstoffgemische meist nicht die Reinheit des Tones wie eine einzelne Verbindung. Besonders viele Anliegen bringen die Färber vor: Sie möchten am liebsten die umständliche Küpenfärberei sowie das Färben mit Entwicklungs- und Beizenfarbstoffen vermeiden und wünschen sich für alle Zwecke Farbstoffe, die sich wie die Salzfarben, die basischen und sauren Farbstoffe einfach auf die Faser bringen lassen; außerdem klagen sie darüber, daß gerade die schönsten und echtesten Farben noch sehr teuer sind. Das Publikum hat sich daran gewöhnt, hohe Ansprüche an Licht- und Waschechtheit zu stellen. Die echtesten Farbstoffe besitzen aber meist nur geringe Lebhaftigkeit; so muß sich der Chemiker im wissenschaftlichen Laboratorium der Farbwerke bemühen, hier weitere Fortschritte zu erzielen. Daß die Mode nach immer neuen Farbtönen verlangt, andere Farbstoffe aber zum Aussterben bringt, sei nebenbei bemerkt. Das Verschwinden der alten farbenfrohen Volkstrachten in den Balkanstaaten hat zur Folge, daß einzelne Farbstoffe, die früher ein großes Geschäft bedeuteten, heute nicht mehr hergestellt werden. Ein noch völlig ungelöstes Problem sind die chemischen Vorgänge beim Verblassen der Farben am Licht. Ein Farbstoff kann auf Baumwolle lichtecht, auf Wolle aber weniger echt sein. Das Vorhandensein kleiner, von der Fabrikation herrührender Verunreinigungen, Luftfeuchtigkeit und andere Ursachen beeinflussen die Dauerhaftigkeit der Farbe. Es gibt Farbstoffe, die in reiner Gebirgsluft lange leben, während sie in der mit schwefliger Säure beladenen Luft der Industriegegend unbrauchbar sind.

Photographisch interessierende Farbstoffe
Eine eigenartige Gruppe von Farben sind die Sensibilisierfarbstoffe. Färberisch sind sie wegen ihres hohen Preises und ihrer sehr großen Lichtunechtheit und Säureempfindlichkeit ohne Bedeutung, um so unentbehrlicher sind sie in der Photographie. Die photographische Platte „sieht" die Welt anders als unser Auge. Sie nimmt das Ultraviolett noch wahr. Von den sichtbaren Farben empfindet sie violett und blau besonders stark. Auf grün und gelb spricht sie nur noch schlecht an, und rot nimmt sie kaum mehr wahr. Sie gibt also die Farbtöne in anderen Helligkeitswerten wieder als unser Auge. Mit den Sensibilisierfarbstoffen kann die Platte aber auch für grün, gelb und rot und dazu ultraviolett empfindlich gemacht werden, so daß wir Bilder mit naturgetreuer Wiedergabe der Helligkeitsunterschiede erhalten können.

Rotes Licht dringt bekanntlich besser durch Nebel hindurch als die kurzwelligen Lichtstrahlen. Mit diesen übersensibilisierten Platten kann man daher durch Nebel hindurch Fernaufnahmen machen und ganz überraschende Bildwirkungen erzielen. Eine Glanzleistung auf diesem Gebiet ist wohl die Aufnahme des Yosemitetals aus zweihundertvierzig Kilometer Entfernung!

X. Die Fluoreszenzanalyse in Wissenschaft und Praxis

Was wird aus absorbiertem Licht?
In unserer Unterhaltung über Farbe als physikalische Erscheinung sahen wir, daß ein farbiger Körper aus dem auffallenden Sonnenlicht bestimmte Wellenlängen zurückhält (absorbiert). Wir lernten auch die Beziehung kennen, die zwischen der Farbe des betreffenden Körpers und der Farbe des absorbierten Lichtes besteht, daß nämlich ein gelber Farbstoff das blaue Licht zurückhält, daß ein roter das grüne Licht absorbiert, und daß umgekehrt ein blauer Farbstoff das gelbe, ein grüner das rote Licht verschluckt. Lichtaufnahme bedeutet Energieaufnahme. Ein Farbstoff muß also beim Belichten immer mehr Energie in sich aufspeichern, oder er muß die aufgenommene Energie in irgendeiner Weise umwandeln oder wieder abgeben. Was geschieht nun mit der aufgenommenen Lichtenergie? Der größte Teil wird in Wärme umgewandelt. Es ist ja allgemein bekannt, daß farbige und insbesondere dunkle Kleidung besser wärmt als weiße, weil der Farbstoff das aufgenommene Licht in Wärme umwandelt. Ein Teil des Lichtes wird auch in chemische Energie umgesetzt, das heißt, das Licht verursacht chemische Veränderungen im Farbstoff. Diese Veränderungen sind uns meist wenig willkommen, denn sie führen zum Ausbleichen und Verschießen des Farbstoffs.

Vom Verblassen der Farbstoffe
Nebenbei sei bemerkt, daß, von einigen Sonderfällen abgesehen, wir noch keine Kenntnis darüber haben, in welcher Weise unsere gebräuchlichen Farbstoffe beim Ausbleichen chemisch verändert werden. Die Untersuchung dieser Frage wäre von größter prak-

tischer Bedeutung. Wüßte man nämlich, an welchen schwachen Stellen des Farbstoffmoleküls (kleinstes Farbstoffteilchen) das Licht in zerstörender Weise eingreift, so könnte man diese schwachen Stellen chemisch widerstandsfähiger machen und zu hervorragend lichtechten Farben kommen. Diese Aufgabe zu lösen ist aber äußerst schwierig; denn beim Ausbleichen spielt nicht nur die Natur des Farbstoffes eine Rolle, sondern auch die Natur der Faser, die Anwesenheit von Feuchtigkeit, die Beimischung von Verunreinigungen oder Metallsalzen, die von der Fabrikation oder vom Färbeprozeß herrühren können.

Was ist Fluoreszenz?

Noch in einer dritten Weise kann das von einer chemischen Verbindung aufgenommene Licht umgewandelt werden. Viele Stoffe strahlen einen Teil der aufgenommenen Lichtenergie wieder in Form von Lichtstrahlen aus. Sie fangen also unter dem Einfluß von Lichtstrahlen selbst zu leuchten an. Man bezeichnet diesen Vorgang als Fluoreszenz. Besonders deutlich können wir dies an einem gelben Farbstoff, dem sogenannten Fluoreszeïn, wahrnehmen. Wie alle gelben Farbstoffe verschluckt er den blauen Teil des Sonnenlichtes. Einen Teil des aufgenommenen Lichtes strahlt er wieder aus, aber nun nicht mehr in blauer, sondern in grüner Farbe. Dieser merkwürdige Farbstoff fängt also am Licht grün zu leuchten an. Seine Lösungen sehen aber gleichzeitig gelb und grün aus. Sehen wir durch eine solche Lösung, etwa im gegen das Fenster gehaltenen Reagenzglas hindurch, so bemerken wir nur die gelbe Eigenfarbe; sehen wir aber das Glas vor uns stehen, so fällt uns der eigenartige grüne, dunstig leuchtende Schleier auf.

Unterirdischer Zusammenhang von Donau und Rhein

Bei diesem Farbstoff ist die Fluoreszenz so stark, daß man bei geeigneter Belichtung ihn noch in einer Verdünnung von 1 / 1 000 000 000 wahrnimmt. Man benutzt deshalb diesen Farbstoff zum

Nachweis unterirdischer Wasserläufe. So ist es gelungen, herauszubekommen, wohin der größte Teil des Donauwassers nach der Versickerung bei Immendingen in Baden verschwindet. Nur ein kleiner Teil des Donauwassers kommt einige Kilometer unterhalb der Versickerungsstelle in Württemberg wieder zum Vorschein, um seine Reise zum Schwarzen Meer fortzusetzen. Man warf 1877 in Immendingen zehn Kilo dieses Farbstoffes in die Donau. Sechzig Stunden später leuchtete die Aach, ein Flüßchen im Hegau, das in den Bodensee mündet, grünlichgelb. Dreihundertfünfundfünfzig Stunden leuchtete die Aach. Also hängt die Donau über die Aach und den Bodensee mit dem Rhein zusammen.

Die Farbe des Fluoreszenzlichtes

Am Fluoreszeïn können wir eine interessante allgemeingültige Regel bestätigt finden. Wir hörten bereits, daß die Wellenlängen der Lichtstrahlen in der Reihenfolge violett, blau, grün, gelb, orange und rot zunehmen. Das Fluoreszeïn verschluckt blaues und strahlt grünes, also längerwelliges Licht aus. Das gleiche ist bei allen fluoreszierenden Verbindungen der Fall. Ein stark fluoreszierender Farbstoff ist auch das lebhaft bläulichrote Rhodamin. Es ist der Farbstoff der roten Zündhölzer. Seinem roten Aussehen entsprechend verschluckt er die grünen Teile des Sonnenlichtes und wandelt das grüne Licht zum Teil um in längerwelliges Orange. Auf den roten Zündhölzern sehen wir von dem orangeroten Leuchten nichts. Dagegen konnte man es vor wenigen Jahren an manchem rosenroten Ballkleid bemerken, als diese Farbe noch Mode war. Man sah in den Falten einen schönen orangeroten Schimmer. Noch kürzere Wellen als das violette Licht hat das für unser Auge unsichtbare Ultraviolett, das ebenfalls in den Sonnenstrahlen enthalten ist. Sehr viele uns farblos erscheinende Stoffe verschlucken ultraviolettes Licht. Fluoresziert ein solcher Stoff, so strahlt er Licht von größeren Wellenlängen als ultraviolett aus, d.h. er leuchtet violett oder blau. Dies können wir z.B. beobachten am Petroleum, das vielfach einen nebelhaften blauen

Schleier zeigt. Zuerst bemerkte man diese Erscheinung am Flußspat oder Fluorit, der meist violett schimmert. Von Fluorit leitet sich auch der Name Fluoreszenz ab.

Die Ultraviolettlampen

Die Fluoreszenz ist keine seltene Naturerscheinung, sie ist im Gegenteil weit verbreitet. Nur in wenigen Fällen ist das Fluoreszenzlicht aber so stark, daß es mit bloßem Auge im hellen Tageslicht wahrnehmbar ist. Wir merken z.B. nichts davon, daß vom Blattgrün der Blätter und Gräser ein rotes Leuchten ausgeht; daß unser Gesicht und unsere Hände, die Zähne und Fingernägel blau bis violett in verschiedenen Tönen oder auch weiß leuchten, entgeht uns völlig. Sehr viele Stoffe verbreiten ein für sie charakteristisches Fluoreszenzlicht. Um dies festzustellen, bedarf es einer besonderen Apparatur. Man benötigt eine Lichtquelle, die nur unsichtbares ultraviolettes Licht verbreitet.

Ultraviolettes Licht ist in reichem Maße im Licht einer elektrischen Bogenlampe vorhanden, besonders dann, wenn man die üblichen Bogenlampenkohlen durch Eisen-, Nickel- oder Wolframstäbe ersetzt. Sehr viel Ultraviolett strahlt auch die Quecksilberquarzlampe oder künstliche Höhensonne aus. Diese starken Lichtquellen verbreiten aber auch grelles, sichtbares Licht. Die übliche Höhensonnenlampe hat eine Lichtstärke von zweitausend Kerzen. Jeder hat schon das etwas unbehagliche grünliche Licht der Bestrahlungslampe gesehen, bei dem ein Menschenkörper wie eine Leiche aussieht. Durch den starken Ultraviolettgehalt regen diese Lampen die fluoreszierenden Stoffe stark zum Leuchten an. Aber das Leuchten wird durch das grelle Licht überstrahlt. Wahrnehmbar werden die Fluoreszenzerscheinungen erst, wenn man dafür sorgt, daß aus der Lampe kein sichtbares Licht herausdringen kann, sondern nur das unsichtbare.

Wie soll dies aber möglich sein? Es gibt bestimmte chemische Verbindungen, die das sichtbare Licht verschlucken, das unsichtbare

Ultraviolett aber durchlassen. Umgekehrt läßt unser gewöhnliches Fensterglas das sichtbare Licht durch, absorbiert aber den größten Teil des Ultraviolett. Vor mehreren Jahren gelang es nun, Glassorten herzustellen, die auch für Ultraviolett gut durchlässig sind. Besonders wichtig war aber die Auffindung eines fast schwarzen Glases, das kaum sichtbares Licht, wohl aber ultraviolettes durchläßt. Dieses Glas enthält einen hohen Prozentsatz Nickeloxyd mit Bariumoxyd. Umgibt man eine geeignete Bogenlampe oder die künstliche Höhensonne mit einem lichtdichten Gehäuse, in dem sich eine solche Glasscheibe befindet, so sieht man im verdunkelten Zimmer nichts, auch wenn die Lampe im grellen Licht ihrer zweitausend Kerzen strahlt. Die photographische Platte spricht im Gegensatz zu unserem Auge stark auf Ultraviolett an. Würde man im stockfinsteren Zimmer die eben geschilderte Lampe photographieren, so würde uns die Platte zeigen, wie aus dem schwarzen Fenster eine grelle Lichtflut sich ergießt. Werden in die unsichtbaren Strahlen fluoreszierende Stoffe gebracht, so leuchten sie in verschiedener Farbe und Stärke auf, und oft machen die Leuchterscheinungen einen geradezu magischen Eindruck.

Verräterische Leuchterscheinungen

Hält man die Hand in den Strahlengang, so leuchtet sie bläulichviolett. Besonders hell strahlen die Fingernägel. Man ist erstaunt, wie fleckig die Hände meist aussehen; man sieht auf den ersten Blick, daß die Hand an manchen Stellen von der Berührung mit fettigen, öligen oder staubigen Gegenständen beschmutzt ist. Dunkel bleiben die Stellen der Haut, die mit Leberflecken oder Sommersprossen von Natur aus pigmentiert sind. Auch das Haar leuchtet nicht, mit Ausnahme des schon ergrauten, das keinen Farbstoff mehr enthält. Ergraute Haare heben sich als leuchtende Fäden von der dunkleren Umgebung ab. Das Fluoreszenzlicht verrät uns manches, was dem Tageslicht entgeht. Der Mensch hat viel mehr pigmentierte Hautstellen, als er weiß, und richtet man mit einem Spiegel das ultraviolette Licht dem Besucher im Laboratorium ins Gesicht, so zeigt uns das Fluoreszenzlicht, daß die meisten Menschen unzählige Sommersprossen haben. Lächelt der Besucher bei dieser Mitteilung, so leuchten seine Zähne in grellweißem Licht in die Dunkelheit des Laboratoriums; d.h. nur die echten Zähne leuchten, die falschen sehen aus wie schwarze Lücken. Man lächle also nur mit fest geschlossenen Lippen! Wer im glücklichen Besitz eines Rubins ist, halte ihn unter die Lampe. Er leuchtet auf, als wäre er helles Blut. Wunderschön ist folgender Versuch: Man wirft in ein Glas voll Wasser einige Stückchen Rinde der Roßkastanie; sogleich beginnen sich von der Rinde dünne, hellblau leuchtende Schlierenfäden oder Wolken im Wasser zu verbreiten, die an zarte vielarmige Seetiere erinnern. Allmählich strahlt das ganze Wasser hellblau. Schalten wir das elektrische Licht ein, so sehen wir enttäuscht nur noch ein Glas voll Wasser mit einigen Stückchen schwarzer Rinde. Geraten unsere Augen in den unsichtbaren Lichtkegel, so empfinden wir einen verschwommenen, leicht unangenehmen, bläulichen Lichtschimmer, weil die ganze Augenlinse selbst stark blau aufleuchtet. Es ist unterhaltend, die verschiedenartigsten Gegenstände unter die Fluoreszenzlampe zu bringen. Die einen bleiben schwarz und tot, andere wieder leuchten grün, viele blau oder violett, nur wenige feurig rot. Ein Laboratoriumsmantel, der ja so manchen Sturm miterleben muß, ist eine wahre Musterkarte von Flecken in allen nur erdenklichen Farben.

Konstitution und Fluoreszenz, eine schwierige Aufgabe

Es wäre wissenschaftlich wertvoll, die Beziehungen zwischen chemischer Konstitution und Fluoreszenzfähigkeit zu ermitteln. Leider ist es einstweilen noch nicht gelungen, die Gesetzmäßigkeiten klar zu erkennen. Wir wissen wohl, daß beim Vorhandensein bestimmter Atomanordnungen häufig starke Fluoreszenz auftritt; wir wissen auch, daß umgekehrt bestimmte Gruppen, wie z.B. die Nitrogruppe (eine Gruppe aus einem Atom Stickstoff und zwei Atomen Sauerstoff), die Leuchterscheinungen meist hemmen. Von allgemeingültigen Gesetzen kann man aber noch nicht sprechen. Nur in einigen besonders einfach liegenden Fällen konnte man ausgehend von der modernen Atomtheorie Berechnungen aufstellen. Die Vorausberechnung des Fluoreszenzlichtes verwickelter Kohlenstoffverbindungen ist aber noch nicht möglich. Die Fluoreszenzfähigkeit ist sehr empfindlich und von den verschiedensten Umständen abhängig. Manche Stoffe fluoreszieren nur in festem Zustand, andere nur in Lösung. Die Natur des Lösungsmittels, die Dichte der Lösung und die Temperatur können ausschlaggebend sein. Eine einprozentige Lösung des erwähnten Fluoreszeïns leuchtet nicht. Erst bei stärkerer Verdünnung tritt das grünliche Leuchten auf, um dann noch bei einer Verdünnung von 1 / 1 000 000 000 bequem nachweisbar zu sein.

Die große praktische Bedeutung

Trotz unseres Mangels an tieferer Erkenntnis besitzen die Fluoreszenzerscheinungen eine große praktische Bedeutung zur Charakterisierung und zum Nachweis der verschiedensten Stoffe. Seitdem leicht zu handhabende Fluoreszenzlampen zur Verfügung stehen, haben die Fluoreszenzanalyse und das Mikroskopieren und Photographieren im Fluoreszenzlicht und im Ultraviolett immer mehr an Bedeutung gewonnen, und dauernd werden noch neue Anwendungsgebiete erschlossen. Biologie und Medizin, Lebensmittelchemie und Kriminalistik, Archäologie und Geologie, eine große Zahl von Industriezweigen ziehen Nutzen aus dieser neuen Art der Analyse und der Möglichkeit, Einzelheiten zu beobachten, die sich bisher der Wahrnehmbarkeit entzogen. Aus der ungeheuren Fülle des Stoffes können hier nur einige besonders anschauliche Tatsachen herausgegriffen werden.

Pharmazie und Bakteriologie

Bei der Untersuchung von Drogen und dem genauen Nachweis ihrer Wirkstoffe hat das neue Verfahren schon zu schönen Erfolgen geführt. Beim Bestrahlen von Drogen und Pflanzenpulvern mit ultraviolettem Licht verraten uns die auftretenden Fluoreszenzfarben Unterschiede im Material, die man mit bloßem Auge nicht erkennen kann. So vermag der Geübte oft mit einem Blick den Gehalt an fremder Beimischung festzustellen. In Extrakten kann man die Anwesenheit, bzw. das Fehlen der geforderten Heilstoffe leicht erkennen. So läßt sich Morphium noch in einer Verdünnung von 1/30 000 000 nachweisen. Das farblose Chinin verschluckt das ultraviolette Licht und strahlt intensiv hellblau.

Wir wissen, Chinin ist ein spezifisches Mittel gegen Malaria. Unter dem Mikroskop kann man genau verfolgen, wie in einer Chininlösung die Erreger der Malaria gewissermaßen angefärbt werden. Wie sich beim Färben der Farbstoff aus dem Färbebad auf der Faser verdichtet, sich auf ihr und in ihr niederschlägt, so reichert sich auch das Chinin in den Malariaparasiten an und bringt sie zum Absterben. Bakterien fluoreszieren meist deutlich, je nach der Art in verschiedenem Grade und verschiedener Farbe. Schimmelpilze und andere Mikroorganismen zeigen ebenfalls typische Leuchterscheinungen. Im Mikroskop kann man im Fluoreszenzlicht sogar eine Fülle von Einzelheiten des inneren Baus mancher Mikroorganismen erkennen, die sonst schwer zu entdecken sind. Der Tuberkelbazillus leuchtet gelblichrosa, der Typhusbazillus schwach cremefarbig usw. Botanische und anatomische Präparate verraten im Fluoreszenzmikroskop mehr als bei der Betrachtung im Tageslicht. In manchen Fällen bietet die Fülle der verschiedenen Fluoreszenzfarben einen geradezu magischen Anblick.

Fluoreszierende Versteinerungen

Besonders interessant sind die Aufnahmen von Fossilien aus dem Solnhofener Plattenkalk. In diesem Material hat sich in den Versteinerungen eine winzige Spur der organischen Stoffe der abgestorbenen Tiere erhalten. Die Menge der organischen Stoffe ist so gering, daß sie mit den bisherigen analytischen Mitteln schwer nachzuweisen war. Unter der Ultraviolettlampe aber leuchten die Versteinerungen stark hellgelb auf, während das Gestein selbst dunkel bleibt. So erkennt man genau die Umrisse des ehemaligen Fisches oder sonstigen Lebewesens, man sieht deutlich die langen Fühler eines Krebses, man erkennt genau die Zäckchen an seinen Scheren. So zaubert uns die Fluoreszenzerscheinung wieder die Gestalt eines Wesens vor, das einst im Jurameer lebte, das vor vielen Millionen von Jahren das schwäbische Land überflutete.

Fluoreszenzanalyse in der Technik

Über die Anwendung der Fluoreszenzanalyse für rein technische Untersuchungen, wie Prüfung von Rohstoffen, Untersuchung von fertigen Produkten auf gleichmäßige Beschaffenheit, Erkennung von Beimischungen usw., ließen sich Bände füllen. Die Textilindustrie, die Gerberei und Papierfabrikation, Gummi- und Farbenindustrie und viele andere Betriebe verwenden täglich das neue Verfahren und können es nicht mehr missen. Besonders wertvoll bei der Fluoreszenzanalyse ist, daß die Untersuchung keine großen Vorbereitungen erfordert, sich rasch durchführen läßt, und daß der Gegenstand bei der Prüfung unbeschädigt bleibt. An der Fluoreszenz läßt sich mit einem Blick echte Makobaumwolle von Makonachahmungen und echtes Kamelhaar von gefärbter Wolle unterscheiden. In vielen Fällen kann man feststellen, ob zwei gleich aussehende Gewebe mit demselben Farbstoff gefärbt sind oder nicht.

Die verschiedenen Kunstharze von bernsteinartigem Aussehen lassen sich rasch und sicher vom teuren Naturbernstein unterscheiden. Wichtig für die Gummiindustrie ist die Erkennungsmöglichkeit von Zusatzstoffen aller Art. Ferner kann man gewisse Veränderungen, die der Kautschuk beim Lagern erfährt, genau verfolgen.

Eine ganz eigenartige Anwendung findet die Fluoreszenzanalyse bei der Seidenraupenzucht. Wenn eine Seidenraupe sich einzuspinnen beginnt, fluoreszieren bestimmte Teile ihres Körpers gelb. Dies ist aber nur bei gesunden Tieren der Fall. Der Seidenraupenzüchter

DIE FLUORESZENZANALYSE

besitzt in der Fluoreszenzlampe eine sichere Hilfe zur Erkennung der kranken Tiere, die aus der Zucht ausscheiden müssen.

Zollamtliche Untersuchungen

Auch auf den Zollämtern wird die Analysenlampe häufig angewandt. Ein Beispiel: Ungebleichte Strohgeflechte fluoreszieren nur auf der Innenseite des Strohs, und zwar blau, während die Aussenseite nur matt hellbraun erscheint; sie sind zollfrei. Gebleichtes Geflecht hingegen leuchtet auf beiden Seiten hellbraun; es muß verzollt werden. Wer also gebleichtes Strohgeflecht über die Grenze bringen möchte, erkundige sich zunächst, ob das Zollamt eine Fluoreszenzlampe besitzt! Das bloße Auge kann den Unterschied kaum erkennen.

Chemie und Kriminalistik

Vom Zollamt zum Gericht ist es manchmal nicht weit; so kommen wir jetzt zur Besprechung einer nicht sehr angenehmen Anwendung unserer Fluoreszenzlampe, zu ihrem Gebrauch in der gerichtlichen Chemie. Häufig wird vom Gericht der Chemiker zu Rate gezogen, wenn es sich darum handelt, festzustellen, ob ein Giftmord vorliegt, ob eine geschickte Fälschung untergeschoben wurde, ob Schriftstücke nachträglich verändert wurden, ob auf einem Scheck die ursprünglich eingerückte Zahl ausradiert und überschrieben wurde usw.

Banknotenfälschung

Alles kann die Fluoreszenzanalyse natürlich auch nicht leisten, aber doch erstaunlich viel. Erleichtert wird in vielen Fällen die Aufgabe des Gerichtschemikers dadurch, daß er unter der Fluoreszenzlampe nur festzustellen hat, ob zwei Gegenstände gleicher Herkunft sind oder nicht. Dabei braucht er z.B. nicht zu untersuchen, mit welchen Farben eine Banknote bedruckt ist, sondern nur, ob das zu untersuchende Stück dieselben Eigenschaften besitzt wie eine echte Banknote. Eine Fälschung wird unter der Lampe in anderen Farben leuchten als ein echter Schein, und zwar Papier wie Farbstoff. Es ist heute schwer geworden, Banknoten so zu fälschen, daß der Gerichtschemiker es nicht sofort merkt. Der Fälscher müßte feststellen können, ob sein Papier die gleichen Leuchterscheinungen zeigt wie das der Notenbank. Im Banknotenpapier kann man kleine farbige Fäserchen sehen; der Fälscher müßte also in seinem Papier die gleichen Fasern verarbeiten und zum Druck dieselben Farbstoffe und Firnisse sich verschaffen wie die staatliche Druckerei. Geldscheine herzustellen, die im Tageslicht genau so aussehen wie echte, ist schon schwer, aber dem Fluoreszenzlicht standzuhalten, ist falschen Scheinen kaum möglich.

Etwas für Briefmarkensammler

Der Briefmarkensammler ist manchmal in Sorge, ob das teure Stück, für das er vielleicht einige hundert Mark ausgegeben hat, auch wirklich echt ist. Es ist zuweilen unglaublich, mit welchem Geschick Briefmarkenfälscher vorgehen. Zu wundern braucht man sich eigentlich nicht. Wenn man bedenkt, daß eine kleine Briefmarke in Sammlerkreisen unter Umständen teurer bewertet wird als ein Einfamilienhaus, dann begreift man, daß es ein einträgliches Geschäft ist, falsche Marken in den Handel zu bringen oder beschädigte Stücke geschickt zu heilen. Der Nichtsammler versteht oft nicht, daß es den Wert einer Marke herabsetzen soll, wenn ein Zäckchen fehlt oder etwa ein Riß von einem halben Millimeter an einem Eckchen ist. Aber die Sammler empfinden nun einmal so. Teure Briefmarken haben ihren Kurs wie ein Wertpapier. Bei einer Inflation bleiben sie wertbeständig wie eine goldgedeckte Devise. Unter der Lampe verraten sich Stellen, wo an eine beschädigte Briefmarke vorsichtig ein Stückchen angeklebt wurde, durch die helle Fluoreszenz des Klebstoffs. Ein geschickter Fälscher muß also schon darauf achten, daß er nichtfluoreszierenden Klebstoff anwendet. Manchmal sind gebrauchte Briefmarken, besonders Marken auf wirklich gelaufenen Briefen, wertvoller als die ungestempelten Stücke. Einen Stempel nachzumachen ist gar nicht schwer, nur nehme sich der Fälscher in acht, daß er für seine Stempelfarbe auch die gleichen Substanzen verwendet wie z.B. die Post; denn die Fluoreszenz könnte die Fälschung leicht verraten. Auch die Nachahmung ganzer Marken läßt sich in der Regel nachweisen, wenn man zum Vergleich das echte Stück danebenlegen kann, wie das die großen Markenhändler tun. Auf jeden Fall kann diese neue Methode die Briefmarkensammler beruhigen.

Urkundenfälschung

Nachträgliche Veränderungen auf wichtigen Schriftstücken, z.B. Akten, Wechseln und Schecks, lassen sich meist leicht ermitteln. Mit bloßem Auge fällt es vielleicht nicht auf, wenn auf einem Scheck die ursprüngliche, mit Tinte geschriebene Zahl auf chemischem Wege recht vorsichtig entfernt und dann mit Schreibmaschinenschrift eine andere eingesetzt wurde. Die Photographie des ultraviolett bestrahlten Schecks enthüllt uns schnell das Geheimnis. So sind schon viele Urkundenfälschungen aufgedeckt worden.

Verletzung des Briefgeheimnisses

Einen wichtigen versiegelten Brief unberechtigterweise zu öffnen, kann manchmal reizvoll erscheinen, besonders wenn man darin Geldscheine vermutet; das zerstörte Siegel läßt sich mit etwas Geschick und Siegellack der gleichen Farbe oft wieder unauffällig flicken, mitunter lohnt es auch, das Petschaft nachzumachen. So wäre alles wieder gut, wenn es nicht die heimtückische Fluoreszenzlampe gäbe. Es ist nämlich sehr selten, daß zwei Siegellackarten in ihrer Zusammensetzung vollkommen gleich sind, auch wenn man sie äußerlich nicht unterscheiden kann. Unter unserer Lampe kommt die Verschiedenheit doch zum Ausdruck.

Fingerabdrücke u.a.

Geringe Spuren von Schweiß und Fett verraten sich auf den berührten Gegenständen durch ihre Fluoreszenz. So kann man leicht

Fingerabdrücke entdecken und photographieren, die sonst der Beobachtung entgehen würden. Ein Sachverständiger auf dem Gebiete der gerichtlichen Chemie erzählt uns folgenden Fall: Bei einer Schlägerei war mit Messern gearbeitet worden. Der Angeklagte bestritt hartnäckig, das Messer gezogen zu haben, und tatsächlich fanden sich auf seinem Messer nicht die geringsten Blutspuren. Das Messer war sauber und blank. Unter der Fluoreszenzlampe aber leuchtete die Klinge ganz deutlich, und zwar so weit, wie es der Tiefe der Wunde entsprach.

Sonstiges aus der Praxis des Gerichtschemikers

Die Tätigkeit des Gerichtschemikers verlangt nicht nur genaues und vorsichtiges Arbeiten, nicht nur Beherrschung der zuverlässigsten Methode, sie verlangt auch ein großes Maß an Scharfsinn und Findigkeit, vor allem ein starkes Verantwortungsbewußtsein. Denn in der Regel hängt von dem Gutachten des Gerichtschemikers ein Lebensschicksal ab.

Blutspuren

Häufig handelt es sich um den Nachweis, ob ein rotes Fleckchen Menschenblut ist oder nicht. Die Frage, ob Blut oder ein roter Farbstoff vorliegt, ist in der Regel durch eine mikroskopisch-chemische Prüfung schnell und eindeutig festgestellt. Nicht so einfach ist der Nachweis zu führen, daß es sich um Menschenblut handelt. Hierzu muß eine besondere physiologische Reaktion herangezogen werden. Diese Probe beruht auf der Fähigkeit des Tierblutes, sich gegen schädliches, artfremdes Eiweiß dadurch zu wehren, daß der Organismus besondere Schutzstoffe aufbaut; diese machen das fremde Eiweiß unschädlich, indem sie es in unlöslicher Form niederschlagen und so verhindern, im eigenen Organismus weiterzuwirken. Wenn man also in die Blutbahn eines lebenden Tieres vorsichtig geringe Mengen menschliches Blutserum einspritzt, so bildet sich in dem Blut des Tieres nach einiger Zeit ein Schutzstoff dagegen. Das Blutserum des Tieres hat dann die Fähigkeit, das schädliche menschliche Blutserum niederzuschlagen. Bringt man dieses tierische Blutserum mit einem wässerigen Auszug des fraglichen Blutflecks zusammen, so entsteht ein Niederschlag oder zum mindesten eine Trübung, wenn der Fleck von Menschenblut herrührt. Die Probe ist außerordentlich empfindlich; man kann auch noch alte eingetrocknete Blutspuren auf diese Weise untersuchen, was ein Vorteil bei schon länger zurückliegenden Fällen ist.

Giftmorde

Bei Giftmordverdacht wird selbstverständlich sofort der Chemiker zu Rate gezogen. Waren mineralische Gifte verwendet worden, so sind der Nachweis und auch die Bestimmung der angewandten Giftmengen meist nicht zu schwierig. In früheren Zeiten und auch jetzt noch in Ländern, wo die Bevölkerung von der Leistungsfähigkeit der analytischen Chemie kaum Kenntnis hat, spielt Arsenik eine große Rolle. Es ist aber das Dümmste, was ein Giftmörder tun kann, wenn er zum Arsenik greift. Arsenik ist eine Verbindung des Elementes Arsen mit Sauerstoff. Die Probe auf Arsen ist sehr empfindlich, und Arsen als Element überdauert Jahrmillionen. Man kann es also mit Sicherheit auch dann noch nachweisen, wenn die Leiche schon völlig zerfallen ist. Die zu untersuchende Substanz wird nach geeigneter Vorbehandlung mit Zink und Säure zusammengebracht; aus dem sich entwickelnden Wasserstoff und dem arsenhaltigen Material bildet sich nun der gasförmige Arsenwasserstoff. Dieser wird durch eine Glasröhre von besonderer Form geleitet, die an einer Stelle zum Glühen erhitzt wird. In der Glühhitze zerfällt der Arsenwasserstoff in Wasserstoff, der entweicht, und in metallisches Arsen, das sich als dunkler Ring an der Glasröhre niederschlägt. Noch ein hunderttausendstel Gramm Arsen kann man auf diese Weise erkennen. Es genügt allerdings nicht, daß Arsen überhaupt nachgewiesen wird; denn normalerweise sind im menschlichen Körper immer Spuren von Arsen vorhanden. Vielfach enthält auch die Erde geringe

Mengen von Arsen. Zum sicheren Beweis des Giftmordes müssen größere, über die Norm hinausgehende Mengen nachgewiesen werden. Arsenik hat in der Geschichte der großen Verbrechen eine bedeutende Stellung eingenommen. Mit Arsenik hat die berühmte Marquise de Brinviellers ihre Gatten, Verwandten und eine Anzahl ihrer Bekannten ermordet. Damals im 17. Jahrhundert konnte sie ihr Morden so lange durchführen, weil der Giftnachweis noch nicht möglich war. Auch in unserem Jahrhundert sind einige ähnliche Fälle vorgekommen. Vor einigen Jahren noch ging durch die Zeitungen die Nachricht, daß in dem ungarischen Dorf Tiszakürt eine Hebamme namens Fazekas vierundfünfzig Menschen durch vorher mit Arsenik präpariertes Obst und Gemüse vergiftet hat oder vergiften ließ. Nachdem die Behörde auf die geheimnisvollen Todesfälle aufmerksam geworden war, gelang es rasch, die einzelnen Morde auf chemischem Wege aufzuklären.

Etwas schwieriger ist der Nachweis mancher giftigen Kohlenstoffverbindungen, da diese sich vielfach im Laufe der Zeit zersetzen. Aber auch hier verfügt der Chemiker, besonders bei den beliebten Giftstoffen, wie z.B. Strychnin, über sehr empfindliche Nachweismethoden. Zur Ermittlung des Strychnins wird außer chemischen Reaktionen auch noch der Tierversuch herangezogen. Man gibt einem Frosch eine kleine Menge der fragwürdigen Substanz ein und beobachtet dann, ob die typischen Strychninkrämpfe auftreten.

Schriftenuntersuchungen

Sehr wichtig ist die chemische Untersuchung, wenn der Verdacht der Urkundenfälschung gegeben ist. Manchmal sind nur geringfügige Änderungen gemacht worden, etwa aus einer 0 eine 9, aus einer 1 eine 4. Außer der Fluoreszenzanalyse leistet hier die mikroskopische Untersuchung hervorragende Dienste. Das Mikroskop enthüllt uns häufig, ob Radierungen vorgenommen wurden, bei denen das Papier, auch bei vorsichtigster Durchführung, stets ein bißchen aufgerauht wird. Außer dem Chemiker wird bei Schriftenuntersuchungen häufig der Graphologe zu Rate gezogen. Gerade die Schriftuntersuchung verlangt großes Können und die Arbeit ist sehr mühselig. Einzelne Chemiker haben es auf diesem Gebiet zu großer Meisterschaft gebracht, und es ist schon gelungen, alte Schriftzüge, die durch absichtliches Übergießen mit Tinte verdeckt waren, wieder zu entziffern. Im Lauf der Zeit verändert sich die Tinte, die Schrift verblaßt oder dunkelt nach, die Tintenschicht verkrustet, so daß der Spezialist oft feststellen kann, ob in einem Schriftstück nachträgliche Änderungen vorgenommen wurden, selbst bei derselben Tinte.

Übermalung alter Ölgemälde

Unentbehrlich geworden ist die Fluoreszenzanalyse dagegen zur Untersuchung von alten Ölgemälden. Wir alle wissen, daß schlecht erhaltene Gemälde vielfach nachträglich übermalt worden sind, um einen besseren Erhaltungszustand vorzutäuschen und ihren Wert im Kunsthandel zu steigern. Diese Übermalungen verraten sich leicht unter unserer Lampe durch ihre unterschiedliche Fluoreszenz, besonders dann, wenn bei der Ausbesserung Farbstoffe und Firnisse verwandt wurden, wie man sie in früheren Jahrhunderten nicht zur Verfügung hatte. Die chemische und physikalische Untersuchung von Gemälden hat sich zu einer Spezialwissenschaft entwickelt. Die moderne Mikroanalyse, Ultraviolettstrahlen und Röntgenstrahlen sind die wichtigsten Hilfsmittel bei diesen Arbeiten. Wenn man z.B. mit Röntgenstrahlen feststellt, daß bei einem „alten" Gemälde von Holbein unmittelbar unter der Farbschicht sich ein Nagel ganz moderner Form befindet — ein solcher Fall ist vorgekommen —, dann ist diesem Kunstwerk gegenüber etwas Vorsicht zu empfehlen. Ein holländischer Kunstkenner verriet mir, daß Leonardo da Vincis berühmte Mona Lisa in mehreren Ausfertigungen existiere, die nach der Meinung der Besitzer alle *die* Mona Lisa sein sollen. Die Untersuchung auf Echtheit ist noch im Gange. Ultraviolettes Licht und Röntgenstrahlen werden zum mindesten zeigen, ob diese Gemälde aus Leonardo da Vincis Zeit stammen können oder nicht.

Knochenfunde in vorgeschichtlichen Gräbern

Die Knochen bestehen aus kohlensaurem und phosphorsaurem Kalk und ausserdem aus organischen Stoffen. Kalziumkarbonat und Phosphat fluoreszieren kaum, während die organischen Bestandteile hell aufleuchten. Knochen, die geglüht worden sind, enthalten keine organische Substanz mehr, fluoreszieren also auch nicht. Diese Tatsache kann man benutzen, um zu ermitteln, ob Knochenfunde aus prähistorischen Gräbern, die dreitausend Jahre und mehr alt sind, von einer Erd- oder Brandbestattung herrühren. Die Lösung dieser Frage ist von großer geschichtlicher Bedeutung.

Phosphoreszenz

Nimmt man einen fluoreszierenden Stoff aus dem unsichtbaren ultravioletten Lichtkegel heraus, so erlischt die Leuchterscheinung augenblicklich. Genauere physikalische Untersuchungen haben ergeben, daß die Leuchterscheinungen in Wirklichkeit aber noch einen winzigen Bruchteil einer Sekunde nachdauern. Unter besonderen Umständen kann aber das Nachleuchten so verlängert werden, daß es noch sekunden-, in einzelnen Fällen sogar noch stundenlang wahrnehmbar bleibt.

Bologneser Leuchtsteine

Zu den phosphoreszierenden Stoffen gehören auch die sogenannten Bologneser Leuchtsteine, die 1602 in Bologna entdeckt wurden. Ihrer chemischen Beschaffenheit nach sind diese Leuchtmassen zusammengesinterte Gemische aus Spuren von Schwermetall-Schwefelverbindungen, viel Schwefelkalzium und etwas Alkalisalzen. An die Stelle Schwefelkalzium können auch Schwefelstrontium und Schwefelbarium treten (Strontiumsalze dienen zur Herstellung von rotem, Bariumsalze von grünem Feuerwerk). Diese Leuchtmassen kann man heute ziemlich billig herstellen. Sie verbreiten nach kurzer Beleuchtung mit Ultraviolett oder auch mit Sonnenstrahlen stunden-

DIE FLUORESZENZANALYSE

lang ein sanft strahlendes, buntes Licht; die Farbe dieses Lichtes hängt von der Zusammensetzung ab.

Nah verwandt mit den Bologneser Leuchtsteinen, den sogenannten Erdalkaliphosphoren, ist die Leuchtmasse der Uhren mit Leuchtziffern. Diese Masse besteht meist aus Sidotblende, das ist hexagonal kristallisiertes Zinksulfid. Man kann aber neben seiner Armbanduhr nicht dauernd eine Ultraviolettlampe tragen. Deshalb hat man in die Leuchtmasse winzige Mengen eines radioaktiven Präparates gemischt, dessen unsichtbare radioaktive Strahlen das Zinksulfid zum Leuchten bringen.

Chemolumineszenz

Die Bezeichnung Phosphoreszenz für das Leuchten der Bologneser Steine und der Sidotblende ist schlecht gewählt; denn sie erinnert an das bekannte Leuchten des Phosphors. Das Leuchten des Phosphors ist jedoch ein grundsätzlich anderer Vorgang. Es wird nicht durch Bestrahlen hervorgerufen, sondern durch einen langsam verlaufenden chemischen Prozeß, durch die Vereinigung des Phosphors mit dem Luftsauerstoff. Man spricht deshalb hier von Chemolumineszenz. Die Reihe der Chemolumineszenzerscheinungen gehört also nicht mehr hierher. Ich will nur kurz darauf eingehen.

Kaltes Licht

Damit ein Körper Licht auszusenden beginnt, muß man ihn bis zum Glühen erhitzen. Bei etwa 520° beginnt die dunkle Rotglut, die bei höherer Temperatur, etwa bei 900°, in Gelbglut übergeht und schließlich bei etwa 1200° durch grelle Weißglut abgelöst wird. Wollen wir den Draht einer elektrischen Glühbirne zum Leuchten bringen, so müssen wir ihn durch den Strom auf Weißglut erhitzen. Fast die ganze Energie, die wir in die elektrische Glühbirne leiten, wird in Form von Wärmestrahlen abgegeben, und nur etwa zwei Prozent werden uns als Licht gespendet. Rund achtundneunzig Prozent des Stromes dienen zur Erzeugung von Wärme, die in diesem Falle für uns nutzlos ist. Bei der Chemolumineszenzerscheinung des Phosphors aber wird schon bei gewöhnlicher Temperatur Licht ausgesandt, und der größte Teil der umgesetzten Energie wird in Form von Licht ausgestrahlt. Man spricht hier von kaltem Licht. Die Erzeugung von kaltem Licht für Beleuchtungszwecke ist ein technisches Problem ersten Ranges.

XI. Neue Wege der Kohlechemie

Der Anfang der Kohleveredlung: das Leuchtgas

Im Jahre 1792 wurde in England zum erstenmal Leuchtgas fabriziert. Damit war der Grund gelegt zur Chemie der Kohleveredlung, die bereits im Laufe des 19. Jahrhunderts sich zum weitaus bedeutendsten Zweig der angewandten organischen Chemie entwickeln sollte. Zunächst freilich war der direkte Einfluß der Erfindung des Leuchtgases auf die Chemie nicht gerade groß. Das Leuchtgas wurde nur seiner Leuchtkraft und seines Heizwertes wegen hergestellt.

Die Leuchtgasfabrikation vollzieht sich bekanntlich so, daß Kohle in geeigneten Retorten unter Luftabschluß bis zur beginnenden Weißglut erhitzt wird. In der Retorte bleibt Koks zurück, der als Brennmaterial sowie bei metallurgischen Prozessen, vor allem im Hochofen, zur Abscheidung der Metalle aus ihren Erzen dient. Diese Verwendung des Kokses hat im Laufe der Zeit einen derartigen Umfang angenommen, daß die Produktion der Gaswerke bei weitem nicht ausreiche und besondere Kokereien für die Zwecke der Eisenindustrie geschaffen werden mußten. So ungeheuer wichtig die Verwendung des Kokses in der anorganischen chemischen Industrie auch war und heute noch ist — in der organischen Industrie, also zur Herstellung von Kohlenstoffverbindungen, spielte er lange Zeit gar keine und auch späterhin nur eine ziemlich untergeordnete Rolle.

Teer, ein verachtetes Nebenprodukt

Die anderen Nebenprodukte der Leuchtgasfabrikation, das Ammoniakwasser und der Teer, die mit dem Leuchtgas zunächst dampfförmig aus den glühenden Kohlen entweichen, fanden anfangs ebenfalls wenig Beachtung. Das Ammoniakwasser diente bald zur Gewinnung von Ammoniak. Um die Jahrhundertwende begann man, daraus auch Düngesalze, insbesondere Ammonsulfat, im Großen darzustellen. Das war wieder ein anorganischer Prozeß. Der Teer war bis 1850 ein lästiges Nebenprodukt. In geringem Umfang benutzte man ihn zum Anstrich von Holz, zur Herstellung von Ruß, zur Not auch als Feuerungsmaterial. Der Gasfabrikant war froh, wenn er das übelriechende Präparat ohne viel Unkosten los wurde. Eine begehrte Handelsware wurde er erst, als man mit schwerem Teeröl die Eisenbahnschwellen und Grubenhölzer zu tränken begann, um sie vor Fäulnis zu schützen.

Teer, ein Rohstoff von unschätzbarem Wert

Im Jahre 1845 wurde im Steinkohlenteer Benzol nachgewiesen. Der junge Perkin stellte 1856 den ersten Anilinfarbstoff, das Mauveïn, her. Von da entfaltete sich die Industrie der künstlichen Farbstoffe sehr rasch. Anilin und die anderen Zwischenprodukte der Farbenfabrikation werden zum größten Teil aus den Bestandteilen des Teeres aufgebaut. Aus Benzol, Toluol, Phenol, Naphthalin, Anthrazen und aus vielen anderen Verbindungen, die im Teer in größerer oder kleinerer Menge enthalten sind, wurden späterhin nicht nur Farbstoffe, sondern auch Sprengstoffe und künstliche Arzneimittel in immer wachsender Zahl hergestellt. Hand in Hand damit ging die Entwicklung der wissenschaftlichen organischen Chemie immer rascher vor sich. Die Chemie der Teerprodukte hat in der zweiten Hälfte des 19. Jahrhunderts zweifellos die führende Stellung in der wissenschaftlichen und technischen Chemie eingenommen. So wurde aus dem verachteten Teer gar rasch ein gesuchter Artikel. Die Produktion der deutschen Gasfabriken reichte nicht aus, und wir führten längere Zeit Teer aus England ein. Die Weltproduktion an Teer mag etwa 9 Millionen Tonnen jährlich betragen. Davon entfällt auf Deutschland z.Z. etwas mehr als 1 Million. Die Verarbeitung der Teerbestandteile zu all den schönen Farbstoffen und anderen Erzeugnissen bedeutet einen Veredlungsprozeß von allergrößter volkswirtschaftlicher und kultureller Tragweite.

NEUE WEGE DER KOHLECHEMIE

Natürlich ist in den letzten Jahrzehnten die Entwicklung auch hier immer weiter vorangegangen. Aus dem Teer sind bisher reichlich 150 Verbindungen in reinem Zustand isoliert worden. Neue, schönere und echtere Farbstoffe, lebenswichtige Arzneimittel, herrliche Duftstoffe, wertvolle photographische Hilfsmittel sind aus den Teerbestandteilen in neuerer Zeit aufgebaut worden. Weit über 100 000 Kohlenstoffverbindungen sind letzten Endes aus Steinkohlenteer gewonnen worden.

Eine dringende Notwendigkeit: künstliches Benzin

In den letzten Jahrzehnten sind nun neue Aufgaben an den Chemiker herangetreten, die zur Erschließung grundsätzlich andersartiger Wege der Kohleveredlung geführt haben. Die rasche Steigerung der Autoindustrie und des Flugwesens, die Umstellung der Schiffe auf Ölfeuerung hatten eine fast beängstigende Erhöhung des Verbrauchs von Benzin und anderen Erdöldestillaten zur Folge. Während die Weltförderung an Erdöl 1900 etwa 20 Millionen Tonnen betragen hatte, war sie 1935 auf etwa 225 Millionen Tonnen angewachsen. Während die Kohlevorräte noch auf viele Jahrhunderte hinaus reichen, ist zu befürchten, daß die Erdölvorräte in einigen Jahrzehnten erschöpft sein werden. Der Chemiker befindet sich wieder in einer ähnlichen Lage wie um die Jahrhundertwende, als die Erschöpfung der chilenischen Salpeterlager für die nahe Zukunft zu drohen schien und er das Problem zu lösen hatte, wie Salpeter und andere Düngemittel aus dem Stickstoff der Luft zu gewinnen seien.

Das Erdöl besteht im wesentlichen aus Kohlenwasserstoffen, und die Aufgabe des Chemikers ist heute, solche Kohlenwasserstoffe aus Steinkohle oder Braunkohle künstlich zu schaffen. Diese Aufgabe ist besonders wichtig für Deutschland, das nur geringe Petroleumvorkommen aufzuweisen hat und auf die Einfuhr von Benzin und Öl angewiesen ist.

Auch hier: der Weg ist lang

Es ist ein langer Weg von der Laboratoriumserfindung bis zum Verkauf des großtechnischen Produktes. Vergegenwärtigen wir uns einige interessante Daten. Zunächst die Entwicklungsgeschichte des Indigos:

1880 führte Adolf von Baeyer die erste wissenschaftliche Synthese des Indigos durch.

1890 wurde eine technisch mögliche Synthese ersonnen.

Von 1891 bis 1897 dauerten die Vorversuche zur Überwindung der technischen Schwierigkeiten.

1900 erst begann die Großproduktion.

Ähnlich ging es mit der Ammoniaksynthese:

1904 begann F. Haber, damals Privatdozent in Karlsruhe, mit seinen wissenschaftlichen Untersuchungen über die Bildung von Ammoniak aus Stickstoff und Wasserstoff unter hohem Druck.

1908 unternahm es C. Bosch in der Badischen Anilin- und Sodafabrik mit einem Stab von Mitarbeitern, die ungeheuren technischen Schwierigkeiten des Verfahrens zu lösen.

1911 konnte man den ersten Versuchsbetrieb in Gang bringen.

1913 fing man mit der Fabrikation in Oppau an.

1917 wurden in den Leunawerken 100 000 Tonnen Ammoniak erzeugt,

1928 in Leuna und Oppau zusammen rund 800 000 Tonnen.

Es ist daher ein Glück, daß schon vor Jahren Bergius die ersten Versuche zur Gewinnung von künstlichem Benzin durchführte.

1924 setzte die Badische Anilin- und Sodafabrik die Versuche Bergius' auf breiterer Grundlage fort.

1927 erstand in Leuna die Großfabrikanlage.

1932 fing die Großproduktion von Benzin mit zunächst 100 000 Tonnen jährlich an.

1934 konnte die Anlage ausgebaut werden für eine Jahresleistung von 300 000 Tonnen.

Diesen zähen Arbeiten in aller Stille ist zu verdanken, daß es heute

NEUE WEGE DER KOHLECHEMIE

möglich erscheint, Deutschland von ausländischem Erdöl unabhängig zu machen. Es ist ein besonders glücklicher Umstand, daß man im Rahmen der Ammoniaksynthese nach Haber-Bosch gelernt hatte, großtechnisch mit Drucken von 200–300 Atmosphären bei beginnender Rotglut zu arbeiten. So konnte man die hier gesammelten Erfahrungen übertragen auf das Problem der Benzinsynthese, oder, wie sie häufig auch genannt wird, der Kohleverflüssigung, die unter ganz ähnlichen Bedingungen vor sich geht wie die Ammoniaksynthese.

Die Kohle besteht nicht, wie man auf den ersten Blick annehmen könnte, aus freiem Kohlenstoff, sondern sie ist ein Gemenge von zahlreichen hochmolekularen Verbindungen, d.h. von Verbindungen, die aus sehr zahlreichen Atomen bestehen. Wird nun die Kohle bei hoher Temperatur mit Wasserstoff unter hohem Druck zusammengebracht, dann brechen die komplizierten Verbindungen unter Wasserstoffaufnahme auseinander. Es entstehen Stoffe, die nur wenige Kohlenstoffatome und verhältnismäßig viel Wasserstoffatome enthalten, d.h. Kohlenwasserstoffe von Benzincharakter.

Die Verflüssigung der Kohle

Das ursprüngliche Verfahren von Bergius arbeitete ohne weitere Zusätze. Die Ausbeute an Benzin aus Kohle war dabei aber noch unbefriedigend, das Verfahren war großtechnisch noch nicht reif. Der wesentliche Fortschritt der langjährigen, mühevollen Versuche in Ludwigshafen und Oppau war die Auffindung geeigneter Katalysatoren, welche die Bindung des Wasserstoffs an die Kohle ganz wesentlich beschleunigen. Die Katalysatoren waren zunächst Schwefelverbindungen des Wolframs und eines anderen wolframähnlichen Metalls, des Molybdäns.

Die Sumpfphase

Die Kohleverflüssigung geht im wesentlichen folgendermaßen vor sich: Gepulverte Kohle, vor allem getrocknete Braunkohle, wird mit

Teer zu einer zähen Paste verrieben, die rund 50% feste Bestandteile enthält. Dieser Paste wird auch der pulverförmige Katalysator in geringer Menge zugesetzt. Die Paste wird angeheizt und durch besondere Hochdruckpumpen in die Öfen hineingepreßt, wo sie bei einer Temperatur von 410–460° und unter einem Druck von 200–300 Atmosphären mit Wasserstoff zur Reaktion gebracht wird. Ein solcher Hochdruckofen ist eine gewaltige Röhre von 18 Meter Länge und 80 cm Durchmesser mit einem Gewicht von 50 Tonnen. In seiner äußeren Form gleicht er weitgehend den Hochdrucköfen der Ammoniaksynthese. Der Wasserstoff wird nach dem gleichen Verfahren wie bei der Ammoniaksynthese aus Koks und Wasserdampf hergestellt. Da der Wasserstoff mit der breiigen Kohlepaste zur Reaktion gebracht wird, spricht man hier von der Druckhydrierung in der Sumpfphase. Hierbei wird die Kohle zum Teil in Benzin, zum Teil in schwerer siedende Öle umgewandelt. Es schließt sich eine Destillation an, bei der bis 170° siedendes Benzin und von 170–325° siedendes Mittelöl abgetrennt werden. Das höher siedende Schweröl wandert in den Prozeß zurück zum Anteigen neuer Kohlepaste.

Die Gasphase

Das Mittelöl wird verdampft und dann im Hochdruckofen abermals mit Wasserstoff bei 200 Atmosphären Druck zusammengebracht. Bei dieser Hydrierung in der Gasphase liegt der Katalysator in großen Brocken festgeordnet im Ofen. Das Mittelöl wird nun weitgehend in Benzin, zum Teil sogar in gasförmige Kohlenwasserstoffe umgewandelt. Durch Destillation wird das Rohbenzin gereinigt. Es ist ein gewaltiger Eindruck, wenn man in den Leunawerken vor den turmhohen Destillierkolonnen steht und sieht, wie hinter dem Schauglas das künstliche Benzin in armdickem Strahl aus dem Destillierofen hervorschießt.

Die Frage der Wirtschaftlichkeit

Die bei der Kohlehydrierung entstehenden gasförmigen Kohlenwasserstoffe, vor allem das Propan, finden als Treibgas und als

NEUE WEGE DER KOHLECHEMIE

Heizgas Verwendung. Auf dem Lande, wo kein Gas vorhanden ist, kann man sich leicht mit Propan behelfen. Ein Stahlzylinder mit komprimiertem Propan genügt in einem Haushalt für einige Monate. Aus einer Tonne Kohle werden rund 600 Kilo Benzin erhalten. Da für die Herstellung des Wasserstoffs, wie wir hörten, aber ebenfalls Kohle gebraucht wird, entspricht der Gewinnung von einer Tonne künstlichem Benzin ein Gesamtverbrauch von 3,5 Tonnen Kohle. Selbst bei Deckung des ganzen deutschen Bedarfs an Benzin wäre nur eine verhältnismäßig geringe Steigerung der deutschen Kohleförderung nötig. Das künstliche Benzin ist heute privatwirtschaftlich auf dem Weltmarkt natürlich noch nicht konkurrenzfähig. Vor etwa 3 Jahren kostete Benzin aus Erdöl etwa 6 Pfennig das Liter, das synthetische aber rund 20 Pfennige. Im Laufe der Zeit wird sicherlich eine Verbilligung eintreten, aber auch heute schon ist im Rahmen der national gebundenen Wirtschaft die Benzinsynthese durchführbar unter Bedingungen, die für den Verbraucher tragbar sind.

Ein schönes Nebenprodukt: reiner Schwefel

In der Braunkohle ist auch etwas Schwefel enthalten, der sich bei der Kohleverflüssigung mit Wasserstoff zu Schwefelwasserstoff vereinigt. Bei den ungeheuren Mengen Braunkohle, die hier umgesetzt werden, erscheint es lohnend, den Schwefelwasserstoff abzufangen und auf freien Schwefel zu verarbeiten, um so mehr, als Deutschland den Schwefel bisher einführen mußte. Auch im rohen Wassergas, aus dem der Wasserstoff hergestellt wird, ist etwas Schwefelwasserstoff vorhanden. Der Schwefel fällt in ganz außerordentlich reiner Form ab.

Benzin aus Kohlenoxyd

Von Franz Fischer ist im Kohleforschungsinstitut in Mülheim im Lauf von etwa 15 Jahren ein grundsätzlich anderes Verfahren ausgearbeitet worden. Bei diesem Verfahren wird die Kohle mit Wasserdampf bei etwa 1000° in Wassergas überführt. Das Wassergas ist ein

Gemisch von Kohlenoxyd und Wasserstoff. An Stelle von Wassergas kann auch Kokereigas verwandt werden. Unter Zusatz von weiterem Wasserstoff wird das Kohlenoxyd unter gewöhnlichem Druck über Katalysatoren geleitet, die aus Kobalt, Nickel oder Eisen hergestellt und durch besondere Zusätze stark wirksam gemacht sind. Dabei wird das Kohlenoxyd, je nach den besonderen Versuchsbedingungen — man arbeitet in der Regel bei rund 180° — in Gasöl, Benzin, Dieselöl und Paraffin in wechselndem Verhältnis umgewandelt. Mit der Übertragung des Fischerschen Verfahrens aus dem Stadium des Großversuches in die Riesenmaße der Produktion ist begonnen. Beide Verfahren sind berufen, einander zu ergänzen. Welchem der Vorrang zu geben ist, hängt von örtlichen Bedingungen ab, z.B. davon, ob überschüssiges Kokereigas oder billige Braunkohle zur Verfügung steht.

Das wichtige Methanol — aus Kohlenoxyd

Die Umwandlung von Kohlenoxyd in Benzin ist nur eine Form der Kohleveredlung über das Kohlenoxyd als Zwischenstufe. Schon seit mehreren Jahren wird aus Kohlenoxyd und Wasserstoff Methylalkohol im größten Ausmaß hergestellt. Wiederum waren es die Erfahrungen bei der Ammoniaksynthese, welche in verhältnismäßig kurzer Zeit dem Verfahren zum großtechnischen Erfolg verhalfen. Lediglich durch Abänderung der Versuchsbedingungen und durch Anwendung eines anderen Katalysators wird erreicht, daß sich aus Kohlenoxyd und Wasserstoff nicht Benzin, sondern Methylalkohol bildet. Als Katalysator dient hier ein vorbereitetes Gemisch von Zinkoxyd und Chromoxyd. Es wird bei 200 Atmosphären Druck und 450° verarbeitet, also fast unter den Bedingungen der Ammoniaksynthese. Methylalkohol wurde früher durch trockene Destillation von Holz gewonnen, d.h. durch Verkohlen von Holz unter Luftabschluß. Es ist ein Bestandteil des dabei entstehenden Holzessigs. Für den synthetischen Methylalkohol hat sich der Name Methanol eingebürgert.

Methanol ist eine viel wichtigere Substanz, als allgemein bekannt sein dürfte. Es dient als Lösungsmittel für Lacke, ist ein unentbehrliches Zwischenprodukt für die Fabrikation von Farbstoffen und Arzneimitteln, es wird zum Denaturieren von Spiritus verwandt. Ungleich wichtiger als all dies ist die unvollständige Verbrennung des Methanols zu Formaldehyd. Der Formaldehyd entsteht, wenn Methanoldampf, mit Luft vermischt, über ein schwach glühendes Kupferdrahtnetz geleitet wird.

Formaldehyd, ein vielseitig anwendbares Produkt

Formaldehyd ist ein Stoff von äußerst vielseitiger Anwendungsmöglichkeit. Er ist ein stechend riechendes Gas, das sich in Wasser außerordentlich leicht löst. Die wässrige Lösung ist das bekannte Formalin. Formalin und gasförmiger Formaldehyd werden in sehr weitem Umfang als Desinfektions- und Konservierungsmittel angewandt. Schon 1907 kannte man 61 Heilmittel, die aus Formaldehyd gewonnen waren, heute sind es Hunderte. Darunter befinden sich einige, die wohl jedermann kennt, wie Formamint und das Desinfektionsmittel Lysoform. Auch zum Aufbau von Farbstoffen, wie z.B. für das schöne Parafuchsin, ist er unentbehrlich. Erwähnen könnte man noch eine große Zahl von Spezialverwendungen, wie die Herstellung von Silberspiegeln, das Waschechtmachen von Färbungen, das Härten der photographischen Schicht, die Herstellung von Schnellgerbemitteln und vieles, vieles andere mehr. Aber alle diese gewiß sehr wichtigen Verwendungen treten heute an Bedeutung zurück gegenüber einem sehr modernen Industriezweig, der Herstellung von Kunststoffen oder plastischen Massen.

Allgemeines über Kunststoffe

Die Kunststoffe haben im letzten Jahrzehnt eine ganz hervorragende Bedeutung gewonnen, da der Bedarf nach leicht verarbeitbaren Werkstoffen stets größer geworden ist. Holz und Stein lassen sich nur durch mechanische Bearbeitung meist unter großem Abfallverlust formen. Die plastischen Massen dagegen können durch Pressen, Gießen oder Spritzen ohne Verlust in jede gewünschte Form gebracht werden. Dies ist besonders für die Herstellung von Massenartikeln ein großer Vorteil. Über die Kunststoffe könnte man sehr lange plaudern. Hier soll nur das Grundsätzliche, soweit es mit den neuen Wegen der Kohleveredlung zusammenhängt, besprochen werden.

Der Name Kunststoff erinnert an die Geschichte dieser Produkte. Sie reicht zurück bis in die Mitte des vorigen Jahrhunderts. Einer der ersten Kunststoffe war das Zelluloid. Zu Anfang sollten diese Materialien tatsächlich „Kunst"-stoffe sein, d.h. Ersatz für teure Naturware, wie Schildpatt oder Elfenbein. Daß geschmacklich viel gesündigt wurde, ist uns wohl noch in Erinnerung. Inzwischen hat sich der Geschmack wenigstens etwas gehoben, und man will keine kostbaren Naturstoffe mehr vortäuschen. Vor allem ist man mit der Weiterentwicklung des Gebietes vom natürlichen Vorbild abgegangen, man hat Werkstoffe hergestellt, wie sie die Natur nicht bietet. In der großen Zahl von Kunststoffen bilden die mit Formaldehyd hergestellten eine besonders wichtige, große Gruppe.

Chemisch haben alle Kunststoffe eines gemeinsam: das hohe Molekulargewicht. Es sind Verbindungen von vielen Tausenden, vielleicht sogar Hunderttausenden von Atomen. Mit dem hohen Molekulargewicht hängt zusammen die hohe mechanische Widerstandsfähigkeit, die Unlöslichkeit in Wasser und Alkohol sowie die Beständigkeit gegen chemische Angriffe.

Kunststoffe aus Formaldehyd

Formaldehyd hat die Fähigkeit, sich mit zahlreichen Stoffen, insbesondere Phenolen (Karbolsäure und deren Derivate) und Aminen (Abkömmlinge des Ammoniaks) zu vereinigen, zu „kondensieren", so daß zahlreiche Moleküle zu einer langen Kette zusammengeschweißt werden. So erhält man aus Kaseïn den Galalith. Mit Phenolen entstehen die Phenoplaste, mit Harnstoff das Pollopas. Galalith ist eine elfenbeinähnliche Masse, aus der Drechslerwaren, Knöpfe, Spielmarken usw. fabriziert werden. Ohne besondere Zusätze sind die Phenoplaste bernsteinartige Harze, die in der Elektrotechnik als Isoliermaterial von Bedeutung sind (Bakelit). Führt man die Kondensation von Formaldehyd vorsichtig durch, so kommt man zunächst zu noch löslichen und leicht schmelzbaren Zwischenstufen, die als Lacke und Klebemittel mannigfache Anwendung finden.

Pollopas, aus Harnstoff und Formaldehyd, ist eine glasklare Masse, die sich leicht drehen und bohren läßt. Wegen seiner Elastizität ist es für besondere Zwecke dem Glas vorzuziehen. Viel wichtiger noch sind die Mischungen dieser Grundmassen mit den verschiedenartigsten Füllstoffen und Farben. Die Anwendungsmöglichkeiten sind so außerordentlich vielseitig, daß eine Aufzählung nur verwirren und ermüden würde. Besser als eine lange Abhandlung unterrichtet uns ein Blick in die Schaufenster oder eine kleine Umschau in der eigenen Wohnung. Bürsten und Kämme, Brillenfassungen, Tabaksdosen, elektrische Schalter, Lautsprecher, Grammophonplatten, Türklinken, Messergriffe und vieles andere mehr stellen wir heute her aus diesen Kondensationsprodukten des Formaldehyds.

Weniger bekannt sein dürfte, daß die sogenannten geschichteten Werkstoffe eine so ungeheure mechanische Widerstandsfähigkeit haben, daß sie beginnen, die Lagermetalle nicht zu ersetzen, sondern zu verdrängen. Sie bestehen aus Lagen von Baumwollstoff, Papier oder Furnierholz, die mit Phenoplasten zu einem Block zusammengeschweißt sind. Lager aus diesen Kunststoffen werden sogar in Walzwerken gebraucht. Sie sind teurer als Bronzelager, aber im Gebrauch kommen sie auf die Dauer billiger. Der Kraftverbrauch ist geringer, und die Verschleißfestigkeit ist etwa hundertmal so groß wie die von Hartblei und etwa zehnmal so groß wie die von Bronze.

Vocabulary

An asterisk indicates that the word is one of a list of some 1100 basic expressions found in the literature of various fields of science. Words belonging strictly to one particular science are not included in this list. This starred vocabulary constitutes, so to speak, a core vocabulary and as such might be singled out for systematic drill.

The principal parts of strong (ablaut) and irregular verbs are indicated either in full or by the two vowel changes in parenthesis. If there is also an irregularity in the singular of the present tense, it is given first in the parenthesis. The principal parts of compound verbs are listed only when they do not appear under the simple form. Separable verbs are hyphenated.

The plurals of nouns are regularly given, with the exception of feminines ending in –e, –heit, –keit, –schaft, –ung, –ei, –ie, –tät, and –tion, which form their plurals by adding –(e)n. The genitive cases of those masculine and neuter nouns which form their genitive singular by adding –(e)s are not indicated; all others are listed in parenthesis, with the exception of feminine nouns, which retain the nominative form for all cases in the singular.

Ordinarily the present and past participles, as well as infinitives used as nouns, are not accorded a separate listing unless the verb occurs only in that form, or unless the meaning could not readily be derived from the meaning listed under the basic verb form.

Although German frequently uses adjectives as adverbs, the vocabulary translates merely the adjectival form.

Ordinary **da–**, **hier–**, and **wo–** combinations are omitted.

The following abbreviations are used: *pl.*, plural; *rfl.*, reflexive.

die **Aach** *a small river in South Germany*
ab off, away; — **und zu** now and then
abändern to change, modify, vary
die **Abänderung** variation, alteration
*die **Abart** variety
der **Abbau** analysis, decomposition, breaking down
*ab-bauen to analyze, decompose, disintegrate
das **Abbauprodukt** (–e) decomposition product
die **Abbaureaktion** analytical reaction

das **Abbauverfahren** (–) analytical method
ab-blasen (ie, a) to blow off; to release
das **Abendland** (⁼er) Occident, Western World
abendländisch Western, Occidental
der **Aberglaube** (–ns, –n) superstition
abermals again
*ab-fallen to fall off; to waste
der **Abfallverlust** (–e) loss through waste
ab-fangen (ä, i, a) to catch, intercept

ab-geben to give off
ab-gehen to go off
abgründig abysmal
ab-halten to hold off
*die Abhandlung treatise, paper
*ab-hangen (ä, i, a) (von) to depend (upon)
abhängig (von) dependent (upon)
die Abhängigkeit dependence
*ab-heben to lift off; (rfl.) to stand out
ab-kommen to get off, get away
der Abkömmling (-e) derivative, descendant
ab-kühlen to cool
die Abkühlung cooling
*ab-lagern to deposit
ab-lehnen to reject
*ab-leiten to lead off, carry off; — von to derive from
*ab-lenken to deflect; to deviate
ab-lösen to relieve
die Abmagerung emaciation
ab-mühen (rfl.) to toil
*ab-nehmen to take off; to decrease
abnorm abnormal
ab-reiben (ie, ie) to rub off
*der Absatz sale, market; sediment
*ab-scheiden (ie, ie) to separate, part; to eliminate; to secrete
die Abscheidung separation
abschlägig negative
*ab-schließen to shut off, close; to bring to a conclusion
*der Abschluß (¨e) conclusion, end; closing device
*der Abschnitt (-e) section, era, portion, chapter, segment
*ab-schwächen to soften, reduce
ab-sehen (von) to disregard
die Absicht intention
absichtlich intentional
absolut absolute, at all

*ab-sondern to excrete, secrete
absorbieren to absorb
das Absorbtionsspektrum (–spektren and –spektra) absorption spectrum
ab-spielen (rfl.) to take place
ab-splittern to splinter off
ab-sprengen to break off, blast off
*der Abstand (¨e) distance; succession
ab-stehen to refrain from, stay away from
ab-steigen to descend; to fall
ab-sterben (a, o) to die
der Abstieg (-e) descent
*ab-stoßen (ie, o) to repel
der Abt (¨e) abbot
die Abtrennung separation
ab-wandeln to modify
ab-wandern to move away
die Abwehr defense
das Abwehrmittel (-) protective substance; defense
*ab-weichen (i, i) to vary, deviate, differ
die Abweichung deviation, variation
ab-zeichnen to outline, draw; to copy
das Achsenlager (-) axle bearing
die Acht attention, care; in acht nehmen to take care
achten to regard, esteem; to pay attention
die Achtung respect
die Ächtung outlawry
achtzehnjährig eighteen years old
die Ackererde arable soil
die Ader vein, artery
das Adrenalin adrenalin, epinephrin
afrikanisch African
agents minéralisateurs (French) mineralizing agents
ägyptisch Egyptian
ähneln to resemble
ahnen to surmise, anticipate, suspect

VOCABULARY

ähnlich similar
die **Ähnlichkeit** similarity, resemblance
die **Akademie** academy
die **Akte** act, deed, document
die **Alchimie** alchemy
der **Alchimist** alchemist
alchimistisch alchemistic
die **Alge** alga, seaweed
das **Alizarin** alizarin
die **Alizarindarstellung** alizarin production
das **Alkalisalz** (-e) alkali (metal) salt
das **Alkaloid** (-e) alkaloid
alkoholisch alcoholic
all all, any; —**es** everything; **vor** —**em** above all
allerdings however, to be sure
allerfeinst finest, most delicate
allergeringst smallest, infinitesimal
*****allergrösst** greatest
allermerkwürdigst most noteworthy, most extraordinary
*****allgemein** general
*****allgemeingültig** of general validity
*****allgemeinverständlich** popular; generally intelligible
das **Allgemeinwohl** common welfare
allmählich gradual
die **Alltäglichkeit** commonplace
allzu too much, altogether too
allzuschwierig too difficult
das **Alpenland** (⸚er) alpine region or country
der **Alphastrahl** (-en) alpha ray
das **Alphateilchen** (-) alpha particle
als when, as; but; than; — **ob** as if
alsbald directly, at once
also therefore, thus
altbekannt well-known
altbewährt approved, well-tested
das **Altertum** antiquity
das **Aluminium** aluminum

das **Aluminiumoxyd** aluminum oxide
amerikanisch American
das **Amin** (-e) amine
das **Aminobenzol** aminobenzene, aniline
das **Ammoniak** ammonia
die **Ammoniaksynthese** ammonia synthesis
das **Ammoniakwasser** ammonia water
das **Ammonsulfat** (e) ammonium sulphate
amorph amorphous
an at, to, by, on, in, near, beside; — **sich** in itself
die **Analogie** analogy
die **Analyse** analysis
der **Analysengang** course of analysis
analysieren to analyze
analytisch analytical
das **Anästhetikum** (Anästhetika) anesthetic
der **Anatom** (en) anatomist
an-bieten to offer
der **Anblick** (-e) sight, view
*****an-bringen** to attach
das **Andenken** (-) remembrance, memory
*****ander** other, else; **ein** —**er** somebody else; **unter** —**em** among other things
ander(er)seits otherwise, on the other hand
ändern to change
andernorts elsewhere
*****anders** otherwise, different
andersartig of a different kind, different
die **Änderung** change, alteration, variation
*****an-deuten** to indicate, hint
*****andeutungsweise** by way of a suggestion

aneinander together
aneinander-schließen to join
der Anfang (⁻e) beginning, start, origin
an-fangen (ä, i, a) to begin, to do
anfänglich at first; initial
anfangs at first
an-färben to color, dye
*die Anforderung demand
*an-führen to mention
an-füllen to fill
die Angabe statement, specification, indication
*an-geben to state, specify, indicate
*an-gehören to belong to
der Angeklagte (−n) defendant
die Angelegenheit affair
angenehm pleasant, agreeable
*angesichts in view of, in the face of
*der Angestellte (−n) employee; official
an-greifen to attack
der Angriff (−e) attack; in — nehmen to begin
ängstigen to frighten
*an-haften to adhere, attach
an-heizen to heat (a little)
das Anilin aniline
die Anilinfarbe aniline color
der Anilinfarbstoff (−e) aniline dye
an-kleben to glue on
an-klingen — an to remind, suggest
*an-kommen to arrive; auf ... — to depend on
die Anlage establishment, plant
an-legen to put on
*die Anlehnung leaning; in — an with reference to
das Anliegen (−) request, wish
die Anmeldung application
die Annahme assumption; hypothesis
annehmbar acceptable, reasonable
*an-nehmen to assume, accept

die Annehmlichkeit comfort, convenience
*an-ordnen to arrange; to order
die Anordnung arrangement; order
anorganisch inorganic
an-preisen (ie, ie) to recommend
*an-regen to excite, stimulate, interest
die Anregung impetus, stimulus; suggestion
*an-reichern to enrich, concentrate
*an-sammeln to collect
an-schauen to observe, look at
anschaulich clear, plain
die Anschauung view, opinion, theory
anscheinend apparent, apparently
*an-schließen to join, connect, attach
an-sehen to look at, see, regard; to investigate
das Ansehen reputation; appearance
die Ansicht opinion; theory
*an-sprechen to declare to be; to claim, regard; auf ... — to react to
*der Anspruch demand, claim
anständig decent
*an-stecken to infect
an-steigen to rise, ascend
*an-stellen to make, carry out; to appoint
*der Anstoß (⁻e) impetus
*an-stoßen (ö, ie, o) to collide
*der Anstrich (−e) appearance; coat of paint
an-teigen to make into a paste
das Anthrazen anthracene
das Antichlor antichlor
das Antifebrin antifebrin
die Antifebrinarbeit work with antifebrin
das Antipyrin antipyrine
antirachitisch antirachitic
das Antiseptikum antiseptic
antiseptisch antiseptic
das Antlitz (−e) face, countenance

VOCABULARY

*an-treffen to meet, find
die Antwort answer
*an-wachsen to grow, increase
*an-weisen (ie, ie) to direct, refer; auf... angewiesen sein to be dependent on
anwendbar applicable
*an-wenden to use, apply; angewandt practical, applied
*die Anwendung application, use
das Anwendungsgebiet (-e) field for application
die Anwendungsmöglichkeit possibility of application
die Anwesenheit presence
die Anzahl number, quantity
die Anziehungskraft power of attraction, gravitation
die Apfelsine orange
der Apfelsinensaft orange juice
die Apotheke pharmacy, apothecary's shop, drugstore
der Apotheker (-) pharmacist, apothecary, druggist
die Apparatur apparatus
der Aquamarin (-e) aquamarine
*die Arbeit work, task, labor, effort
arbeiten to work
der Arbeiter (-) worker
das Arbeitsgebiet (-e) field of activity
die Arbeitsgrundlage basis for work (investigation)
die Arbeitsmethode method of work
der Arbeitsraum (¨e) laboratory, workroom
die Arbeitsrichtung direction of work
die Arbeitsstätte place of work, workshop, laboratory
das Argon argon
argonähnlich argonlike
der Arm (-e) arm; branch
arm poor
die Armbanduhr wrist watch

armdick as thick as an arm, arm-sized
das Arsen arsenic
arsenhaltig arsenical
der Arsenwasserstoff arsenic hydride
die Art kind, way, manner, method, type, species
arten to be of a kind; geartet disposed, natured; nach... — to resemble, take after
*artfremd heterogeneous
der Artikel (-) article; goods, material; item
die Artillerie artillery
die Arznei medicine
das Arzneibuch (¨er) pharmacopeia
das Arzneimittel (-) medicine, drug
die Arzneimittelkunde pharmacology
die Arzneimittelsynthese medicine (drug) synthesis
der Arzneimittelsynthetiker pharmaceutical research chemist
der Arzt (¨e) physician, M.D.
die Ärztewelt medical world
die Ascorbinsäure ascorbic acid
die Atemnot heavy breathing
der Äther ether
die Äthernarkose ether narcosis, anaesthesia by ether
die Ätherwelle ether wave
atmen to breathe
die Atmung respiration
der Atmungsvorgang (¨e) respiration process
das Atom (-e) atom
der Atomabbau decomposition of the atom
die Atomanordnung atomic arrangement
die Atomart type of atom
der Atomaufbau atomic synthesis, building up of an atom
die Atomforschung atomic research
die Atomgruppe atom group

die **Atomgruppierung** arrangement of atoms
atomistisch atomic
der **Atomkern** (-e) atomic nucleus
die **Atomkernmasse** mass of atomic nucleus
die **Atomlehre** atomic theory
die **Atomtheorie** atomic theory
die **Atomtrümmer** (*pl.*) atomic fragments
die **Atomverwandlung** atomic transformation
der **Atomzerfall** atomic disintegration
die **Atomzertrümmerungsmaschine** atom-splitting apparatus
der **Atomzertrümmerungsvorgang** ($¨$e) process of atom disintegration
Atropa belladonna deadly nightshade
das **Atropin** atropine
das **Ätzkali** caustic potash
die **Ätzlauge** caustic-soda solution
auch also, too; — **wenn** even if
auf on, in, toward, for, to
die **Aufarbeitung** working up; treatment
der **Aufbau** (-ten) structure, construction, formation, composition, synthesis
*****auf-bauen** to build up; to synthesize, compose
die **Aufbereitungsstufe** preparatory stage
auf-bewahren to store, keep
*****auf-bringen** to bring up; to raise; to muster
*****auf-decken** to uncover
auf-drängen to force upon
*****auf-fallen** to fall (on); to strike, attract attention
*****auf-fangen** (ä, i, a) to catch
*****auf-fassen** to conceive, interpret
*****auf-finden** to detect, find, discover

die **Auffindung** discovery
die **Aufgabe** task, problem
das **Aufgabengebiet** (-e) field, scope
*****auf-heben** to lift up; to neutralize
auf-hellen to brighten, make lighter (in color)
auf-hören to stop, cease
*****auf-klären** to clear up; to explain, enlighten
die **Aufklärung** clearing up; information, explanation; investigation
*****die **Auflage** edition; superimposed layer
auf-lehnen to rebel (against)
auf-lesen to pick up, gather
auf-leuchten to light up, shine
*****auf-lösen** to dissolve
das **Auflösungsprodukt** (-e) disintegration product
aufmerksam attentive, observing; **auf etwas — werden** to have one's attention called to something
die **Aufmerksamkeit** attention
die **Aufnahme** photograph
*****auf-nehmen** to take on; to absorb
auf-rauhen to roughen
*****auf-räumen** to clear up, clear
auf-regen to excite
auf-rollen to roll up; to turn
*****der **Aufschluß** ($¨$e) information, explanation
aufschreiben to write down
das **Aufsehen** sensation
*****auf-spalten** to split (up)
auf-speichern to store
auf-steigen to rise
*****auf-stellen** to set up, establish
der **Aufstieg** (-e) rise, ascendance
auf-tauchen to emerge, spring up, arise
auf-treffen to strike (against)
*****auf-treten** to appear, occur
der **Auftrieb** (-e) lift, buoyancy

VOCABULARY

auf-tun (*rfl.*) to open; to become visible

*der **Aufwand** (⸚e) expenditure, expense

*auf-weisen** to show, display; to have

auf-werfen to throw up; to throw open; (*rfl.*) to pose

auf-zählen to count, enumerate

*auf-zeichnen** to record

die **Aufzeichnung** record

das **Auge** (–n) eye; **vor Augen führen** to visualize, realize

der **Augenblick** (–e) moment

augenblicklich instantaneous, immediate; at present

das **Augenglas** (⸚er) eyeglass

die **Augenkrankheit** eye disease

die **Augenlinse** crystalline lens

aus-arbeiten to work out

*aus-arten** to degenerate

der **Ausbau** (–ten) development; extension; completion

*aus-bauen** to develop; to enlarge; to equip

*die **Ausbesserung** mending, repair

*die **Ausbeute** gain, yield, output

aus-bilden to form; to develop

*aus-bleiben** to be absent, fail to appear

aus-bleichen to bleach out; to fade

*aus-breiten** to spread

der **Ausbruch** (⸚e) outbreak, eruption

*aus-dehnen** to expand, spread

die **Ausdehnung** expansion; extension; dimension

*der **Ausdruck** (⸚e) expression; **zum — kommen** to be expressed, be revealed

*ausdrücklich** express, explicit

die **Ausdrucksweise** manner of expression

auseinander-brechen to break up, break apart

auseinander-stieben (o, o) to scatter

auseinander-ziehen to draw apart, separate

*der **Ausfall** (⸚e) deficiency

aus-fallen to come out; to be omitted

die **Ausfallserscheinung** deficiency (symptom)

die **Ausfärbung** dyeing

die **Ausfertigung** copy

die **Ausführung** performance; statement; sketch

der **Ausführungsgang** (⸚e) excretory duct

aus-füllen to fill, fill out

*der **Ausgang** (⸚e) exit; end; result; starting point

das **Ausgangsmaterial** (–ien) initial material

der **Ausgangspunkt** (–e) starting point, origin

der **Ausgangsstoff** (–e) starting material, initial substance

aus-geben to spend

aus-gehen to go out; to start, proceed; to come out of; to fail

*ausgeprägt** marked, defined

das **Aushängeschild** (–er) sign, signboard

*aus-höhlen** to hollow out, excavate

aus-kommen to come out, manage

aus-kristallisieren to crystallize out

das **Ausland** foreign country

ausländisch foreign

*aus-löschen** to extinguish

*aus-lösen** to cause; to have

aus-machen to amount to

das **Ausmaß** (–e) scale

aus-messen to measure out, gauge

die **Ausnahme** exception

*aus-nehmen** to exclude; (*rfl.*) to appear

*aus-nutzen** to utilize, take advantage of

aus-radieren to erase

*aus-reichen to suffice
aus-sagen to assert, state
*aus-schalten to exclude, take out, eliminate
*aus-scheiden (ie, ie) to eliminate, excrete
aus-schlachten to utilize, capitalize on
*der Ausschlag (¨e) deflection, divergence
ausschlaggebend decisive
*aus-schließen to shut out, exclude, except; ausgeschlossen out of the question, impossible
*der Ausschnitt (-e) section, part, cut
aus-sehen to look, seem, appear
außen outside; nach — hin toward the outside
die Außenseite outside
aus-senden (a, a) to emit, send out, transmit
der Außenstehende (-n) outsider
außer beside, except, aside from
äußer outer, external
außerdem besides, moreover
*äußerlich external, outward; apparent; superficial
die Äußerlichkeit formality
außerordentlich extraordinary
*äußerst utmost, extreme, outermost
*aus-setzen to set out; to expose, miss, skip, pause
*die Aussicht outlook; chance
*aussichtslos hopeless
*aussichtsreich promising
aus-sprechen to voice, announce, state
*aus-statten to furnish, supply, outfit
aus-sterben (i, a, o) to die out
aus-strahlen to radiate
aus-trocknen to dry up, dry out
*aus-üben to exert; to practice
*aus-wechseln to exchange
auswechselbar exchangeable
*der Ausweg (-e) way out

auswertbar utilizable
*die Auswertung utilization; evaluation
*der Auszug (¨e) extract
autogen autogenous
die Avitaminose avitaminosis
der Axolotl (-) axolotl
das Azetanilid acetanilide
das Azetylen acetylene
die Azetylgruppe acetyl group
die Azetylsalizylsäure acetylsalicylic acid
die Azetylverbindung acetyl compound (combination)

Baden-Baden *a famous spa in southwestern Germany*
Badische Anilin und Sodafabrik Baden Aniline and Soda Works
Baeyer, Adolf von (1835-1917) *professor of chemistry at the University of Munich*
*die Bahn course; track, path; orbit; railway
das Bakelit bakelite
bakterienfrei free from bacteria
die Bakteriologie bacteriology
bald soon
der Balkanstaat (-en) Balkan state
das Ballkleid (-er) ball dress
das Band (¨er) band, stripe, ribbon
der Band (¨e) volume
die Banknotenfälschung counterfeiting of bank notes
das Banknotenpapier (-e) bank-note paper
Banting, Sir Frederick G. (1891-1940) *discoverer of insulin*
die Barbitursäure barbituric acid
die Barbitursäuregruppe barbituric-acid group
das Bariumoxyd barium oxide
das Bariumsalz barium salt

VOCABULARY

der **Bariumsulfatrückstand** (⸚e) barium sulphate residue
der **Basalt** basalt
die **Basedowsche Krankheit** Basedow's disease, Graves' disease, exophthalmic goiter
basisch basic
die **Batterie** battery
*der **Bau** (-ten) construction, structure
die **Bauchspeicheldrüse** pancreas
der **Bauchspeicheldrüsenextrakt** (-e) pancreatic extract
***bauen** to build
die **Baumwolle** cotton
der **Baumwollstoff** cotton material
*der **Baustein** (-e) building stone; structural element
***beachten** to notice; to consider; to regard
***beachtenswert** noteworthy
***beachtlich** considerable
*die **Beachtung** attention
beängstigen to alarm, frighten
beanspruchen to demand, claim
die **Bearbeitung** working, treatment
***beauftragen** to charge, authorize
beben to tremble, quake
*das **Becken** (-) basin; pelvis
Becquerel, Henri (1852–1908) *French physicist*
*der **Bedarf** need, requirement
bedecken to cover
bedenken (bedachte, bedacht) to consider
das **Bedenken** (-) doubt
***bedenklich** serious
***bedeuten** to mean, signify
bedeutend important, significant, considerable, outstanding
*die **Bedeutung** meaning; importance
bedeutungsvoll important

***bedienen** to operate; to serve; (*rfl.*) to help oneself, make use of
*die **Bedingung** condition
bedrohen to threaten
bedrucken to print
***bedürfen** (u, u) to need, require
die **Beeinflußbarkeit** capacity for being influenced
***beeinflussen** to influence
***befallen** (ä, ie, a) to attack; to affect
***befassen** (*rfl.*) to be concerned with, deal with
befinden (*rfl.*) to be, be situated
***befördern** to aid; to accelerate; to stimulate
befreien to free, relieve, liberate
befremdlich strange, surprising
befriedigen to satisfy, please
die **Befriedigung** satisfaction
*der **Befund** (-e) finding; result; state
befürchten to fear
begeben (*rfl.*) to go; to happen
begegnen to meet
begehen to commit
begehren to desire, demand
begehrenswert desirable
die **Begeisterung** enthusiasm
der **Beginn** beginning, start
beginnen (a, o) to begin, start
begleiten to accompany
der **Begleiter** (-) companion
*die **Begleiterscheinung** attendant phenomenon
*der **Begleitstoff** (-e) accompanying substance; impurity
begnügen (*rfl.*) to be content
***begreifen** to conceive, understand
***begreiflich** conceivable; apparent
***begreiflicherweise** as may be understood, obviously
*der **Begriff** (-e) concept, idea
*die **Begriffsbestimmung** definition

der Begründer (–) founder
begrüßen to greet, welcome
behäbig comfortable; complacent
*der Behälter (–) container, vessel
*behandeln to treat
*die Behandlung treatment
*behaupten to claim, maintain
*die Behauptung assertion, claim, theory
*beheben to remove; to cure
*behelfen (*rfl.*) to get along
*behelfsmäßig temporary, makeshift
*beherrschen to rule, control
die Beherrschung control
die Behörde authority; magistrate
bei at; in the case of; with; in; near; among; under
*bei-behalten to retain
*bei-fügen to add
bei-mischen to admix, mix with
die Beimischung admixture
das Bein (–e) leg
beinahe almost
bei-schleppen (herbei-schleppen) to drag out, bring forth
das Beispiel (–e) example
beispielsweise for example
der Beitrag (⸗e) contribution
*bei-tragen to contribute
der Beizenfarbstoff (–e) mordant dye
bejahen to affirm
*bekämpfen to combat, oppose
die Bekämpfung fight or struggle against
bekannt known, familiar
bekannt-geben to publish, reveal
die Bekanntschaft acquaintance
beklemmen to depress
beladen to load, charge
die Belagerung siege
*belanglos unimportant
*belasten to load, burden; to charge
beleben to animate

*belegen to cover; to document
die Beleuchtungstechnik lighting engineering
der Beleuchtungszweck (–e) lighting (illuminating) purpose
belichten to expose
die Belichtung exposure (to light); irradiation
belieben to like, choose, desire; beliebt popular; nach Belieben at pleasure
beliebig optional; any; desired
die Beliebtheit favor, popularity
bemannen to man
bemerkbar noticeable
*bemerken to notice, observe
*bemerkenswert noteworthy, remarkable
*bemühen to endeavor, strive, search
*benachbart neighboring
*benötigen to require, need
*benutzen to use, employ
der Benzincharakter benzine type (character)
die Benzinsynthese benzine synthesis
das Benzol benzene, benzol
*beobachten to observe
*die Beobachtung observation
die Beobachtungsgabe faculty of observation
die Beobachtungsmöglichkeit opportunity for observation
bequem easy, convenient
die Bequemlichkeit comfort, convenience
*berechnen to calculate, figure out
*die Berechnung calculation
*der Bereich (–e) range, district, section
*bereichern to enrich, increase
die Bereicherung gain, enrichment
*bereiten to cause; to prepare
*bereit-halten to hold ready, hold prepared

bereits already
die Bereitung preparation, manufacture
Bergius, Friedrich C. (1884–) *German chemist, especially noted for his research work in coal*
der Bergkristall (–e) rock crystal
der Bergmann (Bergleute) miner
die Beriberi beriberi
*berichten to report
bernsteinartig amberlike
*bersten (i, a, o) to burst, explode
berüchtigt notorious
*berücksichtigen to consider
*berufen (ie, u) to appoint, call; bound
*beruhen to rest, depend; — auf to be due to
beruhigen to quiet; to reassure
berühmt famous
die Berühmtheit fame; celebrity
berühren to touch
*die Berührung contact
die Berührungsfläche surface of contact
der Beryll (–e) beryl
das Beryllium beryllium
*besagen to mean, signify
*beschädigen to damage
*beschaffen to procure; to supply
*die Beschaffenheit condition, state
*die Beschaffung finding, procurement; supply
*beschäftigen to engage, employ, occupy; (*rfl.*) to concern oneself
*der Bescheid (–e) decision; information; — wissen to know, be informed
bescheiden (ie, ie) to inform, assign, grant; (*rfl.*) to be content
bescheiden modest, unassuming
beschießen to bombard
*beschlagen to become coated, sweat

*beschleunigen to speed up, accelerate
beschmutzen to soil
*beschränken to limit, confine
beschreiben (ie, ie) to describe
die Beschreibung description
*beseitigen to remove
die Beseitigung removal
*besetzen to fill, occupy, cover
*die Besichtigung inspection
besitzen (a, e) to possess, have
der Besitzer (–) owner
besonder special, particular, separate
besonders especially
besprechen to discuss
bespritzen to spray, spatter
besser better
bessern to improve, better, correct
Best, Charles H. (1899–) *Canadian physiologist*
*der Bestand (⁔e) stability; amount, stock; von — sein to be lasting
*beständig stable, permanent
die Beständigkeit stability
*der Bestandteil (–e) constituent part, ingredient
*bestätigen to confirm
*bestehen to exist; — aus to consist of; zu Recht — to be correct
*bestellen to order; to arrange; um etwas übel bestellt sein to be in a bad state or poor condition
*bestenfalls at best
*bestimmen to decide, induce, determine
bestimmt certain, sure, definite; appointed
die Bestimmung determination
bestrahlen to irradiate, expose to rays; to illuminate
die Bestrahlungslampe irradiation lamp
*das Bestreben (–) striving, effort; tendency

bestreiten (i, i) to dispute, deny
besuchen to visit
der Betastrahl (-en) beta ray
das Betäubungsmittel (-) narcotic, anaesthetic
*beteiligen (rfl.) to participate
betonen to emphasize
*beträchtlich considerable
*die Betrachtung consideration, reflection; discussion
*betragen to amount to
*betreffen to concern
*betreiben to carry on, conduct
*der Betrieb (-e) works, factory
der Betriebschemiker (-) industrial chemist, chemical engineer
der Betriebsstoff (-e) fuel
beugen to bend
*beurteilen to judge, criticize
die Beurteilung criticism, judging, estimation
die Bevölkerung population
bevor before
bevor-stehen to approach, impend, about to happen
*bewahren to keep, preserve, protect; vor ... — to protect from
*bewähren to approve; (rfl.) to prove true, stand the test
*bewältigen to do; to overcome, master
*bewegen to move
*die Beweglichkeit mobility
die Bewegung motion, movement
die Bewegungsenergie kinetic energy
*beweisen (ie, ie) to prove, demonstrate
die Beweiskraft (¨e) conclusiveness; demonstrative power
*bewerten to value; to evaluate
*bewirken to effect, cause
bewundernswert remarkable, admirable

bewußt conscious
die Bewußtlosigkeit unconsciousness, insensibility
das Bewußtsein consciousness
*bezeichnen to call, designate
*die Bezeichnung name, designation
*die Beziehung relationship; regard, respect
beziehungslos unconnected, unrelated
*der Bezirk (-e) district; field
*bezüglich relative, respective, regarding
bezweifeln to doubt, question
bezwingen to conquer, overcome
bieten (o, o) to offer
*bilden to form, make
bilderreich rich in pictures, flowery
*die Bildung formation; education
die Bildwirkung photographic effect
das Billardtuch billiard cloth
billig cheap, inexpensive
die Billigkeit cheapness, inexpensiveness
die Billion 1,000,000,000,000 (10^{12}), million million, billion (in England and Germany), trillion (in America and France)
der Bimskies crushed pumice
die Bindehaut (¨e) conjunctiva
*binden (a, u) to bind, fasten, connect, fix, combine
*die Bindung binding; combination
die Bindungsweise method of union, linkage
die Biologie biology
der Birmarubin (-e) Burma ruby
die Birne pear; pear-shaped object
bis till, until, as far as; — zu or — an up to
bißchen little
bisher hitherto, up to now
bisherig hitherto, up to now
bisweilen sometimes, occasionally

Bitterfeld *a city in Saxony, Germany*
blanc fix (*French*) dead-white
blank bright, shiny
das **Blankhalten** keeping bright (polished), keeping sharp
das **Bläschen** (–) small bubble
blasenziehend blistering, visicatory
blaßgelb pale-yellow
das **Blättchen** (–) small leaf; flake
blättern to turn the leaves (of a book)
bläulichrot bluish-red
blauviolett blue-violet
das **Blei** lead
der **Bleibehälter** (–) lead container
bleiben (ie, ie) to remain
***bleichen** to bleach
die **Bleiplatte** lead plate
der **Bleistift** (–e) lead pencil
der **Blick** (–e) glance, view, look
der **Blitz** (–e) lightning
der **Block** (ᵘe) block
blödsinnig mentally deficient, insane, feeble-minded
bloß bare, naked; mere
die **Blume** flower
die **Blutbahn** bloodstream; blood vessel; circulatory system
der **Blutdruck** (–e) blood pressure
die **Blütenfarbe** flower color
der **Bluterguß** (ᵘsse) hemorrhage
die **Blutflüssigkeit** blood plasma
das **Blutgefäß** (–e) blood vessel
blutig bloody
das **Blutkörperchen** (–) blood corpuscle
der **Blutkreislauf** blood circulation
blutleer-machen to restrict the flow of blood
das **Blutserum** (–a *or* –en) blood serum
die **Blutspur** trace of blood
die **Blutung** bleeding
der **Blutzucker** blood sugar

der **Bodensee** Lake of Constance (*bordered by Germany and Switzerland*)
die **Bogenlampe** arc lamp
die **Bogenlampenkohle** arc-lamp carbon
Böhmen Bohemia
*der **Bohrer** (–) drill
das **Bohrloch** (ᵘer) drill hole, bore hole
*die **Bohrung** bore, boring
Bologneser Bolognese
*"**bösartig** evil, malicious
Bosch, Carl (1874–) *German chemist, who invented with Haber a method for synthetic production of ammonia*
böse bad, evil
boshaft malicious
botanisch botanical
boule (*French*) ball
Boyle, Robert (1627–1691) *English physicist, formulator of Boyle's Law (that the volume of gas is inversely proportional to the pressure)*
die **Brandbestattung** cremation
die **Brandblase** blister (raised by burning)
*"**brauchbar** useful
die **Brauchbarkeit** usefulness
brauchen to need; to use
braun brown
die **Braunkohle** brown coal, lignite
braunrot brownish-red
brausen to roar, buzz
brechen (i, a, o) to break; to refract; to blend
brechenerregend emetic
der **Brechweinstein** tartar emetic
der **Brei** (–e) paste, mash
breiig pasty, mashy
*"**bremsen** to brake, retard
*der **Brenner** (–) torch, burner

*das **Brennmaterial** (-ien) fuel
der **Brief** (-e) letter
das **Briefgeheimnis** (-se) inviolability of letters
die **Briefmarke** postage stamp
der **Briefmarkenfälscher** (-) stamp counterfeiter
der **Briefmarkensammler** (-) stamp collector
die **Brillenfassung** spectacle frame
bringen (brachte, gebracht) to bring; to put
Brinviellers, Marquise de *famous French poisoner of the seventeenth century*
die **Brisanzgranate** high-explosive shell
der **Brocken** (-) fragment, piece
der **Bromgehalt** bromine content
die **Bromverbindung** bromine compound
die **Bronze** bronze
das **Bronzelager** (-) bronze bearing
*****brüchig** brittle
das **Bruchstück** (-e) fragment
*der **Bruchteil** (-e) fragment, fraction
die **Brücke** bridge
der **Bruder** (⸚) brother; **dienender —** monk
die **Brust** (⸚e) chest; breast
die **Büchsenmilch** canned milk
der **Buchstabe** (n) letter, type
*****bunt** colored; variegated; chromatic
der **Buntton** (⸚e) color tone
die **Bürste** brush
das **Butterfett** (-e) butter fat
bzw. (**beziehungsweise**) respectively, or

ca. (**circa, zirka**) about
das **Carotin** carotene
Caventou, Jean B. (1795-1877) *French pharmacist, professor of toxicology at the Ecole de Pharmacie in Paris*

die **Charakterisierung** characterization
die **Chemie** chemistry
das **Chemiebuch** (⸚er) chemistry book
das **Chemiestudium** study of chemistry
chemisch chemical; **—e Forschung** chemical research
der **Chemismus** chemism
die **Chemolumineszenz** chemiluminescence, chemicoluminescence
die **Chemolumineszenzerscheinung** (occurrence of) chemiluminescence
chilenisch Chilean
die **Chinarinde** cinchona bark
das **Chinin** quinine
der **Chininersatz** quinine substitute
die **Chininformel** quinine formula
die **Chininlösung** quinine solution
das **Chininmolekül** (-e) quinine molecule
die **Chininstruktur** quinine structure
die **Chininsynthese** quinine synthesis
die **Chirurgie** surgery
chirurgisch surgical
das **Chlor** chorine
die **Chloressigsäure** chloroacetic acid
chlorhaltig containing chlorine
der **Chlorkalk** chloride of lime
das **Chloroform** chloroform
die **Chloroformnarkose** chloroform narcosis
das **Chlorpikrin** chloropicrin
chlorsicher chlorine-proof
das **Cholesterin** cholesterin
das **Chrom** chromium
das **Chromoxyd** chromium oxide
das **Cleveit** cleveite
cm (das **Zentimeter**) centimeter
das **Cocablatt** (⸚er) coca leaf
das **Codeïn** codeine
cremefarbig cream-colored
Curie, Marie Sklodowska (1867-1934) *discoverer of radium and polonium,*

who received the Nobel Prize in chemistry in 1903 together with her husband, Pierre Curie, and Becquerel and again, alone, in 1911
das **Cystein** cystein

die **Dachpappe** roofing paper
der **Dachpappenteer** tar for roofing paper
***dagegen** against; on the other hand, on the contrary
daher hence, therefore
***dahingestellt** undecided; uncertain
dahin-sausen to speed along
dahin-welken to wither away
Dalton, John (1766–1844) *English physicist and chemist, who discovered the law of multiple proportions and established the atomic theory*
***damalig** of or at that time
damals at the time, then
***dampfen** to steam
***dampfförmig** in the form of vapor, vaporous
die **Dampfmaschine** steam engine
daneben beside
der **Dank** thanks
dankbar thankful
dann then; afterward; in that case
***dar-bieten** to offer, present
dar-legen to explain; to give; to lay down
der **Darm** (ᵘe) intestine
***dar-stellen** to prepare; to produce, manufacture; to display; to present
die **Darstellung** presentation; preparation; production; manufacture
die **Darstellungsmethode** method of production
das **Darstellungsverfahren** (–) process of preparation or production
die **Darstellungsweise** method of preparation; style

das **Dasein** existence; life
daß that, so that
datieren to date
das **Datum** (Daten) date
*die **Dauer** duration; **auf die —** in the long run, permanently
die **Dauerhaftigkeit** durability, permanency
***dauern** to last, continue
***dauernd** constantly
Davy, John (1790–1868) *English military physician and chemist*
***decken** to cover; to supply
***dementsprechend** correspondingly, accordingly
denaturieren to denature
***denkbar** conceivable
denken (dachte, gedacht) to think
das **Denkvermögen** reasoning; capacity to think
denn for, because: **es sei —** unless
***derartig** such; in such a way
deren its, their; of which, whose
das **Derivat** (–e) derivative
derjenige that one; he, she, it
das **Dermatol** dermatol
deshalb therefore, for that reason
das **Desinfektionsmittel** (–) disinfectant
die **Destillation** distillation
destillieren to distill
die **Destillierkolonne** distilling column (*a series of stills*)
der **Destillierofen** (ᵘ) distilling furnace
deswegen for that reason, therefore
das **Deuterium** deuterium
deutlich clear, distinct
das **Deuton** deuton
der **Deutonenstrahl** (–en) deuton ray
Deutschland Germany
die **Deutung** explanation

der **Deutungsversuch** (-e) attempt to explain or interpret
die **Dezimale** decimal
d.h. (**das heißt**) that is, i.e.
das **Dial** (**Diallybarbitursäure**) diallybarbituric acid
der **Diamant** (-en) diamond
der **Dibromindigo** dibromoindigo
*****dicht** dense; close; tight
die **Dichte** density
die **Dichteänderung** change in density
das **Dichtungsmittel** (-) luting, calking, or packing material
die **Dicke** thickness
dienen to serve
der **Dienst** (-e) service
dienstbar useful; serviceable
das **Dieselöl** (-e) Diesel oil
das **Diluvium** diluvium
das **Ding** (-e) thing, object
das **Diogenal** diogenal (dibromopropyldiethylbarbituric acid)
Diogenes *Greek philosopher, the "Cynic" (about 404-323 B.C.), who inured himself to the vicissitudes of weather by living in a tub belonging to the temple of Cybele*
das **Diphenylarsinchlorid** diphenylchlorarsine
direkt direct
der **Dolomit** dolomite
die **Donau** Danube
das **Donauwasser** water of the Danube
doppelt double, twice
dort there
die **Dose** tin; dose
der **Draht** (ꞈe) wire
das **Drahtsieb** (-e) wire screen
die **Drahtspirale** wire spiral
die **Drechslerwaren** (*pl.*) turned goods
drehen to turn, rotate, twist

die **Drehwaage** torsion balance
das **Dreieck** (-e) triangle
dreifach threefold, triple
dreiseitig three-sided, trilateral
dringen (a, u) to penetrate; to press; to urge
das **Drogenpulver** (-) powdered drug
*****drohen** to threaten
*****der Druck** (-e) pressure, compression; printing, print
drucken to print
drücken to press
die **Druckerei** printing establishment
die **Druckhydrierung** pressure hydrogenation
die **Drüse** gland
der **Duftstoff** (-e) perfume
dumm stupid
das **Düngemittel** (-) fertilizer
das **Düngesalz** (-e) fertilizer salt
dunkel dark
dunkelgrün dark-green
dünn thin
*****dünnwandig** thin-walled
*****der Dunst** (ꞈe) vapor, fume
dunstig vaporous
durch through, by, by means of; — **und** — throughout
durchaus absolutely, thoroughly, entirely; by all means; — **nicht** not at all
durch-bilden to perfect, improve
durchbrechen to penetrate, break through
durch-brechen to break, break in two
durch-brennen to burn through
*****durchdringen** (*also separable*) to penetrate
das **Durchdringungsvermögen** penetrating power
das **Durcheinander** confusion
durch-fallen to fall through; **im Examen** — to fail

VOCABULARY

durchführbar practicable, feasible
*durchführen to carry through; to lead through; to accomplish
die Durchführung execution; accomplishment
*durchgreifend thorough, decisive
*durch-lassen to transmit
durchlässig permeable
durchlaufen (also separable) to run through
durch-lesen to read through
durchleuchten to illuminate
*der Durchmesser (-) diameter
durch-mischen to mix thoroughly, mix
die Durchmischung mixing
durch-probieren to test thoroughly, test
durchsausen (also separable) to rush through
*durchschauen to see through; to find out; to discover
durchschlagen to strike through; to penetrate
*der Durchschnitt (-e) cut, cross section; average
durchschnittlich average
*durchsetzen to permeate; to intersperse
*durch-setzen to put through; (rfl.) to prevail
*durchsichtig transparent; clear
durchsichtiggrün transparent green
*durchweg throughout
dürfen (darf, durfte, gedurft) to be permitted, be allowed, may
düster gloomy
das Dynamit dynamite

eben even; exactly; just
die Ebene plane; plain
ebenfalls likewise
ebenso just as, likewise; — wie just as
ebensogut just as well

*echt genuine, real; fast (of colors)
die Echtheit genuineness
*eckig angular, cornered
*edel precious, noble; inert
das Edelgas (-e) inert gas
die Edelgasgruppe group of inert gases
das Edelmetall (-e) precious metal
der Edelstein (-e) precious stone, gem, jewel
der Edelsteinhandel gem trade, gem market
der Edelsteinkenner (-) gem expert
die Edelsteinnachahmung gem imitation
egoistisch selfish, egoistic
*ehemalig former
das Ehepaar (-e) married couple
ehren to honor
ehrlich honest, sincere
Ehrlich, Paul (1854-1915) *outstanding German chemist, noted for his work in chemotherapy, discoverer of salvarsan*
das Ei (-er) egg
eidechsenartig lizardlike, lacertian
der Eifer zeal
eifrig eager, zealous, earnest
das Eigelb egg yolk
*eigen own, characteristic, distinct
eigenartig peculiar, original
die Eigenenergie specific (intrinsic) energy
die Eigenfarbe intrinsic color, proper color
*die Eigenschaft quality; property; peculiarity
eigentlich real, proper
*eigentümlich peculiar
*eignen to suit, qualify
eilen to rush, hasten
einander one another, each other
*ein-bürgern to adopt; to come into use

*einbüßen to lose
*eindeutig plain
ein-dringen to penetrate
eindringlich impressive, forcible
*der Eindruck (¨e) impression
eindrucksvoll impressive
einerseits on the one hand
einfach simple; single; plain
das Einfamilienhaus (¨er) one-family dwelling
ein-fangen (i, a) to catch
*der Einfluß (¨sse) influence
die Einfuhr importation
*ein-führen to introduce; to import
die Einführung introduction; importation
ein-geben to give, administer
*ein-gehen to go in, enter; auf ... — to deal with, mention
der Eingeweidewurm (¨er) intestinal worm
eingraben (ä, u, a) to dig in
*ein-greifen to act, intervene
*der Eingriff (-e) interference; operation
*die Einheit unity; unit
*einheitlich uniform, homogeneous
das Einheitsbedürfnis need for unity
*einigermaßen in or to some degree
*der Einklang harmony; unison
einmal once; partly
*einmalig single, solitary
*ein-nehmen to take, take in, occupy
einprägsam impressive
einprozentig one-per-cent
*ein-rechnen to include in one's account
*ein-richten to arrange; to equip
ein-rücken to place; to insert
der Einsatz insertion; respirator; filler
ein-schätzen to estimate, evaluate
ein-schläfern to narcotize; to make someone fall asleep

der Einschlag (¨e) striking, hitting, impact
*einschlagen to strike; to drive in; to follow, adopt
der Einschluß (¨sse) inclusion
einschneidend incisive, considerable
*die Einschränkung reservation, limitation
ein-sehen to realize, understand
einseitig one-sided
die Einseitigkeit one-sidedness
ein-setzen to set in; to apply; to start
einspinnen (o, o) (rfl.) to spin a cocoon
ein-spritzen to inject
einst once, former
Einstein, Albert (1879–) *physicist and mathematician, world-famous for his theory of relativity, who received the Nobel Prize in 1921*
ein-stellen to set; to stop; to regulate; (rfl.) to appear, occur
die Einstellung position, attitude
einstweilen meanwhile, for a time, for the time being
*ein-teilen to divide
einträglich profitable
*ein-treten to occur, happen, result; to enter
ein-trocknen to dry, dry up
*einwandfrei unobjectionable, definite
*ein-wirken auf to act upon, exert influence on
die Einwirkung effect, action
das Einzelatom (-e) single atom
*die Einzelheit detail
einzeln single, separate, individual; some; im —en in detail; in individual cases
die Einzeluntersuchung separate experiment; detail investigation
ein-ziehen (o, o) to enter; to draw in
einzig only, single, unique

VOCABULARY

die **Eisenbahnschwelle** railroad tie
Eisenbart, Johann Andreas (1661–1727) *German physician, prototype of the physician favoring drastic cures*
das **Eisenchlorid** iron chloride
die **Eisenchloridlösung** iron-chloride solution
die **Eisenchloridreaktion** iron-chloride reaction
die **Eisenindustrie** iron industry
der **Eisenkern** (–e) iron core
die **Eisenkonstruktion** iron construction
der **Eisenmeteor** (–en) iron meteor
das **Eisenoxyd** iron oxide
die **Eisenplatte** iron plate
das **Eisenrohr** (–e) iron tube
das **Eisenteil** (–e) iron part
die **Eiskruste** ice crust
eitern to suppurate
das **Eiweiß** albumin; protein
der **Eiweißkörper** (–) albuminous substance, protein
der **Eiweißstoff** (–e) albuminous substance, protein
die **Elastizität** elasticity
Elberfeld *an industrial city in western Germany*
elektrisch electrical
die **Elektrizität** electricity
das **Elektrizitätsteilchen** (–) particle of electricity
der **Elektromagnet** (–e) electromagnet
elektromagnetisch electromagnetic
das **Elektron** (–en) electron
die **Elektronenhülle** electronic shell
die **Electronenwolke** cloud of electrons
elektroneutral electroneutral
elektropositiv electropositive
das **Elektroskop** (–e) electroscope

die **Elektrotechnik** electrical engineering
das **Element** (–e) element
der **Elementenbegriff** (–e) theory of the elements
die **Elementenumwandlung** transformation of elements
das **Elfenbein** ivory
elfenbeinähnlich ivorylike
die **Elritze** minnow
die **Emanation** emanation
empfehlen (ie, a, o) to recommend
empfinden to experience, feel, perceive
empfindlich sensitive, delicate; severe
die **Empfindlichkeit** sensitiveness
empor-blühen to grow, rise
das **Ende** (–n) end, conclusion, limit; **letzten Endes** finally, in the last analysis
***endgültig** final, conclusive, definite
endlich finally
endlos endless
die **Energie** energy
die **Energieart** kind of energy
die **Energieaufnahme** absorption of energy
der **Energiebetrag** (¨e) amount of energy
der **Energiegehalt** (–e) energy content
das **Energiequantum** (–quanten) energy quantum
energiereich rich in energy; vigorous
die **Energieumwandlung** transformation of energy
energisch energetic; thorough
eng narrow, close; limited
***engbegrenzt** (very) limited
englisch English
engumgrenzt limited, small
***entbehren** to lack, be without, dispense with
***entdecken** to discover

*die **Entdeckung** discovery
***entfalten** to unfold, develop
***entfernen** to remove
*die **Entfernung** distance
entgegen-treten to face; to reveal
***entgehen** to escape
die **Entgleisung** derailment; mistake
***enthalten** to contain, include; (*rfl.*) to abstain
enthüllen to reveal
die **Entladung** discharge
die **Entladungsröhre** discharge tube
entlang along
entleeren to empty, discharge
die **Entmischung** separation into component parts; disintegration
entpuppen to reveal (*also rfl.*)
die **Enträtselung** unraveling; explanation
***entscheiden** (ie, ie) to decide, determine
die **Entscheidung** decision; eine — treffen to make a decision
entschließen (*rfl.*) to decide, resolve
entsetzlich frightful, terrible
***entspannen** to relieve from tension; to expand
die **Entspannung** pressure drop; expansion
***entsprechen** to correspond to, conform with
***entstehen** to arise, originate; to result
*die **Entstehung** origin
die **Entstehungsbedingungen** conditions of origin, requisite conditions or factors
der **Entstehungsort** (-e) place of origin
die **Entstehungsursache** cause of origin
die **Entstehungsweise** mode of origin
enttäuschen to disappoint

die **Enttäuschung** disappointment
entweder either; — ... **oder** either ... or
entweichen to escape
***entwerfen** to design, plan
entwerten to reduce in value; to depreciate
***entwickeln** to develop; to unfold
*die **Entwicklung** development; progress; evolution
der **Entwicklungsfarbstoff** (-e) mordant
die **Entwicklungsgeschichte** history of development, history of evolution
das **Entwicklungsstadium** (-stadien) stage of development
entziehen (o, o) to withdraw; to escape
entziffern to decipher
***entzünden** to inflame; to ignite
die **Entzündung** inflammation; ignition
das **Ephedrin** ephedrine
die **Epoche** epoch
epochemachend epoch-making
erbauen to build, erect
erbittern to embitter
erblicken to see
die **Erblindung** loss of sight
erblühen to flower; to awaken
das **Erbrechen** vomiting
erbsengroß pea-sized
das **Erdalkalimetall** (-e) alkaline earth metal
der **Erdalkaliphosphor** alkaline earth phosphate
die **Erdatmosphäre** earth's atmosphere
der **Erdball** (terrestrial) globe
die **Erdbebenforschung** seismology
der **Erdbebenherd** (-e) focus or center of an earthquake
die **Erdbebenwarte** seismological station

die Erdbebenwelle seismic tremor, earthquake wave
erdenken to devise, invent
erdenklich imaginable
die Erdgasquelle natural-gas well
das Erdinnere inside of the earth
der Erdkern core of the earth
der Erdkörper terrestrial body, earth
die Erdkruste earth's crust, lithosphere
die Erdluft atmosphere
der Erdmittelpunkt earth's center
die Erdoberfläche earth's surface
das Erdöl (-e) petroleum
das Erdöldestillat (-e) petroleum distillate
der Erdölvorrat (⁼e) petroleum supply
die Erdrinde earth's crust, lithosphere
die Erdtiefe depth of the earth
*ereignen (rfl.) to happen, take place
das Ereignis (-se) event, occurrence
erfahren (ä, u, a) to learn, find out, experience
*die Erfahrung experience, knowledge
*erfassen to seize, grasp, catch; to define
die Erfassung grasping, comprehension, obtaining
*der Erfinder (-) inventor
der Erfolg (-e) success
*erfolgen to follow, take place
erfolgreich successful
*erforderlich necessary, required
*erfordern to require, demand
die Erforschung investigation, research
erfreulich gratifying
erfrischen to refresh
erfüllen to fill; to fulfill
*ergänzen to complete; to supplement
die Ergänzung completion; supplement

*ergeben to give, yield; (rfl.) to be shown, be proved; to result
*das Ergebnis (-se) result, outcome; conclusion
ergebnislos unsuccessful, without result
ergehen to fare; to happen
ergießen to pour forth
das Ergosterin ergosterol
ergrauen to turn gray
*ergründen to investigate, discover; to fathom
*erhalten to obtain; to preserve
die Erhaltung conservation, preservation; obtaining
der Erhaltungszustand (⁼e) state of preservation
erheben to raise; (rfl.) to rise
erheblich considerable
erhitzen to heat
die Erhöhung increase; elevation; rise
erinnern –an to remind; (rfl.) to remember
erkennbar recognizable, perceptible
*erkennen to detect, recognize, realize
die Erkenntnis (-se) understanding; knowledge; realization
das Erkennungsmittel (-) means of recognition
die Erkennungsmöglichkeit ability to identify or recognize
die Erkennungsschwelle limen, threshold
erklären to explain, illustrate
erkranken to fall ill, become sick
*erkundigen (rfl.) to inquire
erlahmen to tire; to paralyze
erlangen to obtain
erlassen to issue, pass; to save
*erläutern to explain
erleben to experience
*erleichtern to ease, facilitate

VOCABULARY

die **Erleichterung** relief
*erlöschen (i, o, o) to be extinguished, go out
*ermitteln to ascertain, find out
die **Ermittlung** determination, finding
*ermöglichen to make possible
ermorden to murder
ermüden to tire
der **Ermüdungsstoff** (–e) substance causing fatigue
erneut renewed
ernsthaft serious
erobern to conquer, capture
die **Eroberung** conquest
*erproben to test
*errechnen to calculate
*erregen to excite, rouse
der **Erreger** (–) cause; excitant
erreichen to reach; to obtain; to accomplish
*der **Ersatz** substitute; compensation
das **Ersatzmittel** (–) substitute; surrogate
der **Ersatzstoff** (–e) substitute
*erscheinen to appear, seem
*die **Erscheinung** phenomenon; appearance
die **Erscheinungsform** phase; state
*erschließen to open up
die **Erschließung** disclosure; opening
*erschöpfen to exhaust
*die **Erschütterung** shock; concussion; vibration
die **Erschütterungswelle** concussion wave, tremor
erschwinglich reasonable
*ersetzen to substitute, replace
*ersinnen (a, o) to devise, conceive
das **Ersparnis** (–ses, –se) saving
erst first; not until, only
*erstarren to solidify, harden, freeze
die **Erstarrung** solidification

das **Erstaunen** astonishment
erstaunlich surprising
erstehen to arise, originate
ersticken to suffocate
erteilen to impart, give
ertragen to bear, endure
erträumen to dream
*erwägen (o, o) to consider, weigh
die **Erwähnung** mention
*erweisen to prove, show; (*rfl.*) to be proved, be found
*erweitern to widen
erwidern to answer, reply
das **Erz** (–e) ore
erzählen to tell, say
erzaubern to produce or obtain by magic
*erzeugen to produce
das **Erzeugnis** (–se) product
die **Erzeugung** production
*erzielen to obtain; to produce, make
die **Essigsäure** acetic acid
der **Essigsäurerest** (–e) acetic acid remainder
*etwa perhaps; about, approximately
etwas something; somewhat
Europa Europe
ewig eternal
exakt exact
existieren to exist
das **Experiment** (–e) experiment
die **Experimentalarbeit** experimental work
der **Experimentator** (–en) experimenter
experimentell experimental
die **Experimentierkunst** (⍁e) experimental skill
explodieren to explode
explosionsartig like an explosion; explosive
explosiv explosive
extrahieren to extract

VOCABULARY

der **Extrakt** (-e) extract
die **Extraktion** extraction
der **Extraktionsapparat** (-e) extraction apparatus
das **Extraktionsverfahren** (-) method of extraction

*die **Fabrik** factory
***fabrikmäßig** by factory methods
fabrizieren to manufacture, make
die **Fachkenntnis** (-se) technical knowledge
fachkundlich expert
*der **Fachmann** (Fachleute) expert
*die **Fähigkeit** ability; capacity; capability
der **Fall** (⁼e) case, event; fall
*fallen (ä, ie, a) to fall, drop
fällen to precipitate; ein Urteil — to pass judgment
fallen-lassen to drop; to discard
das **Fällungsmittel** (-) precipitant
falsch false, incorrect
der **Fälscher** (-) forger, falsifier
die **Fälschung** fraud, falsification
die **Falte** fold, plait
die **Familie** family
fanatisch fanatical
die **Farbe** color
das **Färbebad** (⁼er) dye bath
*färben to color, dye, stain
farbenblind color-blind
das **Farbendreieck** (-e) color triangle
der **Farbeneindruck** (⁼e) impression (image) of color
die **Farbenerscheinung** color phenomenon
farbenfroh gay-colored
die **Farbenindustrie** dye industry, paint industry
der **Farbenkreis** (-e) color disk
die **Farbenlehre** chromatics, science of color

der **Färbeprozeß** (-sse) dyeing process
der **Färber** (-) dyer
die **Färberei** dyeing shop
färberisch from the point of view of the dyer
die **Farberscheinung** color phenomenon
die **Farbfabrik** dye factory
farbig colored
farblos colorless
die **Farbmischung** color mixture
die **Farbreaktion** color reaction
die **Farbschicht** layer of paint, coat of paint
*der **Farbstoff** (-e) dye; coloring matter
der **Farbstoffcharakter** coloring property
das **Farbstoffgemisch** (-e) dye mixture
das **Farbstoffmolekül** (-e) dye molecule
der **Farbton** (⁼e) color tone
die **Färbung** dyeing; coloring; pigmentation, hue
die **Farbvision** color vision
die **Farbwerke** dye works
*die **Faser** fiber; filament
*fassen to grasp, seize; to comprise; to define; to contain
*die **Fassung** casing, frame, mounting
*fast almost
*die **Fäulnis** decay, rot
fehlen to lack; to be missing
fehlerfrei perfect, without mistake
die **Fehlergrenze** limit of error
feiern to celebrate
fein fine, delicate
die **Feinarbeit** delicate (precision) work
der **Feinbau** fine structure, composition
feindlich hostile, opposed

die **Feindseligkeit** hostility
die **Feinheit** fineness; fine detail
die **Feinmechanik** fine mechanics
das **Feld** (–er) field
der **Feldherr** (–en) general
der **Feldspat** feldspar
das **Fenster** (–) window
das **Fensterglas** window glass
fern far, distant
die **Fernaufnahme** long-range photograph
die **Ferne** distance
ferner furthermore, besides
das **Fernrohr** (–e) telescope
fertig ready; finished
fest-frieren to freeze hard (solid)
festgeordnet in stationary arrangement
fest-halten to arrest, hold
fest-stehen to stand fast, be fixed, be stationary; to be sure
***fest-stellen** to establish, determine; to fix; to find
die **Festellung** determination; establishing; discovery
die **Festung** fortress, fortification
das **Fett** (–e) fat
fettig fatty
fettlöslich soluble in fat
die **Feuchtigkeit** moisture, dampness
das **Feuer** (–) fire
***feuerfest** fireproof
das **Feuerungsmaterial** (–ien) fuel
das **Feuerwerk** fireworks
feurig fiery
der **Fez** fez
das **Fieber** fever
das **Fiebermittel** (–) febrifuge, antipyretic
fiebersenkend fever-lowering
fiebervertreibend febrifugal, dispelling fever
der **Film** (–e) film

filtrieren to filter
finden (a, u) to find
die **Findigkeit** cleverness, shrewdness
die **Firma** (**Firmen**) firm, company
der **Firnis** (–se) varnish
Fischer, Franz *outstanding German chemist, noted for his work in fuel research*
das **Fischfett** (–e) fish fat
das **Fixiernatron** sodium thiosulphate
der **Fixstern** (–e) fixed star
*die **Fläche** plane, surface
die **Flasche** bottle, flask
*der **Fleck** (–en) spot, stain
fleckig spotted
das **Fleisch** meat, flesh
fleißig diligent, industrious
***flicken** to patch
die **Fliegeraufnahme** air photograph
die **Flosse** fin
die **Flucht** flight
***flüchtig** volatile; hasty
*das **Flugwesen** aviation
die **Flundernart** species of flounder
das **Fluor** fluorine
das **Fluoreszeïn** (*pronounce:* Fluoresze|in) fluorescein
die **Fluoreszenzanalyse** fluorescent analysis
die **Fluoreszenzerscheinung** fluorescent picture (phenomenon)
die **Fluoreszenzfähigkeit** ability to fluoresce
die **Fluoreszenzfarbe** fluorescent color
die **Fluoresenzlampe** ultraviolet lamp
das **Fluoreszenzlicht** fluorescent light
fluoreszieren to fluoresce
der **Fluorit** fluorite
***flüssig** liquid
*die **Flüssigkeit** liquid, fluid
die **Flüssigkeitssäule** column of liquid
das **Flüssigkeitströpchen** (–) minute drop of liquid

*das **Flußmittel** (-) fluxing material, flux
die **Flußsäure** hydrofluoric acid
der **Flußspat** fluorspar, fluorite
*die **Folge** sequence, succession, series; future; consequence, result; — **leisten** to obey; **zur** — **haben** to result in
***folgen** to follow; to succeed; to result
***folgendermaßen** as follows
die **Folgezeit** future; **in der** — afterward, subsequently
***fordern** to demand
fördern to raise; to further, promote
*die **Forderung** demand, claim
die **Form** form; state
der **Formaldehyd** formaldehyde
das **Formalin** formalin
das **Formamint** formamint (*a disinfectant, compound of formaldehyde and lactose*)
die **Formel** formula
das **Formelbild** (-er) structural formula
*der **Forscher** (-) investigator, scientist
die **Forscherarbeit** research
das **Forscherpaar** (-e) scholarly couple
die **Forschertätigkeit** scientific work
*die **Forschung** research, investigation
die **Forschungsarbeit** investigational work
das **Forschungsergebnis** (-se) results of research
die **Forstwirtschaft** forestry; forest economy
fort-bewegen (*rfl.*) to move
fort-eilen to hurry away, go out
der **Fortgang** going away; process; progress
fort-gehen to go away; to proceed; to continue
fort-schleppen to drag away, carry off
***fort-schreiten** (i, i) to advance

der **Fortschritt** (-e) progress
***fort-setzen** to continue
***fortwährend** constantly
fossil fossil
das **Fossil** (-ien) fossil
*die **Frage** question; **in** — **kommen** to be a question of, be considered
***fraglich** in question; questionable
fragwürdig questionable
der **Franzose** Frenchman
die **Franzosenhosen** French trousers
französisch French
frei free
Freiburg *a university city in South Germany*
die **Freiheit** freedom, liberty
***freilich** of course, to be sure, indeed
freiwillig spontaneous, voluntary
fremd strange, unknown, foreign
fremdländisch foreign; exotic
Frémy, Edmund F. (1814-1894) *French chemist*
die **Freude** joy
Friedel, Georges (1865-1933) *outstanding French mineralogist*
die **Friedenszeit** peacetime
der **Friedhof** (≠e) cemetery
Friedländer, Paul (1857-1923) *German chemist, who isolated purple dye from the purple shell in 1907*
friedlich peaceful
das **Frischgemüse** fresh vegetable
froh glad, cheerful, happy
die **Front** front
der **Frontabschnitt** (-e) section of the front
der **Frosch** (≠e) frog
die **Frucht** (≠e) fruit; result
die **Fruchtbarkeit** fertility
früh early
das **Frühjahr** (-e) spring
die **Frühjahrsmüdigkeit** spring fever, lassitude

der **Fühler** (-) feeler
führen to lead, conduct, carry
*die **Fülle** abundance
füllen to fill
das **Füllgas** (-e) lifting gas; fill gas
die **Füllung** filling
das **Funkenbüschel** cluster of sparks
der **Funkeninduktor** inductor coil
für for, by, of; instead; ein — allemal once and for all; — sich in itself
furchtbar terrible
fürchterlich terrible, frightful, tremendous
das **Furnierholz** (⸚er) veneer wood; plywood
der **Fürst** (-en) prince
fußen to stand; to rely, depend
das **Futter** feed, food; lining

g (das **Gramm**) gram
der **Galalith** galalith
der **Gammastrahl** (-en) gamma ray
*der **Gang** (⸚e) motion, process; walk; im —e sein to be going; in — bringen to start
***ganz** whole, entire, quite; very, all; — und gar absolutely; im —en on the whole, altogether
gänzlich whole, entirely, completely
ganzzahlig integral
die **Ganzzahligkeit** being a whole number; integrity
gar absolutely; even; — nicht not at all
der **Gasbehälter** (-) gas container
die **Gasfabrik** gasworks
der **Gasfabrikant** gas manufacturer
***gasförmig** gaseous
das **Gasgemisch** gas mixture
der **Gaskampfstoff** (-e) chemical war material; gas-shell filling
das **Gasmolekül** (-e) gas molecule
die **Gasphase** gas phase

die **Gasquelle** gas well
das **Gasteilchen** (-) gas particle
das **Gastgeschenk** (-e) present given by a guest
der **Gastote** (-n) gas victim
das **Gaswerk** (-e) gasworks
der **Gatte** (-n) husband
der **Gaumen** (-) palate
der **Gaurisankar** *one of the peaks of the Himalaya (about 23,500 feet high)*
das **Gebäude** (-) structure; building
geben (i, a, e) to give; es gibt there is, there are
*das **Gebiet** (-e) field, sphere, domain, region, territory
*das **Gebilde** (-) structure; formation
das **Gebirge** (-) mountain (range)
gebirgsbildend mountain-forming; geological
die **Gebirgsluft** mountain air
der **Gebirgszug** (⸚e) mountain range
das **Gebläse** (-) blower; blast; blowtorch
die **Gebläseöffnung** mouth of a torch
der **Gebrauch** use
gebrauchen to use, employ
gebräuchlich usual, common
der **Gebrauchsgegenstand** (⸚e) commodity
das **Geburtsjahr** (-e) year of birth
der **Gedanke** (-n) thought, idea
gedeihen (ie, ie) to thrive, grow
gedeihlich beneficial, favorable
***gediegen** pure; free; peculiar
die **Geduld** patience
geduldig patient
*die **Gefahr** danger
***gefährlich** dangerous
gefahrlos safe, without danger
die **Gefangenschaft** captivity
*das **Gefäß** (-e) vessel, container
die **Gefäßzerreißung** vascular rupture

der **Gefrierpunkt** freezing point
das **Gefühl** (–e) feeling
gegen against, toward
die **Gegend** region, quarter, vicinity, landscape
*der **Gegensatz** (⸚e) contrast; opposition
der **Gegenstand** (⸚e) object, subject
*das **Gegenteil** contrary, opposite; **im —** on the contrary
gegenüber over, against, in contrast with
***gegenwärtig** present
der **Gegner** (–) opponent
gegnerisch opposing
*der **Gehalt** content; **das —** salary
das **Gehäuse** (–) case, shell
das **Geheimnis** (–se) secret
geheimnisvoll secretive, mysterious
gehen (ging, gegangen) to go; **vor sich —** to take place, proceed
der **Gehilfe** (–n) helper, assistant
das **Gehirn** (–e) brain
***gehören** to belong to, be counted among; to be necessary
***gehörig** proper, thoroughly
der **Geist** (–er) spirit; mind; ghost
***geistig** mental, intellectual, spiritual; spirituous, alcoholic
***gelangen** to reach, arrive; to gain access to
***geläufig** familiar
gelb yellow
die **Gelbglut** yellow heat
gelbgrün yellow-green
gelblichrosa yellowish-pink
gelbrot yellow-red
gelbweiß yellow-white
der **Geldschein** (–e) paper money
***gelegentlich** occasional
der **Gelehrte** (–n, –n) scholar, learned man
gelinde mild

*gelingen (a, u) to succeed; be possible
*gelten (i, a, o) to be valid; to apply; to be a question of; die es ... zu gewinnen gilt which is to be obtained from
die Geltung validity, effect; zur — kommen to be effective
das Gemälde (–) painting
gemeinsam common, joint, mutual, together
gemeinverständlich popular
*das Gemenge (–) mixture, conglomerate
das Gemisch (–) mixture
das Gemüse vegetables
*genau exact; accurate; careful
die Genauigkeit exactness; accuracy
genial ingenious, brilliant
genießen (o, o) to enjoy; consume; take
*genügen to suffice
gepulvert powdered, pulverized
gerade straight; especially, exactly
geradezu almost; absolutely; directly, simply; positively
*geraten (ä, ie, a) to come, get, fall; to turn out
die Gerberei tanning; tannery
das Gericht (–e) court, judgment; dish
gerichtlich judicial, legal
der Gerichtschemiker (e) legal chemist
gering small, slight, little
*geringfügig small, unimportant, trivial
das Germanin germanin (Bayer's 205)
der Geruch (⸚e) smell, odor; sense of smell
geruchlos odorless
*gesamt entire, whole, total
das Gesamtgewicht total weight

der **Gesamtverbrauch** total consumption
das **Geschäft** (-e) business
das **Geschäftsleben** business life; business, trade
geschäftstüchtig enterprising
das **Geschehen** process; occurrence; activity
die **Geschichte** history
geschichtlich historical
das **Geschick** skill; fate, destiny
*****geschickt** skillful
geschlechtsreif having reached puberty, capable of reproduction
der **Geschmack** taste
geschmacklich regarding taste
das **Geschoß** (-sse) projectile, missile, shell
das **Geschütz** (-e) gun, cannon
die **Geschwindigkeit** speed, velocity
die **Gesellschaft** society; company
das **Gesetz** (-e) law; das — der Schwere law of gravity
*****gesetzmäßig** conformable to law; regular
die **Gesetzmäßigkeit** conformity to law; regularity
das **Gesicht** (-er) face
*****der **Gesichtspunkt** (-e) point of view
die **Gestalt** shape, form
gestatten permit
das **Gestein** (-e) rock, stone
gesteinbildend rock-forming
die **Gesteinsmasse** rock material, mass of rocks
die **Gesteinsprobe** mineral test
das **Gestirn** (-e) celestial bodies
gesund well, healthy
der **Gesundheitsapostel** (-) health faddist
die **Gesundheitsverhältnisse** (*pl.*) health conditions

der **Geübte** (-n, -n) expert
*****gewaltig** huge, vast, tremendous
gewalttätig violent
das **Gewand** (ⁿer) garment, clothing
*****das **Gewebe** (-) textile, texture, web; tissue
die **Gewehrgranate** rifle shell
*****das **Gewicht** (-e) weight; emphasis
die **Gewichtsmenge** amount by weight
das **Gewichtsprozent** (-e) percentage by weight
das **Gewimmel** multitude, throng
*****gewinnen** (a, o) to win, obtain, gain, succeed
gewinnsüchtig greedy
die **Gewinnung** obtaining, manufacture, production
gewiß certain, sure
das **Gewissen** conscience
gewissenhaft conscientious
*****gewissermaßen** in or to a certain degree; as it were
*****die **Gewißheit** certainty
gewöhnen (*rfl.*) to accustom oneself to, get used to
*****gewöhnlich** ordinary, common
Gießen *a city in central Germany*
gießen (o, o) to pour
das **Gift** (-e) poison
giftig poisonous
die **Giftigkeit** toxicity
die **Giftmenge** amount of poison
der **Giftmord** (-e) murder by poisoning
der **Giftmörder** (-) poisoner
der **Giftmordverdacht** suspicion of poisoning
der **Giftnachweis** (-e) proof of poison
die **Giftstärke** toxicity
der **Giftstoff** (-e) poisonous substance
gigantisch gigantic
der **Glanz** luster, brilliance

glänzen to shine; glänzend brilliant, splendid
die Glanzleistung outstanding or splendid achievement
das Glas (^{u}er) glass
glasartig glasslike; vitreous
der Glaser glazier
gläsern glass, of glass
der Glasfluß (^{u}e) glass flux; vitreous paste (*for imitations of gems*)
der Glashahn (^{u}e) glass cock
glashart hard as glass; brittle
glasklar clear as glass
das Glasprisma (-prismen) glass prism
die Glasröhre glass tube
die Glasscheibe pane of glass
die Glassorte kind of glass
die Glaswand glass wall
glasweise by the glass
glatt smooth; straight
der Glaube (-ns, -n) belief, faith, confidence
das Glaubersalz Glauber's salt (sodium sulphate decahydrate)
gleich like, same, equal; at once, immediately
gleichartig similar; of the same kind
die Gleichartigkeit homogeneity; similarity
*gleichbleiben to remain constant; —d invariable
*das Gleichgewicht balance
gleichgroß of equal size
*gleichgültig indifferent, immaterial
*die Gleichheit uniformity; equality
gleichen (i, i) to resemble, correspond, be equal; to make alike, equalize
*gleichmäßig even, uniform, regular
der Gleichmut equanimity
gleichsam as it were
*gleichzeitig simultaneous

*die Gliederung organization, arrangement
der Glimmer mica
das Glimmerplättchen (-) small mica plate
der Glimmerschiefer mica slate
die Glocke bell
das Glück good luck, fortune, success
glücken to succeed
glücklich happy, lucky, fortunate
die Glück(s)sache matter of chance or luck
die Glühbirne incandescent bulb
*glühen to glow, heat
die Glühhitze glowing heat
glutflüssig molten (glowing liquid)
das Gold gold
goldgedeckt covered by gold
die Goldmacherei making of gold; alchemy
das Grab (^{u}er) grave
der Graben (^{u}) ditch, trench
*der Grad (-e) degree; grade
*gradlinig in a straight line
Graebe, Carl *German chemist*
das Gramm (-e) gram
die Grammophonplatte phonograph record
die Granate grenade, shell
der Granattrichter (-) shell hole
der Granit granite
der Graphit graphite
graphitisch graphitic
der Graphitkristall (-e) graphite crystal
der Graphologe (-n, -n) handwriting expert
das Gras (^{u}er) grass
grau gray
grauenvoll dreaded, horrible
der Graugehalt gray content
die Grauleiter gray scale
die Grauleiterstufe gray-scale shade

der **Grauton** (ᵹe) gray tone
greifen (i, i) to seize, grasp, take
grell dazzling, glaring
grellweiß glaring white
die **Grenze** boundary, limit, border
grenzen to border
die **Grenzfläche** boundary surface
griechisch Greek
grob coarse, rough, rude
grobkörnig large-grained, coarsely granular
***groß** large, tall; extensive; eminent, great; im —en und ganzen on the whole; im Großen on a large scale
*die **Größe** size, magnitude; outstanding authority
*die **Größenordnung** order of magnitude
die **Großfabrikanlage** large factory
die **Großhalle** large hall
der **Großindustrielle** (-n) big industrialist
das **Großkraftwerk** (-e) superpower station
die **Großproduktion** large-scale production
***großtechnisch** large-scale industrial
der **Großversuch** (-e) large-scale test
die **Grubenhölzer** (pl.) mining timber, timbering
grün green
*der **Grund** (ᵹe) base, bottom; foundation; ground, reason, basis; cause; im —e fundamentally; im —e genommen actually; auf den — gehen to find out, solve
*die **Grundanschauung** fundamental idea, basic conception
*der **Grundbegriff** (-e) fundamental conception
*****gründen** to found, establish, base
*das **Grundgesetz** (-e) basic law
der **Grundkörper** (-) basic substance

*die **Grundlage** basis, foundation; principle
*****grundlegend** fundamental
*****gründlich** thorough
die **Grundmasse** basic substance
*der **Grundsatz** (ᵹe) basic principle, axiom
*****grundsätzlich** fundamentally, principally
der **Grundstoff** (-e) element
grundverschieden fundamentally different
der **Grundzug** (ᵹe) characteristic; basic outline
die **Grünfärbung** green coloring
grünlich greenish
die **Gültigkeit** validity
gummieren to rubberize
die **Gummiindustrie** rubber industry
der **Gummischlauch** (ᵹe) rubber tube
*****günstig** favorable
das **Gußeisen** cast iron, pig iron
gut good, well
das **Gutachten** (-) expert opinion; decision
*****gutbegründet** well-founded
gutklingend well-sounding

das **Haar** (-e) hair
das **Haarwasser** (-) hair tonic
haben (hat, hatte, gehabt) to have
Haber, Fritz (1868–) *German chemist who, with Bosch, invented a method for the synthetic production of ammonia*
*****habhaft-werden** (*with genitive*) to obtain, catch
der **Hafer** oats
der **Hals** (ᵹe) neck; throat
*****halten** (ä, ie, a) to hold; to consider
haltig (*as suffix*) containing
halt-machen to stop
die **Haltung** attitude, position; posture

VOCABULARY

das **Hämmerchen** small hammer
die **Hand** (ᵤe) hand; **an —** by, on the basis of
der **Handel** trade
*****handeln** to act; to trade; **— um** to be about, concern, be a question of
die **Handelsware** commercial article
die **Handhabe** means; hold
*****handhaben** to handle
die **Handhabung** handling
hängen (i, a) to hang, be suspended
hängen to hang, suspend, attach
*****harmlos** harmless
der **Harnstoff** urea
das **Hartblei** hard lead
die **Härte** hardness
der **Härtegrad** (-e) degree of hardness
*****hartnäckig** obstinate, stubborn
das **Harz** (-e) resin
harzartig resinlike, resinous
häßlich ugly
Hata, S. *contemporary Japanese physician*
häufig frequent
die **Häufigkeit** frequency
die **Hauptaufgabe** main task
das **Hauptaugenmerk** chief aim, chief attention
der **Hauptbestandteil** (-e) chief constituent, main ingredient
der **Hauptkenner** (-) chief expert, outstanding expert
die **Hauptmenge** major portion, chief amount
die **Hauptsache** main thing, main point; **in der —** chiefly
*****hauptsächlich** chiefly, primarily
die **Hauptverwendung** main utilization
die **Hausfrau** housewife
die **Haut** (ᵤe) skin
die **Hautstelle** place in the skin

das **Hautwasser** (-) skin lotion
die **Hebamme** midwife
heben (o, o) to lift, raise
das **Heer** (-e) army; multitude; great number
die **Hefe** yeast
der **Hegau** *a district in South Germany*
die **Heildroge** medicinal drug
heilen to heal; to repair
die **Heilkraft** (ᵤe) healing power
heilkundlich therapeutic; medical
der **Heilkünstler** physician; medical quack
*****das **Heilmittel** (-) remedy, medicament
der **Heilstoff** (-e) curative, remedy, drug
die **Heilung** healing, cure, recuperation
die **Heilwirkung** curative effect
heimtückisch malicious
*****heißen** (ie, ei) to call; to mean; to order; to be; **es —** it is said; **jetzt heißt es** now it is a question of
das **Heizgas** gas for heating
der **Heizwert** heating value; calorific power
das **Hektar** hectare (2.47 acres)
helfen (i, a, o) to help
der **Helfer** (-) helper
das **Helium** helium
das **Heliumatom** helium atom
der **Heliumgehalt** helium content
die **Heliumlinie** helium line
das **Heliumvorkommen** occurrence of helium
hell bright, light
hellblau light-blue
hellbraun light-brown
hellgelb light-yellow
der **Helligkeitswert** (-e) brightness value, luminescent value

der **Helligkeitsunterschied** (-e) difference in brightness
***hemmen** to check
das **Hemmnis** (-ses, -e) obstacle
***herab-setzen** to lower
herab-stürzen to fall down
heran-treten (an) to confront; to approach
***heran-ziehen** (o, o) to use, bring into play; to bring up
heraus-bekommen to find out
heraus-bringen to bring out, turn out
heraus-destillieren to distill out
heraus-dringen to come out; to penetrate
heraus-fallen to fall out
***heraus-greifen** to pick out
heraus-holen to get out, extract
heraus-kommen to come out; to yield
heraus-nehmen to take out
heraus-schießen to shoot out; to expel
***heraus-stellen** (*rfl.*) to turn out, be proved, be revealed
***herbei-führen** to bring about, cause
die **Herdplatte** plate (*iron or steel*) covering stove, top of stove
her-halten to suffer; to serve
die **Herkunft** origin
heroisch heroic
der **Herr** (-n, -en) gentleman; Mr.; der Seuche — werden to control the disease
herrlich magnificent, grand
die **Herrschaft** control, rule
***herrschen** to prevail, rule, be
***her-rühren** to be due (to), come (from)
herstellbar capable of being produced
***her-stellen** to produce, make, manufacture; to establish
die **Herstellung** manufacture, production
das **Herstellungsverfahren** (-) method of production, manufacturing process
das **Herumtasten** groping about
herunter-reißen (i, i) to tear off
***hervor-bringen** to produce
***hervor-gehen** to proceed; to arise; to result, follow
hervor-kommen to come out of
***hervorragend** outstanding, exceptional
***hervor-rufen** (ie, u) to produce, bring about, give; to call forth
hervor-schießen to shoot out
hervor-zaubern to produce by magic
das **Herz** (-ens, -en) heart
die **Herzbeschwerde** heart complaint
herzhaft hearty
herzkrank suffering from heart disease
herzlich hearty; extremely
die **Herzschwäche** weakness of heart
die **Herztätigkeit** heart activity
Heß, Alfred F. (1875–1933) *professor of clinical pediatrics, Medical College, New York University*
heterogen heterogeneous
hetzen to chase; to egg on
das **Heufieber** hay fever
heute today
heutig present; modern
heutzutage nowadays, at present
hierhin hither
hiermit herewith, with it
die **Hilfe** aid, help; zu — kommen to come to the aid, help
hilflos helpless
die **Hilflosigkeit** helplessness
*das **Hilfsmittel** (-) aid, accessory, tool
der **Hilfsstoff** (-e) (accessory) material
der **Himmel** (-) sky, heaven
der **Himmelskörper** (-) celestial body

VOCABULARY

der **Himmelsraum** celestial space
*****hinaus-gehen** to go out; **darüber —**
 to go beyond
*****der Hinblick** (-e) view, regard
das **Hindernis** (-ses, -se) obstacle, hindrance, handicap
*****hin-deuten (auf)** to point (at *or* to)
hindurch through
hindurch-fallen to fall through
hindurch-fliegen to fly through
hinein-fressen to eat into
hinein-pressen to force into, press into
hinein-treffen to strike into
hinein-kommen to get in, come in
*****hin-reichen** to suffice
hin-schlagen to hit, strike
*****die Hinsicht** respect, regard, view, way
hinsichtlich regarding
der **Hintergrund** (ᴇe) background
hinüber-schießen to shoot across, fire across
die **Hinundherbewegung** oscillating motion
hinweg off, away
*****der Hinweis** (-e) reference
hin-weisen (ie, ie) **auf** to point out, refer to
hinzutreten to join, add to, supervene
der **Hirnboden** (- *or* ᴇ) base of the brain
die **Hitze** heat, temperature
hoch high, great
der **Hochdruckapparat** (-e) high-pressure apparatus
der **Hochdruckofen** (ᴇ) high-presure retort
die **Hochdruckpumpe** high-pressure pump
hochempfindlich very sensitive
hochgespannt at high tension
hochmolekular of high molecular weight

der **Hochofen** (ᴇ) blast furnace
höchst highest; most, extremely
die **Höchster Farbwerke** Höchst (*a city on the Main near Frankfurt*) dye works
die **Hochvakuumpumpe** high-vacuum pump
*****hochwertig** high-grade
hochwirksam highly effective
der **Hof** (ᴇe) court
hoffen to hope
die **Hoffnung** hope
der **Hoffnungsschimmer** ray of hope
Hofmann, A. W. (1818–1892) *German chemist*
die **Höhe** height, altitude; **in die —** up
die **Höhensonne** (künstliche) ultraviolet lamp
die **Höhensonnenlampe** ultraviolet lamp
die **Höhenstrahlung** cosmic radiation
die **Höhle** cave
die **Höhlung** hollow, cavity
Holbein, Hans *the elder* (1460–1524), *and the younger* (1497–1543), *famous German painters*
holländisch Dutch
das **Holz** (ᴇer) wood
der **Holzessig** wood vinegar
das **Holzkohlepulver** powdered charcoal
homogen homogeneous
hören to hear
das **Hormon** (-e) hormone
die **Hormonforschung** hormone investigation
die **Hormonisolierung** isolation of hormones
das **Hormonpräparat** (-e) hormone preparation
die **Hornhaut** cornea
hühnereigroß of the size of a hen's egg

die **Hülle** cover; shell
hüllen to wrap, cover
die **Hülse** shell; husk
humorvoll humorous
der **Hund** (-e) dog
hundertfach hundredfold
die **Hungerblockade** hunger blockade
hungern to hunger
der **Hunne** Hun
der **Hunneneinfall** Hun invasion
der **Husten** cough
der **Hustenreiz** (-e) cough irritation
hüten to guard; protect; **sich vor** ... **hüten** to guard against
die **Hydrierung** hydrogenation
die **Hypophyse** hypophysis, pituitary gland
hypothetisch hypothetical

die **Iatrochemie** iatrochemistry (*the application of chemistry to therapeutics*)
iatrochemisch iatrochemical
der **Idealzustand** (⸚e) ideal condition
identisch identical
I. G. (Interessen Gemeinschaft) Farbenindustrie dye trust
der **Igmerald** (-e) *trade name originating from "I.G." and "(e)merald"*
illustrieren to illustrate
Immendingen *a town in South Germany*
immer always; **noch** — still; — **wieder** again and again
immerhin still, after all, nevertheless
die **Inanspruchnahme** requisition, demand, use
der **Indianer** (-) Indian
indianisch Indian
Indien India
der **Indigo** indigo
indigoartig like indigo

die **Indigofabrikation** indigo manufacture
indirekt indirect
indisch Indian
die **Industrie** industry
die **Industriegegend** industrial region
industriell industrial
der **Industriezweig** (-e) branch of industry
ineinander into one another
***infolge** as a result of, on account of
***infolgedessen** as a result of it
infizieren to infect; inoculate
der **Ingenieur** (-e) engineer
der **Inhalt** content
die **Injektion** injection
die **Injektionsspritze** syringe
injizieren to inject
die **Innenseite** inside
innerhalb within, inside
innerlich at heart; spiritually; internal
***insbesondere** especially, particularly
der **Inseratenteil** (-e) advertising section
***insofern** in so far as, inasmuch
instinktiv instinctive
das **Institut** (-e) institute
die **Insulinwirkung** insulin effect (action)
interessant interesting
das **Interesse** interest
interessieren to interest
inzwischen in the meantime
ionisieren to ionize (*render electrically conductive by the production of ions*)
irdisch earthly, terrestrial
irgendein any, some
irgendwann some time, any time
irgendwo somewhere, anywhere
*der **Irrtum** (⸚er) error, mistake
irrtümlich mistaken, false
isolieren to isolate; to insulate

das **Isoliermaterial** (–ien) insulation material
die **Isolierung** isolation, insulation
das **Isotop** (–e) isotope
die **Isotopieerscheinung** isotopic phenomenon; isotope
Italien Italy

Jackson, Charles T. (1805–1880) *Boston chemist, who suggested the use of ether to W. T. G. Morton, a dentist*
jagen to hunt, chase, race
das **Jahr** (–e) year
jahrelang for years, lasting years
die **Jahresleistung** annual production
das **Jahrhundert** (–e) century
jahrhundertelang lasting centuries, for centuries
die **Jahrhundertwende** turn of the century
jährlich annual
der **Jahrmarkt** (ᵘe) fair
die **Jahrmillion** million years
das **Jahrzehnt** (–e) decade
jahrzehntelang for decades
je ever; each; — **nach** according to; **je . . . desto** the . . . the
jedenfalls in any case
jeder each, every, any; everybody
jedermann everybody
jedoch however, nevertheless, yet
jetzig present
jetzt now
*****jeweilig** particular, respective; at a given time
Joachimsthal *a city in Bohemia*
das **Jod** iodine
jodarm poor in iodine
der **Jodgehalt** iodine content
die **Jodgorgosäure** jodgorgoic acid, di-iodotyrosine
jodhaltig containing iodine

der **Jodmangel** lack of iodine
die **Jodmenge** amount of iodine
das **Jodoform** iodoform
die **Jodverbindung** iodic compound
jugendlich youthful
jung young
das **Jurameer** Jurassic sea
das **Juwel** (–en) jewel
der **Juwelier** (–e) jeweler

der **Kaiser** (–) emperor
die **Kakteenart** species of cactus
das **Kalium** potassium
das **Kaliumaluminiumsilikat** (–e) potassium aluminum silicate
das **Kaliumbichromat** potassium bichromate
der **Kalk** lime
die **Kalkmilch** milk of lime
der **Kalkstein** limestone
die **Kalorie** calorie
der **Kaloriengehalt** caloric content
das **Kältegefühl** feeling of coldness
der **Kältegrad** (–e) degree of cold
das **Kältelaboratorium** refrigeration laboratory
das **Kalzium** calcium
das **Kalziumkarbonat** calcium carbonate
das **Kamelhaar** (–e) camel hair
Kamerlingh Onnes, H. (1853–1926) *Dutch physicist, noted for his work in thermodynamics*
der **Kamm** (ᵘe) comb
der **Kampf** (ᵘe) battle, fight
der **Kampfer** camphor
das **Kampfgelände** battle field
das **Kampfmittel** (–) means of combat
kampfunfähig defenseless
der **Kanadier** (–) Canadian
das **Kaninchen** (–) rabbit
*die **Kante** edge; side
die **Kantenlänge** length of the edge

kantig angular, edged
das Kaolin kaolin
das Kapitel (-) chapter
das Karat (-e) carat (0.205 gram)
der Karbolgeruch carbolic odor
die Karbolsäure carbolic acid
das Karnickel (-) rabbit
die Karotte carrot
der Karottenfarbstoff carrot pigment
die Kartoffel potato
das Karussel merry-go-round
der Käse cheese
das Kasein casein
der Katalysator (-en) catalyst, catalytic agent
die Kathode cathode
der Kathodenstrahl (-en) cathode ray
die Kathodenstrahlenröhre cathode-ray tube
kaufen to buy
der Käufer (-) buyer
die Kaulquappe tadpole
kaum hardly, scarcely, barely
der Kautschuk caoutchouc, rubber
kegelförmig cone-shaped
der Kehlkopf larynx
*****kehren** to turn; to sweep
die Keimdrüse germ gland, gonad
*****keimen** to germinate; to sprout
*****keinerlei** of no sort, not any
Kendall, Edward C. *American biochemist*
kennen (kannte, gekannt) to know, be acquainted with
kennen-lernen to learn to know, get acquainted with
die Kenntnis knowledge
*****die Kennzahl** index; code number
*****kennzeichnen** to mark, characterize
der Kern (-e) nucleus
die Kerze candle
die Kette chain
kg (das **Kilogramm**) kilogram

die Kiemenatmung gill breathing
der Kies pyrites; gravel
kieselsauer of or combined with silicic acid
die Kieselsäure silicic acid
das Kilo (-s) *short for* Kilogramm
das Kilogramm (-) kilogram
das Kilometer (-) kilometer
das Kind (-er) child
die Kinderdampfmaschine toy steam engine
das Kinderspielzeug (-e) toy
das Kindesalter early age
der Kittel (-) smock, frock, coat
klagen to complain
klappen to clap; to work, succeed
klar clear
*****klären** to clarify
*****die Klarheit** clarity, clearness
die Klärung clarification, clearing, explanation
die Klasse class
klassisch classical
das Klebemittel (-) adhesive, agglutinant
der Klebstoff (-e) adhesive substance, cement
das Kleid (-er) clothing, dress
die Kleie bran
klein small, little; **im —en** on a small scale
die Kleinarbeit detail work
das Kleinod (-ien) jewel, gem
das Klima (-s) climate
die Klinge blade
klingen (a, u) to sound
der Kliniker (-) physician at a clinic
die Klippe cliff
klug wise, clever
km (das **Kilometer**) kilometer
knacken to crack
der Knall report, detonation
*****knapp** brief, scanty

VOCABULARY

der Knochen (-) bone
der Knochenfund (-e) bone discoveries
das Knochengerüst (-e) skeleton
der Knopf (⁼e) button
Knorr, Ludwig *German chemist*
der Kobalt cobalt
kochen to boil, cook
das Koffein caffeine
der Kohl cabbage; kale
die Kohle coal; carbon
die Kohlechemie coal(-tar) chemistry
die Kohleelektrode carbon electrode
die Kohleförderung coal output
das Kohleforschungsinstitut institute for coal research
das Kohlehydrat (-e) carbohydrate
der Kohlemeteorit carbon meteorite
das Kohlendioxyd carbon dioxide
das Kohlenoxyd carbon monoxide
kohlensauer of or combined with carbonic acid
die Kohlensäure carbonic acid; —gas carbon dioxide
der Kohlenstoff carbon
das Kohlenstoffatom (-e) carbon atom
kohlenstoffrei free of carbon
die Kohlenstoffverbindung carbon compound
der Kohlenwasserstoff hydrocarbon
die Kohlepaste coal paste
die Kohleveredlung coal refining
die Kohleverflüssigung liquefaction of coal
der Kohlevorrat (⁼e) coal supply (deposit)
das Kokain cocaine
das Kokainmolekül cocaine molecule
die Kokerei coke plant
das Kokereigas coke-oven gas
der Koks coke
*der Kolben (-) piston; butt; flask
der Kölner Dom Cologne Cathedral

der Komet (-en, -en) comet
die Kometenbahn orbit of a comet
kommen (a, o) to come
kompliziert complicated
die Komponente component
komponieren to compose
*komprimieren to compress
das Kondensationsprodukt (-e) product of condensation
der König (-e) king
konkurrenzfähig capable of competition
das Konkurrenzpräparat (-e) rival preparation
können (kann, konnte, gekonnt) can, be able
die Konserve preserved food
die Konservendose can, tin (for food)
das Konservierungsmittel (-) preservative
die Konstitution constitution, composition
konstitutionell constitutional
die Konstitutionsaufklärung determination of the constitution or structure
die Konstitutionsermittlung analysis of the constitution
die Konstitutionsformel constitutional formula
konstitutiv constitutional
die Konzentration concentration
das Kopfzerbrechen (-) trouble
die Koralle coral
der Kork cork
die Korkkohle cork charcoal
*das Korn grain
die Körnerform granulated form
das Koronium coronium
*der Körper (-) body; substance, compound
die Körperklasse class of substances
körperlich physical

der **Körpersaft** (⁻e) body liquids, body humors
der **Körperverfall** physical deterioration
der **Korund** corundum
die **Korundgruppe** corundum group
der **Kosmos** cosmos
die **Kost** diet
kostbar precious, valuable
die **Kostbarkeit** precious object, rarity
*__kostspielig__ expensive
die **Kraft** (⁻e) power
kräftig vigorous, strong
der **Kraftverbrauch** power consumption
Kramer *Austrian military physician*
der **Krampf** (⁻e) cramp, spasm, convulsion
krampfartig convulsive
krank sick, ill
der **Kranke** (-n, -n) patient
das **Krankenbett** sickbed
krankhaft diseased, pathological
das **Krankheitsbild** diagnosis of an illness or disease
der **Krankheitserreger** (-) excitant of disease
die **Krankheitserscheinung** appearance of a disease; sympton
das **Krankheitssymptom** symptom of a disease
die **Krappwurzel** madder root
der **Krebs** (-e) crab, crayfish; cancer
die **Krebsbehandlung** treatment of cancer
die **Kreide** chalk
kreisen to circle, revolve, circulate
das **Kresol** cresol
der **Kretinismus** cretinism, idiocy
kreuzen to cross
Kreuznach *a city in the Rhine province near Koblenz*
der **Krieg** (-e) war

kriegführend warring, warfaring
der **Kriegsfall** case of war
der **Kriegszweck** (-e) war purpose
die **Kriminalistik** criminology
der **Kriminalroman** (-e) crime novel
der **Kristall** (-e) crystal
der **Kristallaufbau** crystal structure
die **Kristallfläche** crystal face
kristallin crystalline
die **Kristallisation** crystallization
kristallisieren to crystallize
das **Kristallviolett** crystal violet
kritisch critical
der **Kropf** (⁻e) goiter
das **Krypton** krypton
der **Kubikmeter** (-) cubic meter
der **Kubikmillimeter** (-) cubic millimeter
der **Kubikzentimeter** (-) cubic centimeter
*die **Kugel** ball, sphere; globe; bulb; bullet
*__kugelig__ spherical
die **Kugelschale** spherical shell
die **Kuh** (⁻e) cow
*__kühlen__ to cool
die **Kühlung** cooling
kühn bold
kulturell cultural
der **Kulturfaktor** (-en) factor in civilization
kümmern to trouble, concern
*__kümmerlich__ scanty, miserable
*die **Kunde** knowledge, information, news
der **Kunstgriff** (-e) trick, device
der **Kunsthandel** trade in works of art
das **Kunstharz** (-e) artificial resin
der **Kunstkenner** (-) expert in matters of art
der **Künstler** (-) artist
*__künstlich__ artificial

das **Kunstprodukt** (-e) artificial product
der **Kunststoff** (-e) artificial substance or material; plastic
kunstvoll artistic
das **Kunstwerk** (-e) work of art
die **Küpenfärberei** vat dyeing
das **Kupfer** copper
der **Kupferblock** copper block
das **Kupferdrahtnetz** copper wire screen
das **Kupferoxyd** cupric oxide
das **Kupferfitriol** copper sulphate
der **Kurs** (-e) exchange
kurz short, brief
die **Kürze** shortness, brevity
*****kurzlebig** short-lived
die **Kurzwelle** short wave
kurzwellig short-wave

das **Laboratorium** (Laboratorien) laboratory
die **Laboratoriumserfindung** laboratory invention
die **Laboratoriumskostbarkeit** laboratory valuable
der **Laboratoriumsmantel** (⸚) laboratory coat
der **Laboratoriumsversuch** (-e) laboratory experiment
lächeln to smile
der **Lack** (-e) varnish, lacquer
*****laden** (ä, u, a) to charge, load
*die **Ladung** charge
*die **Lage** position, situation; layer, stratum; condition
das **Lagermetall** (-e) bearing metal
lagern to store
der **Laie** (-n, -n) layman; novice
das **Land** (⸚er) country
die **Landesverteidigung** national defense
der **Landsmann** (Landsleute) countryman
lang long; **noch lange** for a long while; by far
Langemarck *a city in Flanders, Belgium*
die **Langerhansschen Inseln** islands of Langerhans
längerwellig of greater wave length
*****langjährig** of many years
langsam slow
*****langweilig** tiresome
langwierig tedious, protracted
lassen (ä, ie, a) to let, leave, allow; to cause; can
lästig troublesome
*****der **Lauf** (⸚e) course, path; current
laufen (äu, ie, au) to run, go, circulate
lauten to sound; to read
läuten to ring
der **Lautsprecher** loudspeaker
die **Lava** (Laven) lava
Lavoisier, Antoine L. (1743-1794) *French chemist, who explained combustion phenomena and set up the law of conservation of mass*
Lawrence, Ernest O. (1901-) *professor of physics at the University of California, Berkeley*
leben to live, exist
das **Leben** (-) life, existence; **ums — kommen** to lose one's life
lebenbringend life-giving
das **Lebensalter** age, life
die **Lebensdauer** life period, duration, life
die **Lebensfrage** vital question
lebensgefährlich endangering life
die **Lebensmittelchemie** food chemistry
der **Lebensprozeß** life process
das **Lebensschicksal** (-e) life; fate
der **Lebensstrom** stream of life

VOCABULARY

der **Lebensvorgang** (¨e) life process
die **Lebensweise** mode of life
***lebenswichtig** vital, important
die **Leber** liver
der **Leberfleck** chloasma
der **Lebertran** cod-liver oil
das **Lebewesen** (–) living being, organism
lebhaft lively, gay
die **Lebhaftigkeit** liveliness; brightness; vividness
das **Leder** (–) leather
***lediglich** merely, only, simply
leer empty
der **Lehm** loam
die **Lehre** theory, doctrine, study
lehren to teach; to tell
der **Lehrmeister** (–) teacher
der **Leib** (–er) body
die **Leiche** corpse
leicht light, easy
leichtbeweglich easily movable
die **Leichtgläubigkeit** credulity
leichthin lightly, casually
das **Leichtmetall** (–e) light metal
leiden to suffer
das **Leiden** (–) disease, sickness, malady
leidenschaftlich passionate, violent
leider unfortunately
leise soft, quiet, faint
***leisten** to do, perform, accomplish, give; sich — to afford
*die **Leistung** accomplishment, work, performance
*die **Leistungsfähigkeit** capacity, ability
***leiten** to lead, conduct, guide
die **Leitfähigkeit** conductivity
das **Leitungswasser** tap (or city) water
Leonardo da Vinci (1452–1519) *Italian Renaissance artist and many-sided genius*

lesen (ie, a, e) to read
der **Leser** (–) reader
letzt last, latest
letzter latter
***leuchten** to glow, shine; **leuchtend** luminous, bright
die **Leuchterscheinung** luminous phenomenon
das **Leuchtgas** illuminating gas
die **Leuchtgasfabrikation** manufacture of illuminating gas
die **Leuchtkraft** illuminating power, luminosity
die **Leuchtmasse** luminous material
die **Leuchtröhre** illuminating tube; neon tube
der **Leuchtstein** (–e) phosphorescent stone
die **Leuchtziffer** luminous number (dial)
leugnen to deny
der **Leukosaphir** (–e) white sapphire
die **Leunawerke** Leuna works (*popular name for Ammoniakwerk Merseburg G.m.b.H. in Leuna, a city in Saxony, Germany*)
das **Lezithin** lecithin
das **Licht** (–er) light
die **Lichtabsorption** absorption of light
die **Lichtaufnahme** absorption of light
das **Lichtbrechungsvermögen** refractive power
lichtdicht light-proof
lichtecht fast to light, nonfading
die **Lichtechtheit** fastness to light
die **Lichtenergie** light energy
die **Lichtflut** flood of light
das **Lichtjahr** (–e) light year
der **Lichtkegel** (–) cone of light
das **Lichtquantum** light quantum
die **Lichtquelle** source of light
der **Lichtschimmer** (–) gleam of light
die **Lichtstärke** intensity of light

der **Lichtstrahl** (-en) light ray
die **Lichtunechtheit** lack of fastness to light
die **Lichtwelle** light wave
die **Lichtwellenlänge** light-wave length
die **Liebe** love, devotion
liebenswürdig amiable, kind
Liebermann, Carl Th. (1842–1914) *German chemist*
Liebig, Justus von (1803–1873) *outstanding German chemist and teacher, who made great advances in the teaching of chemistry and its application to medicine and agriculture, and in co-operation with Wöhler published the "Annalen der Chemie"*
*****liefern** to furnish, supply, yield, produce
die **Lieferung** supply
liegen (a, e) to lie; to be; to be situated; **am Herzen —** to be of interest to; **auf der Hand —** to be evident
Linde, Karl, Ritter von (1842–1934) *German physicist whose special field was thermodynamics*
lindern to alleviate; to soften; to relieve
das **Linderungsmittel** (-) palliative, lenitive
*die **Linie** line; **in erster —** primarily, above all
links left
lipoidlöslich soluble in oily or fatty substances
die **Lippe** lip
das **Liter** (-) liter
das **Lithium** lithium
locken to entice, tempt
*****locker** loose, porous
lockern to loosen

lohnen to pay, reward
lösen to solve; to loosen; to dissolve; (*rfl.*) to go off
die **Losgelöstheit** freedom, detachment
los-jagen to speed away
los-lassen to release
*****löslich** soluble
die **Löslichkeit** solubility
los-lösen to set free, separate
*die **Lösung** solution
das **Lösungsmittel** (-) solvent
los-werden to get rid of
der **Löwenzahn** (ᵁe) dandelion
*die **Lücke** gap, blank, deficiency
*****lückenhaft** defective, incomplete
*****lückenlos** complete, uninterrupted
Ludwigshafen *a city on the Lake of Constance*
die **Luft** (ᵁe) air
der **Luftabschluß** exclusion of air
*****luftdicht** airtight
der **Luftdruck** air pressure
die **Luftfeuchtigkeit** atmospheric moisture
die **Lufthülle** atmosphere
luftleer vacuous, emptied of air; **—er Raum** vacuum
die **Luftröhre** trachea
der **Luftsauerstoff** atmospheric oxygen
die **Luftschicht** air layer, air stratum
die **Luftschiffahrt** aeronautics
der **Luftstickstoff** atmospheric nitrogen
die **Luftströmung** air current
die **Luftverdünnung** rarefaction of air; vacuum
die **Luftverflüssigung** liquefaction of air
der **Luftweg** air passage
die **Lüge** lie
das **Luminal** phenobarbital
die **Lunge** lung

der Lurch (-e) batrachian
die Lurchart batrachian species
das Lysoform lysoform (*a solution of formaldehyde in alcoholic potash soap solution*)

die Mache-Einheit Mache unit (*of radioactive substances; the potential drop at the electroscope, converted into electrostatic units and multiplied by 1000*)
machen to make, do
magisch magic(al)
das Magnesium magnesium
das Magnesiumkarbonat magnesium carbonate
das Magnesiumnitrit magnesium nitrite
der Magneteisenstein magnetic iron ore
magnetisch magnetic
die Mahlzeit meal
das Maiskorn (⸚er) grain of Indian corn
die Makobaumwolle Egyptian cotton
die Makonachahmung Mako imitation
die Makrelenart species of mackerel
mal times
der Malariaparasit (-en) malaria parasite
Mal de Caderas *an infectious disease in horses, caused by trypanosoma*
die Malfarbe painting color; paint
man one, we, they, people
manch many, many a
manchmal often, sometimes
das Mangan manganese
*der Mangel (⸚) lack, want, deficiency
*mangelhaft deficient, imperfect
*mannig-fach, -faltig manifold, various, varied
das Manometer manometer, pressure-indicator

der Mantel coat; layer; casing
das Mark marrow
die Mark (-) *German monetary unit*
die Marke stamp; brand
der Markenhändler (-) stamp collector
der Marmor marble
marokkanisch Moroccan
die Maschine machine, engine
*die Masse mass; substance; composition
der Massenartikel (-) article made under mass production
*die Maßeinheit unit of measure
massenmäßig quantitative
der Massenspektrograph (-en) mass spectrograph
die Massenspektrographie mass spectrography
das Masseteilchen (-) particle of mass
massig massive
*mäßig moderate
massiv solid
*der Maßstab (⸚e) scale
*das Maßsystem (-e) system of measurement
das Material (-ien) material
der Materialismus materialism
die Materialprobe test piece; sample of material for testing purposes; material test
die Materie matter
der Materiestrahl (-en) ray of matter
der Materieverlust (-e) loss of substance
die Mathematik mathematics
mathematisch mathematical
matt dull
mattglänzend of dull luster
das Mauvein mauve
Mayer, Robert (1814-1878) *German natural scientist, the original pro-*

VOCABULARY

ponent of the law of conservation of energy
mechanisch mechanical
das Medikament (-e) medicament
das Medinal medinal (*sodium salt of diethylbarbituric acid*)
medizinisch medical
das Meeresbeken sea basin
die Meereshöhe sea level
der Meeresspiegel sea level
das Meerschweinchen (-) guinea pig
das Meerwasser sea water
mehlfein as fine as flour, powdered
mehr more; um so mehr the more so
mehrere several
*mehrfach repeated; manifold
die Meinung opinion
meist (*adv.*) most, usually, in most cases
die Meisterschaft mastery; championship
die Melancholie melancholy
das Melubrin melubrin
*die Menge amount; crowd
*mengenmäßig quantitative
*das Mengenverhältnis (-se) quantitative relation, proportion
der Mensch (-en, -en) man(kind), human being, person
das Menschenblut human blood
die Menschheit mankind, human race
menschlich human
merken to notice
*merkwürdig noteworthy, strange, peculiar
merkwürdigerweise for some strange reason
der Meßapparat (-e) measuring apparatus
messen (i, a, e) to measure
das Messer (-) knife
der Messergriff (-e) knife handle

*das Meßgerät (-e) measuring instrument
das Meßinstrument (-e) measuring instrument
die Meßmethode measuring method
*die Messung measurement
*das Meßverfahren (-) method of measuring
das Metall (-e) metal
die Metallfadenlampe metal-filament lamp
metallisch metallic
das Metallsalz (-e) metallic salt
metallurgisch metallurgic
das Meteoreisen meteoric iron
der Meteorit meteorite
die Meteoritenkunde science of meteorites; meteoritic investigations
der Meteorschwarm (¨e) swarm of meteors
der Meteorstein (e) meteoric stone, aerolite
das Meter (-) meter
das Methanol methanol
der Methanoldampf (¨e) methanol vapor
der Methylalkohol methyl alcohol
methylieren to methylate
der Metzgermeister (-) master butcher
das Mezkalin mescaline
mg (das Milligramm) milligram
die Miene look, air, feature
die Mikroanalyse microanalysis
mikroskopieren to examine microscopically
die Mikrowaage microbalance
die Milch milk
das Milchpulver (-) milk powder
die Milchstraße Milky Way
*mildern to alleviate
der Militärarzt (¨e) military physician

milliardstel billionth (part of)
das Milligramm (-e) milligram
das Millimeter (-) millimeter
millionstel millionth (part of)
*****minder** less
*****mindest** least, minimum; **zum —en** at least; **—ens** at least
das Mineral (-ien) mineral
mineralisch mineral
mineralogisch mineralogical
das Mineralwasser (-) mineral water
die Mineralwasserflasche mineral-water bottle
das Mischelement (-e) mixed element (*a mixture of isotopes*)
die Mischfarbe mixed color
der Mischton (⁻e) mixed tone
*****die Mischung** mixture; combination
*****das *****Mischungsverhältnis** (-ses, -se) mixing proportion
missen to miss; to dispense with
der Mißerfolg (-e) failure
das Mißgeschik (-e) misfortune
*****der Mißgriff** (-e) mistake, blunder
mißhandeln to maltreat
*****mißlingen** (a, u) to fail
der Mißstand (⁻e) defect; bad state
der Mitarbeiter (-) coworker, collaborator
mitberücksichtigen to consider also
mit-bringen to bring along
miteinander with one another
mit-feuern to fire along
*****mit-teilen** to impart, give, communicate
die Mitteilung report; information
das Mittel (-) means; remedy
*****der Mittelpunkt** (-e) center
mitten in the midst
mitunter occasionally
mm (**das Millimeter**) millimeter
die Mode fashion
das Modell (-e) model, pattern

der Modellversuch (-e) experimental pattern
mögen (mag, mochte, gemocht) may, like to
möglich possible
*****die Möglichkeit** possibility; way
möglichst (as much) as possible
die Mohnblume poppy flower
Moissan, Henri (1852–1907) *French chemist*
das Molekül (-e) molecule
das Molekulargewicht (-e) molecular weight
das Molybdän molybdenum
der Monat (-e) month
monatelang for months
der Mönch (e) monk
der Mond (-e) moon
die Mondlandschaft landscape on the moon
die Mondnacht (⁻e) nighttime on the moon
die Mondoberfläche moon's surface
der Mondtag (-e) daytime on the moon
der Mord (-e) murder
das Morphin morphine
der Morphinmethyläther morphine methyl ether
das Morphium morphine
Morton, William T. (1819–1868) *Boston dentist, who publicly administered ether at the Massachusetts General Hospital while Dr. J. C. Warren performed a painless operation*
die Motorenindustrie motor industry
mμ millimicron (0.000001 millimeter)
*****die Mühe** effort, pains, trouble; **sich — geben** to take pains, endeavor
mühen (*rfl.*) to endeavor, trouble
mühevoll laborious
das Mühsal (-e) toil, difficulty

mühsam troublesome, hard, difficult
*mühselig laborious, hard, toilsome
der Mund (-e) mouth
die Munitionserzeugung manufacture of munitions
das Münster (-) monastery; cathedral
der Muskelschwund atrophy of the muscles
müssen (muß, mußte, gemußt) must, have to
die Musterkarte sample chart
mysteriös mysterious

nach after; to; according to; — und — gradually
*die Nachahmung imitation
nach-dauern to continue, last
nachdem after; je — according to
nach-denken to think, reflect
nach-dunkeln to darken, grow darker
nacheinander successively
*nach-folgen to succeed; —d subsequent
*nachhaltig lasting, enduring
*nach-lassen (ä, ie, a) to abate, subside
das Nachleuchten afterglow; phosphorescence
*nach-machen to imitate
nachmittags in the afternoon
nach-rühmen to accredit; to say in praise of
*nach-spüren to trace
nächst next, following
nach-strömen to flow after, succeed
nächstschwerer next heavier
die Nacht (ᶇe) night
das Nachtblau night blue
*der Nachteil (-e) disadvantage, detriment, damage
nächtlich nocturnal
*nachträglich later, subsequent
*der Nachweis (-e) proof

*nachweisbar detectable; demonstrable; evident
die Nachweisbarkeit demonstrability; detectability
*nach-weisen (ie, ie) to prove
die Nachweismethode method of proof
nadelförmig needle-shaped; acicular
der Nagel (ᶇ) nail
nahe near, close
die Nähe vicinity, neighborhood
nahe-kommen to approach; to resemble
nahe-liegen (a, e) to be near; to be obvious; to suggest itself
näher-rücken to approach, come closer
nahe-stehen to stand near; to be related
*nahezu almost
die Nährkraft (ᶇe) nutritive power
die Nahrung food
das Nahrungsmittel (-) food, foodstuff
die Namengebung naming; nomenclature
namens by name of
die Namenwahl choice of a name
nämlich namely; that is; identical
das Naphthalin naphthalene
die Narkose narcosis
das Narkosechloroform chloroform for narcosis
die Nase nose
die Nasenschleimhaut (ᶇe) mucous membrane of the nose
national gebunden nationally controlled
das Natrium sodium
das Natriumphenolat sodium phenolate
die Natriumthiosulfatlösung sodium-thiosulphate solution
die Natur nature

die Naturbeherrschung control of nature
der Naturbernstein natural amber
die Naturerkenntnis knowledge (understanding) of nature
*die Naturerscheinung natural phenomenon
das Naturerzeugnis (-ses, -se) natural product
der Naturfarbstoff (-e) natural dyestuff (dye)
der Naturforscher (-) natural scientist
*naturgemäß natural
das Naturgesetz (-e) natural law
naturgetreu true to nature
naturgewachsen naturally grown
natürlich natural
naturnotwendig necessary; of natural necessity
das Naturprodukt (-e) natural product
der Naturstein (-e) natural stone
die Naturware natural product
die Naturwissenschaft natural science
der Nebel (-) mist, fog
nebelbildend fog-forming
der Nebelfleck (-e) nebula
nebelhaft foglike, misty
die Nebelkammer cloud chamber
der Nebelschwaden fog damp
die Nebelspuraufnahme cloud-chamber photograph
die Nebelspurphotographie cloud-chamber photography
der Nebelstreifen fog track
das Nebeltröpfchen fog particle; minute drop
neben beside
nebenbei incidental
nebeneinander side by side
die Nebenniere suprarenal gland
das Nebennierenhormon (-e) hormone of the suprarenal gland

das Nebennierenmark medulla of the suprarenal gland
die Nebennierenrinde cortex of the suprarenal gland
*das Nebenprodukt (-e) by-product
*nebensächlich incidental
der Nebenweg (-e) bypath
die Nebenwirkung secondary effect
neblig foggy
nebst besides, including
das Nebulium nebulium
negativ negative
nehmen (nimmt, nahm, genommen) to take
neigen to incline
die Neigung tendency
nennen (nannte, genannt) to call, name
*nennenswert worthy of mention
das Neon neon
nervös nervous
die Netzhaut retina
neu new, recent
*neuartig new, of a new kind
*neuerdings lately, recently
das Neutron neutron
der Neutronenstrahl neutron ray
der Nibelungenhort Nibelung hoard (*a treasure told of in the Middle High German epic "Nibelungenlied"*)
nicht not; — mehr no longer; noch — not yet
der Nichtchemiker (-) nonchemist, layman
der Nichteingeweihte (-n, -n) uninitiated
nichtfluoreszierend nonfluorescent
der Nichtsammler (-) noncollector
der Nichtskönner (-) incompetent person
das Nickel nickel

VOCABULARY

das **Nickeleisen** nickel iron, ferronickel
das **Nickeloxyd** nickel oxide
nieder low; lower; inferior
nieder-fallen to fall down
nieder-gehen to descend, go down
nieder-ringen to conquer
der **Niederschlag** (⁻e) precipitation
*****nieder-schlagen** to precipitate; to beat down; to settle
niedrig low
niemals never
die **Niere** kidney
niesen to sneeze
niesenerregend causing to sneeze, sternutatory, ptarmic
das **Nirvanol** nirvanol
die **Nitrierung** nitration; nitrification
das **Nitrobenzol** nitrobenzene
die **Nitrogruppe** nitro group
nitros nitrous
noch still, yet, even; — **ein** another; — **einmal** again, once more; — **nicht** not yet
nochmalig repeated
nochmals once more, again
*****normalerweise** normally
*****die Not** need; emergency; **zur —** in an emergency
die **Notenbank** (-en) bank of issue
der **Notfall** (⁻e) necessity, need, case of need, emergency
nötig necessary
*****nötigenfalls** if necessary
notwendig necessary
*****die Notwendigkeit** necessity
das **Novocain** novocaine
die **Null** zero, nought
der **Nullpunkt** zero point
die **Nummer** number
nur only, merely; just
die **Nuß** (⁻sse) nut
nutzbar useful; available

der **Nutzen** utility, use
nutzlos useless, futile

oben above
*****die Oberfläche** surface
*****oberflächlich** superficial
der **Oberschenkel** (-) thigh
das **Obst** fruit
obwohl although
der **Ochse** (-n) ox
der **Ofen** (⁻) oven; furnace; stove; kiln
offensichtlich apparent, clear
*****die Öffentlichkeit** public; **an die —**
  treten to be published, be announced
*****ohne** without; **— weiteres** without further ado, at once
ohnehin besides, anyhow
das **Öl** (-e) oil
die **Ölfeuerung** oil burning
das **Ölgemälde** (-) oil painting
ölig oily
das **Operationsfeld** (-er) field of operation, part to be operated on
operativ operative
das **Opium** opium
opiumliefernd opium-yielding
Oppau *a city in Bavaria*
optisch optical
orangerot orange-red
ordnen to arrange
die **Ordnung** order
das **Organ** (-e) organ
organisch organic
der **Organismus** (Organismen) organism
das **Organpräparat** (-e) preparation from internal organs
der **Ort** (-e *or* ⁻er) locality, place, spot
*****örtlich** local
das **Osmium** osmium
der **Osmiumwürfel** (-) osmium cube

VOCABULARY

Ostasien East Asia
österreichisch Austrian
Ostindien East Indies
östlich eastern, east
Ostwald, Wilhelm F. (1853–1932) *outstanding German chemist and teacher*
das **Oxyd** (–e) oxide
das **Oxydgemisch** (–e) oxide mixture
der **Oxydstaub** oxide dust; powdered oxide
das **Oxyliquid** liquid oxygen
der **Oxyliquidsprengstoff** (–e) liquid-oxygen explosive

paaren to couple, pair
der **Padparatschah** *a variety of gem corundum of orange color*
die **Panzerplatte** armor plate
die **Papierfabrikation** paper manufacture
die **Papierhülle** paper covering
Paracelsus (Theophrast von Hohenheim, 1493–1541) *physician and philosopher*
das **Paraffin** paraffin
das **Parafuchsin** parafuchsine
die **Parallele** parallel
die **Partikel** particle
passen to fit
die **Pastille** pastille, troche
das **Patent** (–e) patent
die **Patentanmeldung** patent application
pathologisch pathological
der **Patrizier** (–) patrician
die **Patrone** shell; cartridge
das **Pech** pitch
die **Pechblende** pitchblende
pechähnlich pitchlike
peinlich painful; painstaking
Pelletier, Joseph (1788–1842) *Paris pharmacist*

periodisch periodical
Perkin, William H. (1838–1907) *London chemist*
der **Perkolator** (–en) percolator
persönlich personal
die **Pest(ilenz)** pestilence, plague
das **Petroleumgemisch** (–e) petroleum mixture
das **Petroleumvorkommen** petroleum deposit
das **Petschaft** (–e) seal
der **Pfennig** (–e) *German monetary unit, 0.01 Mark*
die **Pferdeseuche** infectious disease in horses
die **Pflanze** plant
die **Pflanzenbase** vegetable base, (plant) alkaloid
der **Pflanzenfarbstoff** (–e) vegetable dye; plant pigment
das **Pflanzenmaterial** plant material
das **Pflanzenpulver** vegetable powder
das **Pflanzenreich** vegetable kingdom
der **Pflanzenschleim** mucilage
der **Pflanzenstoff** (–e) plant substance
der **Pflanzenteil** part of a plant
*****pflanzlich** plant, vegetable
das **Pflaster** (–) plaster
das **Pfund** (–e) pound (500 grams)
phantasievoll imaginative
phantastisch fantastic
der **Pharmakologe** (–n) pharmacologist
pharmakologisch pharmacological
das **Phenazetin** phenacetin
das **Phenol** phenol
das **Phenoplast** phenoplast
das **Phenyldimethylpyrazolon** salipyrine
der **Philosoph** (–en, –en) philosopher
der **Phosphor** phosphorus
die **Phosphorverbindung** phosphorus compound

die **Photographie** photography
photographieren to photograph
photographisch photographic
die **Photoplatte** photographic plate
das **Phthalsäureanhydrid** phthalic anhydride
die **Physik** physics
physikalisch physical; **—e Forshung** physics
der **Physiologe** physiologist
physiologisch physiological
pigmentieren to pigment
die **Pillenform** form of pills
der **Plan** (ᴴe) plan
Planck, Max (1889-1926) *professor of physics in the University of Berlin, founder of the quantum theory*
der **Planet** (-en) planet
das **Planetensystem** (-e) planetary system
plastisch plastic
das **Platin** platinum
die **Platte** plate; slab
der **Plattenkalk** slab limestone
der **Plattfuß** (ᴴe) flat foot
der **Platz** (ᴴe) place, room, space
plaudern to chat, talk
plötzlich sudden
plump clumsy
der **Pol** (-e) pole
die **Polargegend** polar region
politisch political
das **Pollopas** pollopas
die **Porzellanerde** porcelain clay, china clay, kaolin
das **Positron** positron
die **Pottaschelösung** potash solution
praktisch practical
*****prallen** to bounce
das **Präparat** (-e) preparation
präparieren to prepare
die **Praxis** practice
predigen to preach

der **Preis** (-e) price; prize
*****preis-geben** to expose; to give over
das **Preisrätsel** (-) puzzle for the solution of which a prize is offered
die **Presse** press
pressen to press, compress
primitiv primitive
das **Prinzip** (-e *or* -ien) principle
die **Priorität** priority
der **Privatdozent** (-en) licensed university lecturer (*receiving fees, but no salary*)
privatwirtschaftlich in or of private industry
*****probieren** to test
das **Produkt** (-e) product
der **Propagandaapparat** (-e) propaganda machine
das **Propan** propane
das **Proponal** proponal (dipropylbarbituric acid)
das **Proton** proton
der **Protonenstrahl** proton ray
*****der **Prozentgehalt** percentage content, percentage
*****der **Prozentsatz** (ᴴe) percentage
*****der **Prozeß** (-sse) process
*****prüfen** to test
*****die **Prüfung** test
die **Prüfungsmethode** method of testing
*****pulverförmig** in the form of powder, powdery
*****der **Punkt** (-e) point, dot, period; respect
*****punktförmig** in the form of a point, punctiform
die **Pupille** pupil
pupillenerweiternd dilating the pupil
der **Purpur** purple
die **Purpurfärberei** purple dyeing
der **Purpurfarbstoff** (-e) purple dyestuff (dye)

VOCABULARY

die **Purpurschnecke** purple (*a shellfish yielding purple dye*)
die **Purpurschneckenart** species of purple
der **Purpurton** (⁼e) purple shade
*__putzen__ to wipe, clean
das **Pyramidon** amidopyrine

qcm (das **Quadratzentimeter**) square centimeter
die **Qual** torment, agony, pain
quälen to torment
die **Qualität** quality
*__qualmen__ to smoke
quantitativ quantitative
das **Quantum** (Quanten) quantum
der **Quappenzustand** tadpole stage
der **Quarz** quartz
der **Quarzstaub** quartz dust
das **Quecksilber** mercury
die **Quecksilberbogenlampe** mercury-arc lamp
die **Quecksilberquarzlampe** mercury quartz lamp
*die **Quelle** spring
*der **Querschnitt** (-e) cross section
*__quetschen__ to crush

der **Rachen** throat, pharynx
die **Rachitis** rickets
die **Radierung** erasure; etching
das **Radieschen** (-) radish
radioaktiv radioactive
die **Radioaktivität** radioactivity
das **Radium** radium
die **Radiumemanation** radium emanation
radiumhaltig containing radium
die **Radiummode** radium fashion (fad)
das **Radiumpräparat** (-e) radium preparation

*der **Rahmen** (-) frame; bounds, compass, scope
*die **Rakete** rocket
*der **Rang** (⁼e) rank; order
rasch quick, fast, rapid
*__rasen__ to rage; to speed
der **Rat** advice, counsel; **zu —e ziehen** to consult
*__rationell__ rational, economical
*das **Rätsel** (-) riddle, puzzle, problem
*__rätselhaft__ mysterious
die **Ratte** rat
das **Rattengift** (-e) rat poison
rauchen to fume, smoke
die **Rauchentwicklung** smoke development
*der **Raum** (⁼e) space; room; volume; scope
*der **Rauminhalt** volume; inside space
das **Reagens** (Reagenzien) reagent
*das **Reagensglas** (⁼er) test tube
*__reagieren__ to react
die **Reaktion** reaction
die **Reaktionsfolge** sequence of reactions
die **Reaktionsträgheit** slowness to react
reaktionsunfähig incapable of reaction
rechnen to calculate, count, figure
*die **Rechnung** bill; calculation
recht right; very; rather; **erst —** especially
das **Recht** (-e) right, justice, law; **mit —** rightly
recht-geben to admit; to support; to prove right
*__rechtzeitig__ in time
die **Rede** speech, talk; rumor; account
das **Regal** (-e) shelf
rege active, lively
*die **Regel** rule
*__regeln__ to regulate

*die **Regelung** regulation; control
***regelrecht** regular
der **Regen** rain
der **Regenbogen** rainbow
registrieren to register
*die **Reibung** friction
reich rich, wealthy
das **Reich** (-e) realm; kingdom
die **Reichhaltigkeit** richness, abundance
reichlich rich, plentiful; well
*die **Reichweite** range
reif ripe; ready
*die **Reihe** series; row; turn; number; der — nach in succession
reihen to arrange in a series; to string
*die **Reihenfolge** sequence
***rein** pure, clean; mere theoretical
*die **Reindarstellung** preparation in a pure condition; purification
die **Reinheit** purity
reinigen to clean, purify, refine
die **Reinigung** cleaning, purification
das **Reinigungsverfahren** purifying process
der **Reis** rice
die **Reise** trip, journey
*der **Reiz** (-e) charm, attraction; excitement
die **Reizbarkeit** irritableness
reizvoll alluring; exciting
die **Reizwirkung** irritating effect
die **Reklame** advertising
der **Reklamezweck** (-e) advertising purpose
rekonstruieren to reconstruct
die **Renaissance** Renaissance
***restlos** completely, entirely
die **Retorte** retort
die **Rettung** saving
rettungslos irretrivable, beyond hope
*das **Rezept** (-e) prescription, recipe
der **Rhein** Rhine

das **Rhodamin** rhodamine
***richten** to direct, aim
richtig correct
die **Richtigkeit** correctness, rightness
die **Richtung** direction
richtunggebend directing
die **Rieselgeschwindigkeit** speed of flow
***rieseln** to run, trickle
die **Riesenapparatur** gigantic apparatus
das **Riesengeschütz** (-e) big gun
die **Riesenindustrie** giant industry
das **Riesenluftschiff** (-e) giant airship
der **Riesenmagnet** (-e) gigantic magnet
das **Riesenmaß** (-e) gigantic scale
der **Riesenplanet** (-en) giant planet
*die **Rinde** rind; bark
die **Rindernebenniere** suprarenal gland of beef
das **Ringen** struggle
das **Ringgebirge** (-) mountain ring; crater
*die **Rinne** groove, channel
***rinnen** (a, o) to run, flow
*der **Riß** (-sse) flaw, fissure, crack
ritzen to scratch
***roh** raw
das **Rohbenzin** crude benzine
*die **Rohkost** uncooked food
der **Rohkostfanatismus** raw-food fad
*die **Röhre** tube
*der **Rohstoff** (-e) raw material
der **Rohstoffmangel** lack of raw material
der **Rohzustand** crude state
*die **Rolle** roll; role
Röntgen, Wilhelm K. (1845–1923) *German physicist, who discovered Röntgen rays (X rays) in 1895*
das **Röntgendiagramm** X-ray diagram
die **Röntgenographie** skiagraphy, photography by X rays

die **Röntgenstrahlen** (*pl.*) X rays
rosa pink
rosenrot rose-red
die **Roßkastanie** horse-chestnut
rot red
der **Roteisenstein** red iron ore
die **Rotglut** red heat
röten to redden
rötlich reddish
rotorange red-orange
rotviolett red-violet
der **Rubin** ruby
die **Rubinfabrik** ruby factory
die **Rubinsynthese** ruby synthesis
der **Ruck** (–e) jerk, tug
*der **Rücken** (–) back; ridge; rear
*die **Rückgewinnung** recovery
*der **Rückschluß** (ᴈsse) inference
*die **Rücksicht** consideration
*der **Rückstand** (ᴈe) residue
rückwärts backward, back
die **Ruhe** quiet, rest, stop
ruhen to rest
rund round
der **Rundfunksender** (–) radio transmitter
der **Ruß** soot
der **Rüssel** (–) snout; proboscis
russisch Russian
das **Rüstzeug** (–e) tool; equipment
Rutherford, Sir Ernest (1871–1937) *physicist, famous for his work in radioactivity, who received the Nobel Prize in chemistry in 1908*

*die **Sache** subject; cause; matter, affair
*der **Sachverhalt** state of affairs
*der **Sachverständige** (–n, –n) expert
der **Sack** (ᴈe) sack, bag
*der **Saft** (ᴈe) juice; sap
sagen to say, state
sagenumwoben legendary

der **Salat** lettuce; salad
die **Salbe** salve
die **Salizylsäure** salicylic acid
der **Salpeter** saltpeter, niter
das **Salpeterlager** (–) saltpeter deposits
die **Salpetersäure** nitric acid
das **Salvarsan** salvarsan, 606
das **Salz** (–e) salt
die **Salzfarbe** basic or metallic dye
das **Salzgemisch** (–e) mixture of salts
das **Salzlager** (–) salt deposits
die **Salzsäure** hydrochloric acid
***sammeln** to collect, gather
der **Sammlerkreis** (–e) collector's circle; in —en among collectors
*****sämtlich** altogether, all
sanft soft, mild, gentle
der **Saphir** (–e) sapphire
*****satt** saturated; deep
*****sättigen** to saturate
*****sauber** clean
*****sauer** acid, sour
der **Sauerstoff** oxygen
das **Sauerstoff-Heliumgemisch** mixture of oxygen and helium
die **Sauerstoffverbindung** oxygen compound
die **Sauerstoffzufuhr** oxygen supply
*die **Säule** column
der **Säuredunst** (ᴈe) acid fumes
die **Säureempfindlichkeit** sensitiveness to acid
sausen to rush, whistle; **hin und her** — to rush back and forth
der **Schacht** (ᴈe) shaft, tunnel
*der **Schade** *or* **Schaden** (–ens, ᴈn) damage, injury, loss
*****schädigen** to harm, injure
*****schädlich** harmful
*****schaffen** (schuf, a) to make, create, produce; to work; to accomplish
die **Schaffung** production, creation
*****schälen** to peel; to polish

*schalenförmig like a shell; in layers
der Schall (-e) sound
der Schalter window (electric) switch
*die Schalttafel switchboard
scharf sharp, keen, distinct, clear, accurate
der Scharfblick keen observation
der Scharfsinn acuteness, acumen
der Schatten (-) shade, shadow; in den — stellen to overshadow, eclipse, surpass
die Schatzkammer treasury
*die Schätzung estimate, valuation
das Schaufenster (-) show window
das Schauglas observation window
der Schaum (ᵁe) foam, froth
der Scheck (-e or -s) check
Scheffel, Viktor von (1826-1886) German poet, author of the historical novel "Ekkehard"
*der Schein (-e) appearance; bill
*scheinbar apparently
*scheinen (ie, ie) to seem, appear
*scheitern to fail, be wrecked
schenken to give, present
die Scherbe piece, fragment
die Schere scissors; claws
scherzhaft humorous
*die Schicht layer, film, coat; lamina
*schichten to arrange in layers; geschichtet laminated, stratified
das Schicksal (-e) fate
schieben (o, o) to push
schießen (o, o) to shoot
das Schiff (-e) ship
die Schiffsreise voyage
die Schilddrüse thyroid gland
das Schilddrüsenhormon (-e) thyroid hormone
das Schilddrüsenpräparat (-e) thyroid preparation
der Schilddrüsensaft secretion of the thyroid gland, thyroid secretion

*schildern to depict, portray, describe
*die Schilderung description, portrayal
das Schildpatt tortoise shell
der Schimmelpilz (-e) mold fungus
der Schimmer (-) glimmer, gleam, sheen
*schimmern to glisten, shine, gleam
die Schlackenschicht slag layer
der Schlaf sleep
die Schlafkrankheit sleeping sickness
das Schlafmittel (-) soporific; narcotic
*der Schlag (ᵁe) blow, strike
*schlagartig in rapid succession, sudden
schlagen (ä, u, a) to strike; to drive
die Schlägerei fight, brawl
das Schlagwort (ᵁer) slogan
schlecht bad; poor
der Schleier (-) veil; haze
*schleifen (i, i) to grind; to polish; to cut
der Schleim mucus; slime
der Schleimfluß blenorrhea
*schleppen to drag
der Schlierenfaden (ᵁ) striated filament
*schließen (o, o) to close, shut
*schließlich finally, eventually
schlimm bad; serious
schlucken to swallow
der Schluß (Schlusses, Schlüsse) conclusion, close, end
schmal narrow
*schmelzbar fusible, meltable
die Schmelze fused mass, melt
*schmelzen (i, o, o) to melt, become liquid
der Schmelzofen (ᵁ) smelting furnace
der Schmelztropfen (-) drop of fused matter; blowpipe bead
der Schmelzversuch (-e) melting experiment
schmerzen to pain, ache

schmerzhaft painful
schmerzlindernd allaying pain, lenitive
schmerzlos painless
schmerzstillend pain-relieving, anodyne
das **Schmiedeeisen** wrought iron
*die **Schmiere** ointment; smear; greasy mass
*das **Schmiermittel** lubricant
der **Schmirgel** emery
*der **Schmuck** (-e) ornament, jewelry
der **Schmuckstein** (-e) gem
die **Schnecke** snail
schneiden (schnitt, geschnitten) to cut
schnell quick, rapid
das **Schnellgerbmittel** (-) rapid-tanning material
die **Schnittwunde** cut, wound
schnitzen to carve
der **Schnupfen** cold, catarrh
schon already
schön beautiful
schönfarbig of beautiful color
***schonen** to protect, spare, save
die **Schönheit** beauty
das **Schönheitsmittel** (-) cosmetic
die **Schöpfung** creation
*die **Schramme** scratch
der **Schrank** (¨e) cabinet, case
der **Schrecken** (-) fright, terror
das **Schreibmaschinenband** (¨er) typewriter ribbon
die **Schreibmaschinenschrift** typewriter face, typescript
das **Schreibpapier** writing paper
die **Schrift** writing; type; publication; paper
die **Schriftenuntersuchung** examination of documents
*das **Schriftstück** (-e) piece of writing; document
der **Schriftzug** (¨e) written character

der **Schritt** (-e) step, pace; — **für** — step by step
***schrittweise** step by step, gradually
***schroff** rough, harsh, abrupt
die **Schuld** debt, fault, blame; **an... schuld sein** to be responsible for, be to blame for
*der **Schuß** (¨sse) charge; shot
***schütteln** to shake
*der **Schutz** protection
schützen to protect
das **Schutzgerät** (-e) protective device
schutzlos unprotected
der **Schutzmantel** protective covering
das **Schutzmittel** (-) preventive; means of protection
die **Schutzschicht** protective layer
der **Schutzstoff** (-e) protective substance
schwäbisch Swabian
schwach weak
die **Schwäche** weakness
***schwanken** to fluctuate, vary, waver
die **Schwanzflosse** tail fin
der **Schwarm** (¨e) swarm, throng, crowd
schweben to hover, float
das **Schwefeldioxyd** sulphur dioxide
schwefelhaltig sulphurous
das **Schwefelkalzium** calcium sulphide
die **Schwefelsäure** sulphuric acid
das **Schwefelstrontium** strontium sulphate
das **Schwefelstück** (-e) piece of sulphur
die **Schwefelverbindung** sulphur compound
der **Schwefelwasserstoff** hydrogen sulphide
schweflig sulphurous
das **Schwein** (-e) pig, swine
der **Schweiß** sweat
***schweißen** to weld

*die **Schwellung** swelling, enlargement
schwer heavy; difficult
*die **Schwere** weight; gravity; **Gesetz der** — law of gravity
das **Schwermetall** (-e) heavy metal
*** schwierig** difficult
die **Schwierigkeit** difficulty
das **Schwimmdock** floating dock
die **Schwimmlage** swimming position
der **Schwindel** dizziness, vertigo; swindle
*die **Schwingung** oscillation, vibration; swing
*der **Schwung** vigor; swing
das **Sechseck** (-e) hexagon
der **Seeweg** (-e) sea route
der **Segen** blessing
sehen (ie, a, e) to see
sehnlich ardent
die **Sehnsucht** longing, yearning, desire
sehr very
die **Seidenraupenzucht** silkworm cultivation
der **Seidenraupenzüchter** (-) silkworm breeder
sein (ist, war, gewesen) to be; to exist
sein his, its
*** seinerzeit** in its (his) time, at the time
der **Seismograph** seismograph
seit since
seitdem since then, ever since
die **Seite** side; page
seither since, from
*** selbständig** independent
*** selbsttätig** self-acting, automatic; spontaneous
selbstverständlich self-evident, taken for granted
selten seldom, rare
die **Seltenheit** rareness, rarity, scarcity

*** senken** to lower
die **Senkung** lowering, drop
der **Sensibilisierfarbstoff** (-e) (photographic) sensitizer
setzen to set, place, put; **in Freiheit** — to liberate, set free
die **Seuche** contagious or infectious disease
siamesisch Siamese
sibirisch Siberian
sicher sure, certain, safe, secure
die **Sicherheit** certainty, safety
sicherlich undoubtedly, certainly
*** sichern** to secure, ensure
*die **Sicht** sight, visibility; **auf lange** — with a view to the future; long-term
*** sichtbar** visible
die **Sidotblende** Sidot's blend
siebartig sievelike
*** sieden** to boil
*das **Siegel** (-) seal
der **Siegellack** sealing wax
die **Siegellackart** kind of sealing wax
das **Silber** silver
das **Silberhäutchen** (**des Reises**) silvery pellicle (of rice)
silberhell very clear, bright
der **Silberspiegel** silver mirror
das **Silikat** (-e) silicate
die **Silikatschicht** silicate layer
das **Silizium** silicon
Simpson, James Young (1811–1870) *famous English surgeon*
sinken (a, u) to sink; to drop
*der **Sinn** (-e) sense; meaning; **im weitesten** —**e** in the broadest sense
der **Sinneseindruck** (⸚e) sensory impression
die **Sinnesempfindung** sensory perception
*** sinngemäß** natural, of course, suitable

*sinnreich ingenious
der Siriusbegleiter Sirius companion
sittlich moral
der Skorbut scurvy
der Smaragd (-e) emerald
der Smaragdkristall (-e) emerald crystal
die Smaragdnachahmung emerald imitation
sofort immediately, at once
sogenannt so-called
der Soldat (-en) soldier
Solnhofen *a city in Bavaria*
die Sommersprosse freckle
das Sonderschmuckstück (e) special jewelry
die Sondertruppe special troop
die Sonnenfinsternis (-se) solar eclipse
das Sonnenlicht sunlight
die Sonnenoberfläche sun's surface
das Sonnenspektrum (-spektren *or* -spektra) solar spectrum
der Sonnenstreifen stripe of sunlight
das Sonnensystem (-e) solar system
sonst else, otherwise, in other respects, usually; formerly
*sonstig other, remaining; more; former
sonstwie in some other way
der Sorbit sorbite
die Sorge worry, care
sorgen to worry, care; provide; **wenn man dafür sorgt** provided
*sorgfältig careful, painstaking
soviel so much, that much; — **wie** as much as
sozial social
*spannen to tense, tighten, stretch
spannend exciting
*die Spannkraft elasticity; energy; buoyancy
*die Spannung tension; suspense, lively curiosity

der Spannungsstoß (ᵘe) current impulse
der Spannungsunterschied (-e) difference in tension
spärlich sparse, scanty
später later
späterhin later on
die Speicheldrüse salivary gland
die Speise food
speisen to eat; to feed
die Spektralanalyse spectral analysis
die Spektroskopie spectroscopy
spektroskopisch spectroscopic
spenden to spend
die Spezialanwendung special use
die Spezialarbeit special work
die Spezialaufgabe special task
das Spezialgefäß (-e) special container
der Spezialist (-en) specialist
die Spezialwissenschaft special science
spezifisch specific
spielen to play
die Spielerei play, pastime, game
die Spielmarke counter
der Spinell (-e) spinel
die Spionage espionage
der Spiritus spirits
die Spitze point; apex, tip
*der Splitter (-) splinter, fragment
splittern to shatter, splinter
die Splitterwirkung splinter effect
der Spötter (-) scoffer; iconoclast
die Sprache language, vocabulary
sprechen (i, a, o) to speak
das Sprenggas (-e) explosive gas
die Sprengkapsel detonator
der Sprengstoff (-e) explosive
*das Sprengstück (-e) part, fragment, splinter
*springen (a, u) to leap, spring; to burst, break
*spritzen to spray; to inject

der Spritzer (-) splash, spray
*spröde brittle
*sprunghaft abrupt
*die Spur trace; small amount
spüren to feel, notice
staatlich state, national
*der Stab (⁼e) rod, staff
der Stahl (⁼e) steel
die Stahlflasche steel cylinder
der Stahlzylinder (-) steel cylinder
die Stallkuh (⁼e) stall-fed cow
stammen to spring, come (of *or* from); date
*der Stand (⁼e) state, position, condition; level
*standhalten to withstand
der Standort (-e) habitat; position
stark strong
*die Stärke strength; intensity; size; starch
das Stärkungsmittel (-) tonic
starkwirkend efficacious, drastic, powerful
*starr rigid
starren to be numb; to stare
Staßfurt *a city in Saxony*
statt instead of
*stattfinden to take place, occur
*der Staub (-e) dust
das Staunen astonishment, surprise
stechend penetrating, stinging
stecken to stick, stay, remain; —bleiben to be stuck
stehen (a, a) to stand, be; to stop
steigen (ie, ie) to rise, ascend, mount, increase
*steigern to raise
die Steigerung raising, increase, growth
der Stein (-e) stone; — der Weisen philosopher's stone
die Steinkohle coal
der Steinkohlenteer coal tar

der Steinmeteor (-en) rock meteor
die Steinwüste stony desert
die Stelle place, position
*stellen to place, put; to furnish; to focus, set; to make
*stellenweise in places
*die Stellung position
*der Stempel (-) stamp
die Stempelfarbe stamp ink
das Stempelkissen (-) ink pad
der Stern (-e) star
die Sternatmosphäre star atmosphere
das Sterninnere interior of a star
das Sternenlicht light of a star
die Sternmaterie star substance
die Sternschnuppe shooting star, meteor
das Sternspektrum (-spektren *or* -spektra) star spectrum
die Sternspektroskopie star spectroscopy
die Sternstrahlung stellar radiation
das Sternsystem (-e) stellar system
stets always, constantly
die Stichflamme pointed flame
der Stickstoff nitrogen
stickstoffähnlich resembling nitrogen
das Stickstoffatom (-e) nitrogen atom
stickstoffhaltig nitrogenous
die Stickstoffverbindung nitrogen compound
die Stille stillness, quietness
stillen to stop
*stocken to stop, cease to flow
stockfinster pitch-dark
*der Stoff (-e) matter, material, substance
die Stoffart kind of matter
die Stoffklasse class of matter
*stofflich material
die Stoffmenge amount of matter
der Stoffwechsel metabolism

das **Stoffwechselprodukt** (-e) product of metabolism
der **Stolz** pride; — **in... setzen** to take pride in
Stolz, Friedrich *German chemist*
*stören to disturb
*die **Störung** disturbance, interruption, derangement
stoßen (ö, ie, o) to push; strike, hit
*der **Strahl** (-en) ray
*strahlen to radiate
die **Strahlenart** kind of ray
der **Strahlengang** (ⁿe) path of a ray
der **Strahlenkranz** corona
die **Strahlung** radiation
die **Strahlungsart** kind of radiation
die **Strahlungsenergie** radiant energy
der **Strassenbahnwagen** (-) streetcar
der **Strassenbau** road construction
die **Stratosphäre** stratosphere
der **Stratosphärenballon** (-e) stratosphere balloon
*das **Streben** striving, effort, struggle
*die **Strecke** distance
der **Streich** (-e) stroke; trick; **einen — spielen** to play a trick
*streichen to rub; to paint
streng strict
das **Stroh** straw
das **Strohgeflecht** (-e) straw plait (weave)
das **Strontiumsalz** (-e) strontium salt
das **Strophantin** strophantine
die **Struktur** structure
das **Strychnin** strychnine
der **Strychninkrampf** (ⁿe) strychnine convulsion
das **Stück** (-e) piece; fragment; bit
das **Studium** (Studien) study
die **Stufenfolge** succession of steps; gradation
stumpf dull
die **Stunde** hour; lesson

stünde *past subjunctive form of* **stehen**
der **Sturm** (ⁿe) storm
der **Sturz** (ⁿe) fall
stürzen to hurl, throw; to fall; to rush
stützen to support, base, rest
das **Sublimat** (-e) sublimate
die **Substanz** substance, matter
subtil subtle
die **Suche** search
suchen to seek, look for, search; to attempt
Südafrika South Africa
Südamerika South America
südamerikanisch South American
das **Sulfonal** sulfonal
summieren to sum up, summarize, add
das **Sumpffieber** marsh fever, malaria
die **Sumpfphase** semisolid phase
sündigen to sin
surren to whir, buzz
der **Süßstoff** (-e) sweet substance, sweetening agent
die **Synthese** synthesis
der **Synthetiker** (-) synthesist
synthetisch synthetic
synthetisierbar capable of being synthesized
synthetisieren to synthesize
das **System** (-e) system
systematisch systematic
Szent-Györgyi, Albert *outstanding Hungarian chemist*

t (die **Tonne**) ton (1000 kilograms)
die **Tabaksdose** tobacco can; snuffbox
die **Tablettenform** tablet form
das **Tafelwasser** (ⁿ) mineral water; drinking water
der **Tag** (-e) day
das **Tageslicht** daylight
die **Tageslichtlampe** daylight lamp
die **Tageszeitung** daily newspaper
täglich daily

VOCABULARY

taktisch tactical
die Taschenuhr watch
die Tat deed, accomplishment; in der
 — actually
tätig active, busy
*die Tätigkeit activity, work
*die Tatsache fact
das Tatsachenmaterial factual material
*tatsächlich actual, real
taubenblutrot pigeon-blood red
*tauchen to dip, dive
der Taucher (-) diver
die Taucherglocke diving bell
*taugen to be good, be fit, be of value
tausenderlei a thousand different kinds
tausendfach thousandfold, thousand times
die Technik technical science, technology, technics
technisch technical
der Technologe (-n) technologist
der Teer tar
der Teerbestandteil (-e) constituent of tar
die Teerdestillation tar distillation
die Teerfarbenfabrikation coal-tar dye manufacture, aniline dye manufacture
der Teerfarbstoff (-e) coal-tar (aniline) dye
das Teeröl (-e) tar oil
das Teerprodukt (-e) tar product
*der Teil (-e) part, portion, section; share, division; zum — partly; zum größten — for the most part
*teilbar divisible
die Teilchengröße size of particle
das Teilergebnis (-ses, -se) partial result
das Teilgebiet (-e) branch, department
*die Teilung division

*teilweise partly, in part
die Temperatur temperature
der Teslastrom (ᵁe) current from a Tesla coil
das Testobjekt (-e) test object
der Tetrachlorkohlenstoff carbon tetrachloride
teuer dear; expensive
die Textilien (pl.) textiles
die Textilindustrie textile industry
theoretisch theoretic
die Theorie theory
das Thermometer (-) thermometer
die Thermosflasche thermos bottle
das Thorium thorium
Thüringen Thuringia (a province in central Germany)
das Thyroxin thyroxine (hormone of the thyroid gland)
tief deep
*die Tiefe depth
tiefliegend deep-lying
*der Tiegel crucible, melting pot
die Tiegelwand wall of a crucible
das Tier (-e) animal
der Tierbestand (ᵁe) stock
das Tierblut animal blood
die Tierherde animal herd
tierisch animal
der Tierkörper (-) animal body
*der Tierversuch (-e) experiment on animals
die Tintenschicht ink layer
der Tisch (-e) table
das Titandioxyd titanium dioxide
der Titel (-) title
der Todesfall (ᵁe) case of death
die Todesstrafe death penalty
der Todestau dew of death
tödlich deadly, fatal
die Tollkirsche belladonna
der Tollkirschensaft belladonna extract

der **Toluol** toluene
die **Tomate** tomato
der **Ton** (-e) clay; (ᵁe) tone, sound
die **Tonne** ton; barrel
die **Toronto-Einheit** Toronto unit
tot dead
*****tragbar** bearable; portable
*****träge** inert; inactive; lazy
tragen (ä, u, a) to carry, bear, wear
*****die Tragfähigkeit** buoyancy; bearing strength; capacity
tragisch tragic
*****die Tragweite** significance; range
der **Tran** train oil; oil
die **Tränendrüse** lachrymal gland
*****tränken** to soak, saturate; to water
die **Transmutation** transmutation
träufeln to drip, drop
der **Traum** (ᵁe) dream
traurig sad
*****treffen** (i, a, o) to hit, strike
der **Treffer** (-) hit, strike
*****treiben** (ie, ie) to drive; to carry on
das **Treibgas** motor fuel
*****trennen** to separate
*****die Trennung** separation
treten (i, a, e) to step, go, enter
die **Trillion** trillion (*in England and Germany*), quintillion (*in America and France*), 10¹⁸
das **Trinkwasser** drinking water
der **Triumpf** (-e) triumph
trocknen to dry
das **Trommelfeuer** drumfire; heavy bombardment
die **Tropen** (*pl.*) tropics
die **Tröpfchenform** form of droplets
der **Tropfen** (-) drop
die **Tropfenform** drop shape
der **Tropftrichter** (-) dropping funnel
die **Troposphäre** troposphere
trostlos desolate
trotz in spite of

trotzdem nevertheless, although, in spite of that
trotzen to defy, oppose
*****trübe** dull, cloudy
trüben to cloud, dull
*****die Trübung** turbidity
die **Trümmer** (*pl.*) fragments
die **Truppe** troop
das **Trypanosoma** (Trypanosomen) trypanosome
Trypanosoma equinum *the exciting cause of mal de Caderas*
das **Trypanrot** trypan red
türkisch Turkish
die **Türklinke** doorknob
der **Turko** (-s) Turco
turmhoch towering
der **Typ** (-en) type
typisch typical
das **Tyrosin** tyrosine

u.a. = **unter anderen** among others *or* **und andere** and others
*****übel** bad, ill, evil
übelriechend ill-smelling
*****der Übelstand** (ᵁe) evil, abuse; disadvantage
*****üben** to practice; to exercise
über over, above, beyond; about, concerning, of, by way of
überall everywhere
die **Überanstrengung** overexertion
*****überaus** exceedingly, extremely
*****überdauern** to outlast, survive
übereinander one upon another
*****die Übereinstimmung** agreement
überempfindlich hypersensitive
*****überflüssig** superfluous
*****überfluten** to flood
überführbar convertible
*****überführen** to transform, convert, change

VOCABULARY

*der Übergang (⸚e) transition; shade, variation
*die Übergangsstufe transition stage
über-gehen to change into, turn, pass over
übergießen (o, o) to cover
*über-greifen (i, i) to overlap, encroach, spread
überhaupt at all, on the whole, in general; as a matter of fact
überhitzen to overheat
*überlegen to reflect
*überlegen (*adjective*) superior
*die Überlegung deliberation, reflection
die Übermalung painting over, retouching
*übernehmen to take over, assume; to copy
*überprüfbar capable of being checked or tested
*die Überprüfung check
*überragen to surpass, excel
überraschen to surprise
die Überraschung surprise
überreichen to present; to hand over
überreichlich superabundant; enormous
*überschätzen to overestimate
überschreiben to write over, superscribe
die Überschrift headline
*der Überschuß (⸚sse) surplus
*überschüssig surplus
*überseeisch oversea
*übersehen to overlook, miss; to supervise
übersensibilisiert oversensitized
*übersichtlich clear
übersteigern to overdo, exaggerate
überstrahlen to outshine
*übertragen to transfer, carry over; to apply

die Übertragung transfer
*übertreffen (a, o) to surpass, exceed
*übertreiben (ie, ie) to overdo, exaggerate
die Übertreibung exaggeration
*überwachen to supervise, control
*überwinden (a, u) to conquer, overcome
die Überwindung overcoming
*die Überzeugung conviction
überziehen (o, o) to cover
*üblich customary, usual
*übrig remaining, other; —bleiben to be left over; im Übrigen besides
die Uhrenindustrie watch industry
das Ultramikroskop (-e) ultramicroscope
das Ultrarot ultrared
ultraviolett ultraviolet
der Ultraviolettgehalt ultraviolet content
die Ultraviolettlampe ultraviolet lamp
*der Umfang (⸚e) circumference; extent; scale
*umfangreich extensive
*umfassen to include, embrace
umfassend comprehensive, extensive
*umgeben to surround
um-gestalten to change, transform
die Umgestaltung change, transformation
umgießen to pour around
umgrenzen outline, define
umher-sausen to buzz around
um-kehren to turn around, reverse; umgekehrt vice versa
*der Umkreis (-e) radius, range
die Umlagerung rearrangement
*umliegend surrounding
*umreißen (i, i) to outline, sketch
*der Umriß (Umrisses, Umrisse) outline
*die Umschau survey

*um-setzen to transform, change
die Umsetzung transposition, change
umsonst in vain; gratis
*umspannen to surround, encase; to take in
*der Umstand (⸚e) circumstance; fact
*umständlich troublesome
*um-stellen to reverse; to change over
die Umstellung change-over, transposition
*um-wälzen to revolutionize
*die Umwandelbarkeit convertibility, transformability
*um-wandeln to transform, change
*die Umwandlung change, transformation
der Umwandlungsversuch (-e) transformation attempt
*der Umweg (-e) roundabout way, detour
*die Umwelt surrounding world; environment; atmosphere
*unabhängig independent
unangenehm unpleasant
*unannehmbar unacceptable
unauffällig inconspicuous
*unaufhaltsam continuous, irresistible
*unbedingt unconditional, absolutely
unbefriedigend unsatisfactory
unbegrenzt unlimited
unbehaglich uneasy, uncomfortable
unbekannt unknown
*unbelebt inanimate
unbequem inconvenient
unberechtigterweise unauthorized
unbeschädigt undamaged
*unbeständig unstable
die Unbestimmtheit vagueness, uncertainty
*unbestreitbar indisputable
unbeweglich immovable, fixed
unbezahlbar priceless; very expensive

unbrauchbar useless; not practical
unbrennbar noncombustible
unbunt achromatic
*undurchführbar impracticable, unfeasible
undurchlässig impermeable
unedel base, not noble
*unentbehrlich indispensable
*unendlich infinite, endless
unentgeltlich gratis, free of charge
*die Unerfahrenheit inexperience
*unerläßlich indispensable
unerlaubt not permitted, unlawful
*unermüdlich untiring
unerschütterlich unshakable; inexhaustible
unerträglich unbearable
*unerwartet unexpected
*unerwünscht undesirable
unfreiwillig involuntary
der Unfug mischief
ungarisch Hungarian
ungebleicht unbleached
ungeeignet unsuited, unfit
*ungefähr approximately, about
ungefährlich harmless, safe
*ungeheuer enormous
das Ungeheuer (-) monster
*ungeheuerlich amazing
ungelöscht unslaked
ungelöst unsolved
ungenügend insufficient
die Ungeschicklichkeit awkwardness
*ungeschickt clumsy, awkward
ungestempelt unstamped
ungewöhnlich unusual, uncommon
ungewollt unintentional
unglaubhaft unbelievable
unglaublich incredible
*ungleich unequal; incomparably
unglücklich unfortunate
ungünstig unfavorable
unheilvoll harmful; noxious

VOCABULARY

unheimlich weird
unklar unclear, vague
die Unkosten (*pl.*) expenses, charges
unlösbar insoluble
unlöslich insoluble
die Unlöslichkeit insolubility
*****die Unmenge** great quantity
unmenschlich inhuman
*****unmittelbar** immediate, direct
unmöglich impossible
die Unrast restlessness
unrecht wrong, unjust
das Unrecht: zu — unjustly
unrein impure
die Unruhe restlessness
unschädlich harmless
*****unschätzbar** inestimable
*****unsicher** uncertain
die Unsicherheit uncertainty, insecurity
unsichtbar invisible
die Unsitte bad habit
unsittlich immoral
unsrig our
*****die Unstimmigkeit** lack of agreement
*****die Unsumme** immense sum
untauglich unfit, useless
unteilbar indivisible
die Unteilbarkeit indivisibility
unten below
*****unter-bringen** to place, locate
die Untergrundbahn subway
*****unterhalb** below
*****unterhalten** to support, maintain, keep up; (*rfl.*) to discourse, be entertained, talk
die Unterhaltung conversation, discourse
*****unterirdisch** subterranean
*****die Unterlage** base, support
unterliegen to succumb; to be subjected to

*****unternehmen** to undertake
die Unternehmung undertaking
*****unter-ordnen** to subordinate; **untergeordnet** secondary
die Unterredung conversation, conference
unterrichten to instruct, inform
*****unterschätzen** to underestimate
*****unterscheiden** (ie, ie) to distinguish, differentiate
die Unterscheidung differentiation
das Unterscheidungsmerkmal (-e) distinguishing characteristic
das Unterscheidungsvermögen ability to differentiate
unter-schieben (o, o) to substitute
*****der Unterschied** (-e) difference
*****unterschiedlich** different
*****der Unterschuß** (⁻sse) reduction; deficit
der Unterstand (⁻e) cover; trench
*****untersuchen** to investigate, examine, analyze
*****die Untersuchung** investigation, examination, research
die Untersuchungsmethode investigational method
das Untersuchungsverfahren (-) examination method
*****unterteilen** to divide
die Unterteilung division
*****unterwerfen** (a, o) to subject
unterziehen to subject
unübersehbar immeasurable, immense; long
unüberwindlich insurmountable
die Unveränderlichkeit invariability, unchangeableness
unverändert unchanged
unvernünftig devoid of reason, dumb
unverständlich unintelligible
unverwendbar inapplicable, useless
*****unverwüstlich** indestructible

unvollständig incomplete
unvorhergesehen unforeseen
unvorstellbar unimaginable
unwägbar unweighable; imponderable
unwahrscheinlich improbable
unwirksam ineffective
*unzählig innumerable
*unzerlegbar indivisible; indecomposable
unzuverlässig unreliable
unzweckmäßig unsuitable; useless
*uralt ancient
das Uran uranium
das Uranatom (-e) uranium atom
der Urangehalt uranium content
das Uranmineral uranium mineral
die Uranpechblende pitchblende
das Uranpecherz (-e) pitchblende
das Uraniumsalz (-e) uranium salt
die Uranverbindung uranium compound
die Urgroßeltern (pl.) great-grandparents
die Urkundenfälschung forging of documents
*die Ursache cause
*die Ursprung (⸗e) origin, source
*ursprünglich original
*der Urstoff (-e) primary matter, element
*das Urteil (-e) judgment, verdict
usw. = und so weiter and so forth, etc.

das Vanadium (also Vanadin) vanadium
die Vase vase
Venedig Venice
Venezien Venetia (later the republic of Venice)
das Ventil (-e) valve
*verabreichen to give, administer

die Verabreichung dispensation, administering
verachten to despise, scorn
verändern to change, modify
die Veränderung change, variation, modification
*veranlassen to cause, induce
*veranschaulichen to demonstrate
*verantwortlich responsible
das Verantwortungsbewußtsein feeling of responsibility
verarbeitbar workable
*verarbeiten to work up; to treat
*verätzen to corrode, cauterize
verbergen (i, a, o) to hide
*verbessern to improve
die Verbesserung improvement
verbilligen to cheapen, reduce in price
die Verbilligung reduction in price
*verbinden (a, u) to unite, combine, connect
*die Verbindung compound; connection; union; combination; in — stehen to be connected with
die Verbindungsklasse class of compounds
*verblassen to fade; to pale
verblüffend startling
*verbrauchen to use up
der Verbraucher (-) consumer
das Verbrechen (-) crime
*verbreiten to spread, distribute
verbreitern to widen, broaden
die Verbreitung distribution
*verbrennen (-brannte, -brannt) to burn
die Verbrennung combustion, burning
der Verbrennungsprozeß (-sse) process of combustion
der Verbrennungsvorgang (⸗e) process of combustion
die Verbrennungswärme heat of combustion

verbringen (a, a) to spend, pass, waste
*****der Verdacht** suspicion
*****verdampfen** to evaporate, vaporize
verdanken (*with dative*) to owe, be due to
verdauen to digest
die Verdauung digestion
der Verdauungssaft (ᵘe) digestive fluid
*****verdecken** to cover
*****verdichten** to concentrate, condense
verdienen to deserve, earn
*****verdrängen** to displace
verdunkeln to darken
*****verdünnen** to dilute
die Verdünnung dilution
das Verdünnungsmittel (-) diluent; attenuent
der Veredlungsprozeß (-sse) refining process
*****vereinfachen** to simplify
*****vereinigen** to unite; to collect; to combine
die Vereinigten Staaten United States
die Vereinigung union, combination
*****vereinzelt** isolated; sporadically
vereitern to suppurate
*****verengen** to constrict
*****das Verfahren** (-) method, process, procedure
der Verfall decay, deterioration
*****verfallen** (ä, ie, a) decay; fall; expire
*****der Verfasser** (-) author
*****die Verfeinerung** refinement, improvement
*****verflachen** to flatten; to become shallow
*****verflüssigen** to liquefy
die Verflüssigung liquefaction
der Verflüssigungspunkt point of liquefaction
*****verfolgen** to trace; to pursue
die Verfolgung pursuit; tracing

*****verfügen** to dispose; **über ... verfügen** to have at one's disposal; to be in charge of
*****die Verfügung** disposal; **zur — stehen** to be at one's disposal; **zur — stellen** to place at one's disposal
*****vergebens** in vain, unsuccessful
vergeblich in vain, futile
*****vergegenwärtigen** (*rfl.*) to imagine, realize
vergehen to pass, elapse; to vanish
vergessen (i, a, e) to forget
die Vergessenheit forgetfulness, oblivion
*****vergiften** to poison
der Vergleich (-e) comparison
*****vergleichen** (i, i) to compare
*****verglühen** to bake; to char; to cease glowing
*****verhalten** (*rfl.*) to behave, conduct oneself, act
*****das Verhältnis** (-ses, -se) proportion, relation, ratio; condition
*****verhältnismäßig** proportional; relative; comparative
verheeren to devastate, destroy
verhelfen to help
*****verhindern** to prevent
verjüngen to rejuvenate
die Verjüngung rejuvenation
der Verkauf (ᵘe) sale
der Verkäufer (-) seller, salesman
der Verkehr traffic; contact
verkehrt wrong, absurd; inverted
*****verknüpfen** to connect, tie, join
verkohlen to char, carbonize
verkrusten to become incrusted
verkünden to announce
verlangen to demand, require
*****verlängern** to lengthen; to increase
*****verlangsamen** to slow up, retard
*****verlassen** to leave
*****der Verlauf** course, progress

VOCABULARY

verlaufen (äu, ie, au) to turn out; to proceed; to pass; to be scattered
die **Verlegenheit** perplexity, embarrassment
*verleihen (ie, ie) to lend, bestow
verleiten to mislead, lead astray
die **Verletzung** injury; infringement;
— des Briefgeheimnisses tampering with the mail
verloren-gehen to get lost
der **Verlust** (-e) loss
vermeiden (ie, ie) to avoid
die **Vemeidung** avoidance, elimination
*der **Vermerk** (-e) remark; note
*vermitteln to mediate; to transmit
*vermögen to be able
*vermuten to suppose, think, conjecture; to expect
die **Vermutung** conjecture, supposition, theory
*vernichten to destroy
vernünftig reasonable
*veröffentlichen to publish, announce
die **Veröffentlichung** publication
das **Veronal** barbital
*verordnen to order, prescribe
*verpflichten to bind, pledge
verraten to betray; to reveal
verreiben (ie, ie) to grind fine, triturate; work up
*versagen fail to function; miss, deny; (*rfl.*) to forego
der **Versager** (–) dud, failure
verschaffen to supply; (*rfl.*) to procure, get
verschicken to send away, transport
*verschieden different, various, diverse, separate
*verschiedenartig different, of various kinds
die **Verschiedenheit** difference

*verschiedentlich different, various, at different times
verschießen to shoot off, fire; to discolor, fade
die **Verschleißfestigkeit** (capacity of) resistance to wear
verschlingen (a, u) to swallow up, devour
verschlucken to swallow, absorb
*verschmelzen to melt, fuse; to blend
verschönern to beautify
*verschwinden to disappear, vanish;
—d gering infinitesimal
*verschwommen indistinct, blurred
*versehen to provide, supply; (*rfl.*) to make a mistake, err
versenken to lower, sink; **in den Schlaf** — to put to sleep
*versetzen to transfer, transpose
die **Versickerung** seepage; disappearance
die **Versickerungsstelle** place of seepage (disappearance)
*versiegeln to seal
versinken (a, u) to sink
*versorgen to supply
versprechen to promise
versprühen to spray
der **Verstand** mind, intellect, reason
verständlich understandable, intelligible
*verstärken to increase, intensify
das **Versteck** (-e) hide-out
verstehen (a, a) to understand
die **Versteinerung** petrification
*der **Versuch** (-e) experiment, attempt; test
versuchen to attempt, try
die **Versuchsbedingung** experimental condition
der **Versuchsbetrieb** experimental works

das **Versuchstier** (-e) experimental animal
***verteilen** to distribute, divide, spread
vertiefen to deepen; extend
vertrauen to trust, have confidence in
das **Vertrauen** confidence
vertraut conversant, acquainted
der **Vertreter** (-) representative; member
vertreiben (ie, ie) to drive away; dispel
*die **Verunreinigung** impurity
***verursachen** to cause
***vervollkommen** to perfect, improve
***vervollständigen** to complete
***verwachsen** to grow together, intergrow
***verwandeln** to transform, change
die **Verwandlung** transformation, conversion
verwandtschaftlich relative
***verwandt** related, allied
die **Verwandten** relatives
***verwenden** to use, employ
die **Verwendung** use, application
die **Verwendungsmöglichkeit** possibility or opportunity for use
***verwerten** to utilize
***verwickeln** to complicate, involve
***verwirklichen** to realize
verwirren to confuse
die **Verwirrung** confusion
***verwittern** to disintegrate through atmospheric action
das **Verwitterungsprodukt** (-e) product of disintegration
verwöhnen to pamper, spoil
verworren confused, intricate
das **Vorbild** (-er) example, model
verwundern to surprise
***verzichten auf** to relinquish, give up, do without

***verzollen** to pay duty on
der **Vesuv** Vesuvius
viel much; **viele** many
vielarmig with many arms (appendages)
***vielfach** frequent, repeated; often; various
das **Vielfache** (-n, -n) multiple
vielfarbig multicolored
die **Vielheit** multiplicity
vielleicht perhaps
vielmehr rather
***vielseitig** many-sided; various
vielversprechend very promising
violett violet
vitaminarm poor in vitamins
der **Vitaminbedarf** vitamin requirement
der **Vitamincharakter** vitamin characteristic
die **Vitaminchemie** vitamin chemistry
vitaminfrei without vitamins
der **Vitamingehalt** vitamin content
vitaminhaltig containing vitamins
vitaminreich rich in vitamins
die **Vitaminwirkung** vitamin effect
die **Vogelbeere** berry of the mountain ash
das **Volk** (¨er) people, nation
die **Völkerwanderung** migration of nations (peoples)
die **Volkstracht** native dress
die **Volksüberlieferung** popular tradition
volkswirtschaftlich (nationally) economic
voll full, complete
***vollenden** to complete
die **Vollfarbe** saturated hue
***völlig** complete, entire, full
vollkommen perfect
das **Vollsalz** reinforced (iodized) salt

*vollständig complete
vollziehen to accomplish, complete; (*rfl.*) to take place
das Volt volt
Voltaire (1694–1778) *famous French author and philosopher of rationalism (real name François Marie Arouet)*
das Volum(en)prozent percentage by volume
von from, of, by; concerning, about
voneinander from one another
der Vorabend (-e) eve
voran-gehen to precede
*die Vorarbeit preliminary work, preparations
*die Vorausberechnung estimation
*voraus-sagen to predict
*voraus-sehen to anticipate
*voraus-setzen to presuppose, assume; to necessitate
*die Voraussetzung supposition, hypothesis, postulate; zur — haben to have as a prerequisite
*voraussichtlich probable; presumable
*vor-behalten to reserve
*vorbehandeln to pretreat
die Vorbehandlung preliminary treatment
*vorbereiten to prepare
die Vorbereitung preparation
*das Vorbild (-er) example
*die Vorbildung preparation, training
*vor-bringen to advance, bring forward; to voice
die Vorderseite front side, front
*vor-dringen to advance
vordringlich pressing
*voreilig hasty; premature
*voreingenommen prejudiced
die Voreltern ancestors
*der Vorgang (ᵘe) process

vorgaukeln to conjure up, produce by magic
vor-gehen to proceed
*die Vorgeschichte previous history
vorgeschichtlich prehistoric
*vorhanden present, at hand
das Vorhandensein presence, existence
vorher previous
*vorher-sehen to foresee
*vorig preceding, former
*vor-kommen to occur, happen
die Vorkühlung precooling
*der Vorläufer (-) forerunner
*vorläufig temporary
*vor-legen to place before
vor-liegen to be at hand, be present; to be a case of
*vor-nehmen to undertake
*vornherein: von — from the outset
*der Vorrang precedence; preference
vorrätig-halten to keep in store, stock
das Vorrecht privilege
die Vorrichtung device, apparatus
der Vorschein appearance; zum — kommen to appear
*der Vorschlag (ᵘe) proposal, proposition
*die Vorsicht caution, care
vorsichtig careful, cautious
*vor-stellen to present, represent; (*rfl.*) to imagine
*die Vorstellung idea, conception
*die Vorstufe first step, preliminary stage
*vor-täuschen to simulate
*der Vorteil (-e) advantage
*der Vortrag (ᵘe) lecture
*vorübergehend temporary
der Vorversuch (-e) preliminary test
*der Vorwurf (ᵘe) reproach, blame
vor-zaubern to conjure up
vor-zeichnen to trace, outline
die Vorzeit ancient times, past ages

VOCABULARY

*vor-ziehen to prefer
*der Vorzug (¨e) advantage
*vorzüglich excellent
der Vulkan (-e) volcano
vulkanisch volcanic
der Vulkanismus volcanism

*die Waage scale, balance
*die Waagschale pan of a scale; in die — fallen to be of import
wachsen (ä, u, a) to grow
das Wachstum growth
der Waffenstillstand armistice
*wägbar weighable
wagemutig daring, bold
*wählen to choose, select; elect
wahr true, real
während during, while
die Wahrheit truth, reality, fact
der Wahrheitsbeweis (-e) factual evidence
wahrnehmbar perceptible
*wahrnehmen to perceive
*wahrscheinlich probable
der Waid woad
der Waidbauer (-n) woad farmer
wallen to bubble, boil up; to wave, heave
das Walzwerk (-e) rolling mill
die Wand (¨e) wall; partition; septum
wandeln to change; to go
wanken to waver, totter
wappnen to arm, fortify
die Wärme heat, warmth
die Wärmeenergie heat energy
wärmen to warm, heat
die Wärmestrahlen heat rays
die Wärmestrahlung heat radiation
die Wärmezunahme increase in temperature
warnen to warn

warten to wait; auf sich — lassen to be long in coming
warum why
die Wäsche washing
die Waschechtheit fastness to washing
das Waschechtmachen making fast to washing
der Wasserdampf (¨e) steam, water vapor
die Wasseraufnahme absorption of water
der Wasserdruck water pressure
das Wassergas water gas
wasserhell bright (clear) as water
wässerig watery, serous
wasserklar clear as water
der Wasserlauf (¨e) channel, watercourse
wasserlöslich soluble in water
der Wasserstoff hydrogen
das Wasserstoffatom (-e) hydrogen atom
die Wasserstoffaufnahme absorption of hydrogen
der Wasserstoffkern (-e) hydrogen nucleus
der Wattebausch (-e) cotton pad
der Wechsel (-) change; draft
*wechseln to change
der Wechselstrom (¨e) alternating current
weder neither; —... noch neither ... nor
der Weg (-e) way
wegen on account of
wehren to protect, defend
weiden to pasture, graze
weil because
der Wein (-e) wine
die Weinflasche wine bottle
die Weise manner; way
weisen (ie, ie) to show, point out
weiß white

das **Weißfischchen** little whiting
der **Weißgehalt** content of white
weißglühend white-hot
die **Weißglut** white heat
weit far; wide, broad
weitaus by far
*****weiter** farther, further; **ohne —es** without further ado; **bis auf —es** for the time being, until further notice
*****die Weiterentwicklung** further development
weiter-gehen to go on, proceed, advance
weiter-kommen to get ahead, make progress
weiter-strahlen to continue to radiate
weiter-tropfen to keep on dripping
*****weiter-wirken** to continue to act
*****weitgehend** extensive; considerable; far-reaching
*****weitverbreitet** widespread
welcher, welche, welches which, what
die **Wellenart** kind of wave
der **Wellenbereich** (-e) wave range
die **Wellenlänge** wave length
der **Wellenstoß** (ᴝe) wave impulse
der **Wellentanz** (ᴝe) dance of waves
die **Welt** world, universe
die **Weltabgeschiedenheit** seclusion from the world
das **Weltall** universe
weltanschaulich regarding philosophy of life
die **Weltberühmtheit** world-wide fame
der **Weltenraum** space
die **Weltförderung** world production
weltfremd secluded from the world
die **Weltgeschichte** world history
der **Welthandel** international trade
der **Weltkrieg** (-e) world war
der **Weltmarkt** (ᴝe) world market
das **Weltmeer** (-e) ocean

die **Weltproduktion** world's production
der **Weltraum** universal space
*****wenden** (wandte, gewandt) (*rfl.*) to turn; **sich an... —** to apply to, approach; **gewandt** versed, skillful, clever
wenig little, few
*****wenigstens** at least
wenn if, when (ever); **— auch** even if
wenngleich although, even if
*****der Werdegang** development
werden (wird, wurde, geworden) to become, evolve, get; **es wird mir** I feel
werfen (i, a, o) to throw, cast
*****das Werk** (-e) work; works; apparatus
*****der Werkstoff** (-e) (industrial) material
das **Werkzeug** (-e) tool
der **Wert** (-e) value; valence
*****wertbeständig** of constant value
das **Wertpapier** (-e) security
wertlos worthless
wertvoll valuable
das **Wesen** (-) being, essence, nature
*****wesentlich** essential, chief
der **Wettkampf** (ᴝe) contest
wichtig important
die **Wichtigkeit** importance
widerfahren to happen, befall
widerlegen to disprove, refute
widersinnig contradictory
*****widersprechen** to contradict
*****der Widerstand** (ᴝe) resistance; **— leisten** to offer resistance
*****widerstandsfähig** capable of resistance
die **Widerstandsfähigkeit** capability of resisting; resistance
widerstandslos without resistance, unhindered
*****widerstehen** to resist, withstand

wie how, as, like; such as
wiederauf-bauen to reconstruct
die Wiedergabe reproduction
*wieder-geben to render, translate, reproduce
*wiederholbar repeatable
wiederholen to repeat
wieder-kehren to return, occur again
wieder-strahlen to reflect
wiederum again
wiegen (o, o) to weigh
wieviel how much, how many
Wildbad *a spa in the Black Forest, Germany*
willkommen welcome
*willkürlich voluntary
Willstätter, Richard M. (1872–) *outstanding German chemist, coeditor of "Liebigs Annalen der Chemie"*
Windaus, Adolf (1876–) *professor of chemistry in the University of Göttingen, Germany*
die Windgeschwindigkeit velocity of the wind
die Windrichtung direction of the wind
die Wintermilch milk produced in winter
die Winternacht (⸚e) winter's night
*winzig minute, tiny
das Wirbeltier (-e) vertebrate
*wirken to act, have an effect
*wirklich actual, real
*die Wirklichkeit reality
*wirksam effective, active, operative
die Wirksamkeit effectiveness
die Wirksamkeitsbedingung condition for effectiveness
der Wirkstoff (-e) active substance
*die Wirkung effect, action; zur — kommen to be effective, be active
das Wirkungsfeld (-er) field of action (operation)

der Wirkungsgrad (-e) degree of efficiency, strength
wirkungslos ineffective; inactive; inefficient
die Wirkungsmöglichkeit possible effect; possibility
wirkungsvoll effective
*wirtschaftlich economic
die Wirtschaftlichkeit economy
der Wischer (-) wiper
wissen (weiß, wußte, gewußt) to know
*die Wissenschaft science
*der Wissenschaftler (-) scientist
*wissenschaftlich scientific
die Witterung weather
die Woche week
woher whence
wohl well, good; perhaps, probably; to be sure, indeed
der Wohlgeruch (⸚e) perfume; fragrance
wohltuend beneficial, pleasing
die Wohnung dwelling, residence
das Wolfram tungsten
wolframähnlich similar to tungsten
der Wolframstab (⸚e) tungsten rod
die Wolke cloud
die Wolle wool
wollen (will, wollte, gewollt) to will, want to, wish to
wörtlich literal, verbal
die Wucht force, energy
wunderbar wonderful, marvelous
wundern to surprise, astonish
wundervoll wonderful, splendid
das Wundstreupulver (-) vulnerary powder
wünschen to wish
die Wunschlosigkeit absence of desire
*würdigen to appreciate
der Würfel (-) cube

VOCABULARY

Württemberg *a region (former kingdom) in southwestern Germany*
das **Wurzelgemüse** eatable roots
der **Wust** confused mass, jumble

X-Beine knockknees (genu valgum)
das **Xenon** xenon
die **Xerophthalmie** xerophthalmia
das **Xylol** xylene

das **Yosemitetal** Yosemite valley
Ypern Ypres *(a town in the province of West Flanders, Belgium)*

die **Zacke** prong, tooth
zackig jagged
zähe tough
*****zahlenmäßig** numerical
*****zahllos** countless
*****zahlreich** numerous
der **Zahn** (ᴗe) tooth
das **Zahnfleisch** gum, gums
das **Zahnziehen** tooth extraction
der **Zapfen** (-) cone
zart delicate
zauberhaft magic
z.B. = **zum Beispiel** for example, e.g.
zeichnen to draw, sketch; to reveal
der **Zeichner** (-) designer; draftsman; cartoonist
zeigen to show, reveal
der **Zeiger** (-) pointer, indicator
die **Zeile** line
die **Zeit** time
*****das **Zeitalter** (-) age, era
*****die **Zeitdauer** duration, period of time
zeitigen to bring about
*****der **Zeitraum** (ᴗe) space of time, period
die **Zeitung** newspaper
die **Zeitungsnotiz** newspaper notice, article

*****zeitweilig** at times, occasionally, at intervals
das **Zelluloid** celluloid
zerbrechen to break, shatter
der **Zerfall** decomposition, disintegration
*****zerfallen** (ie, a) to decompose, disintegrate, fall into, divide
zerkleinern to reduce to small pieces, crush
zerkratzen to scratch
*****zerlegen** to decompose, split up, take apart; to analyze
die **Zerlegung** decomposition
*****zerquetschen** to crush
zerreißen (i, i) to tear apart; to break up
zerschlagen to smash, crush
zerschmettern to shatter, smash
zerschneiden (i, i) to cut up
*****zersetzen** to decompose
das **Zersetzungsprodukt** (-e) decomposition product
zerstieben (o, o) to scatter as dust, spray
zerstören to destroy
zerstrahlen to disperse by means of radiation
die **Zerstrahlung** dispersion by radiation
zerstreuen to scatter
zerteilen to separate; to split up; to divide
zertrümmern to break up, shatter
das **Ziel** (e) aim, goal
zielbewußt clearsighted
*****zielen** to aim
die **Zielsetzung** aim
ziemlich rather, fairly
die **Ziffer** number, figure
*****zitieren** to quote, cite
die **Zitrone** lemon
der **Zitronensaft** lemon juice

VOCABULARY

zittern to tremble, vibrate
die **Zivilisation** civilization
das **Zollamt** (ᵉer) customhouse
zollamtlich custom
zollfrei duty-free
z. T. (zum Teil) in part, partly
zu to; at; in; for; too; (*with infinitive*) in order to; — **gleicher Zeit** at the same time
*die **Zubereitung** preparation
*die **Zucht** breeding
der **Zucker** (-) sugar
zuckerähnlich like sugar, saccharoid
der **Zuckergehalt** sugar content
die **Zuckerkohle** sugar charcoal
der **Zuckerkranke** (–n) diabetic
die **Zuckerkrankheit** diabetes
der **Zuckerstoffwechsel** sugar metabolism
zuerst at first, first
der **Zufall** (ᵉe) accident, chance
zu-fallen to come to, fall to the lot of
***zufällig** accidental, chance
die **Zufallsentdeckung** accidental discovery
*der **Zufluß** (ᵉsse) influx, flow, addition
zufrieden satisfied, content
zu-führen to supply, feed
der **Zug** (ᵉe) train; draft; outline; pull
***zugänglich** accessible
***zugleich** at the same time, simultaneously
***zugrunde-liegen** to be the basis of (*or* for)
zu-halten to keep closed, cover
der **Zukunftskrieg** (–e) future war
der **Zukunftsroman** (–e) futuristic novel
***zulässig** admissible; permissible
die **Zuleitungsröhre** inlet tube, feed pipe

zuletzt last, at last
***zumindest** at least
zunächst first, above all, nearest; at first
zünden to ignite, fire
die **Zündung** ignition
das **Zündholz** (ᵉer) match
***zu-nehmen** to increase; to grow larger
zurück-bleiben (ie, ie) to remain behind, be left
***zurück-führen** to trace back; — **auf** to be due to
zurück-gehen to go back, return; to deteriorate
zurück-halten to hold back, retain, reserve
zurück-kehren to return
zurück-lassen to leave behind
zurück-legen to cover; to make
zurück-liegen to lie back
zurück-verwandeln to change back
zurück-werfen to reflect; to throw back
zusammen together
die **Zusammenarbeit** co-operation
die **Zusammenballung** agglomeration
zusammen-bringen to bring together
zusammen-drängen to concentrate; to crowd together
zusammen-gehören to belong together
der **Zusammenhalt** cohesion
*der **Zusammenhang** (ᵉe) connection
zusammen-hängen to cohere, be connected
zusammen-lagern to place together; to assemble
die **Zusammenlagerung** assemblage
zusammen-pressen to compress
zusammen-schmelzen to melt together, fuse
zusammen-schweißen to weld together

*zusammen-setzen to compound; to compose
die Zusammensetzung composition; structure
zusammen-sintern to sinter together, agglomerate
*zusammen-stellen to put together, compose
die Zusammenstellung combination
zusammen-stoßen (ö, ie, o) to collide
zusammen-tragen to gather, collect
zusammen-treten to come together; to combine
zusammen-wachsen to grow together
*zusammen-ziehen to contract
die Zusammenziehung contraction
*der Zusatz (⸚e) addition; supplement
der Zusatzstoff (-e) admixed material
*zu-schreiben (ie, ie) to attribute, credit
zuschulden: sich ... zuschulden kommen lassen to become guilty of, be blamed for
*zu-setzen to add
zu-sprechen to attribute; to concede; to adjudicate
der Zustand (⸚e) condition, state
*zustande-kommen to come about, take place; to originate
*die Zustimmung approval, consent

*zu-treffen to agree; to prove correct; to occur
*das Zutun co-operation, aid
*zuverlässig reliable
*zuvor before, previously
zuweilen sometimes, at times
*zu-wenden to turn to
zuwider repugnant; against
*zwangsläufig by necessity, forced
zwanzigfach twentyfold, twenty times
zwar indeed, to be sure; und — namely, that is
*der Zweck (-e) purpose, object; Mittel zum — means to the end
*die Zweckmäßigkeit expediency, suitability; aus —sgründen for reasons of expediency
*der Zweifel (-) doubt
zweifelhaft doubtful
zweifellos undoubtedly, without doubt
der Zweig (-e) branch
die Zwiebel onion
*zwingen (a, u) to force, compel
zwischen between, among
*das Zwischenprodukt (-e) intermediate product
der Zwischenraum (⸚e) intermediate space
*die Zwischenstufe intermediate step
die Zyanose cyanosis
z.Z. (zur Zeit) at present, at the time

(6)

Umlaut Rule.

Classes

                                        so/es
                                        / inG.S.
Umlaut   I - II   III   IV   V VI
         f - always always never never never
         M - often
         N - never

FINAL

66, 64, 57 — 63   7|63
    29 + 3 —   91
    24 + 4 —   93
    20 + 5 —   3|279

TESTS

GRAMMAR
97
100
96
96
100
70
78
98
98 — 93 av.
88
93

100
96
84 — 93 av.

sep. — real
indep — figurative